NATURAL SOLAR ARCHITECTURE
a passive primer

태양 에너지를 이용하는
패시브 하우스 건축

by DAVID WRIGHT, aia
environmental architect

technical advice : Jeffrey Cook, aia

illustrations : Dennis A. Andrejko

한 창 평 역저
공학박사 · 건축사

 VAN NOSTRAND REINHOLD COMPANY
NEW YORK • CINCINNATI • TORONTO • LONDON • MELBOURNE

머 리 글

오래전부터 국내에 소개하고 싶은 책이었다. 이 책의 저자 Darvid Wright 씨는 미국의 유명한 환경 건축가이며, 본서는 이미 6개 국어(영어, 스페인어, 이태리어, 일본어, 독일어, 프랑스어)로 출간되어 있다.

지하에 매장되어 있는 석탄, 석유, 가스등 에너지의 고갈을 예고하는 전문가들은, 그 에너지 소비 시에 나오는 물질이 대기를 오염시키고, 기후 환경을 악화시켜, 생태계에 치명적인 변화를 가져올 것이라고 경고하고 있다. 사실 점차 악화되어 가고 있는 기후 환경은 심각한 현실로 다가오고 있다.

세계 각국은 머리를 맞대고 석탄에너지 사용을 줄여 탄소배출을 감소시키려고 노력하지만 선진국과 후진국의 이해관계가 상충되어 어렵기만 하다. 따라서 대안으로 떠오른 신재생에너지에 대한 인식이 높아지고 있으며 정부의 에너지 정책은 이의 활용을 적극 권장하고 있다.

우리는 지구에 쏟아지는 거의 무한에 가까운 태양에너지가 모든 만물의 원천이 되어 변환된 물질, 즉 석탄, 석유와 모든 동식물이 된다는 걸 미처 생각해 보지 않았다. 이 책은 에너지에 관한 철학이자 자연의 에너지를 활용 할 수 있는 지혜를 가르쳐 준다. 250페이지 모두가 자연의 에너지를 활용하는 기법 관련 스케치를 담고 있는 정말 놀라운 책이다. 자연환경을 깊이 이해하고 있는 경험 있는 환경 건축사(우리나라에는 없는 전문가 제도)가 아니면 그려 낼 수 없는 그림이 담겨있는 책이다. 태양 에너지에 관심 있는 모든 엔지니어, 건축, 기계, 전기, 조경, 토목, 도시계획 전문가와 디자이너가 알아야 할 놀라운 지식이 담겨 있는 책이다.

도움을 주신 손진영 회장님((주)코칩, 전국연구소장협의회 전 회장)과 김기배 사장님((주)유원ENG)께도 감사드린다. 또 어렵더라도 노후에 보람 있는 일이라면 멈추지 말고 해보라고 격려해준 사랑하는 아내에게 감사한다. 가 편집한 복사본을 보시고 기꺼이 출판해 주시겠다는 노드미디어 출판사 박승합 사장님의 탁견과 편집에 애써주신 직원분들의 수고에 감사를 드린다.

태양 에너지와 패시브 하우스 건축에 관심 있는 건축, 기계, 전기, 조경, 토목, 도시계획 분야 엔지니어와 디자이너는 물론 창호 기자재 생산과 단열재 생산 업체등에도 영감을 줄 수 있는 책이 될 수 있으리라 믿는다.

역자 : 한창평 씀
공학박사, 건축사

저자 머리글

오늘날 나날이 상승하는 연료비용 때문에 점점 더 많은 사람들이 태양 에너지의 잠재력을 탐구하고 있습니다.

Natural Solar Architecture 패시브 입문서는 쏠라 건축 관한 패시브 기법에 대해 더 자세히 알고자 하는 모든 사람들을 위한 완벽한 핸드북으로 가장 권위 있으며 이해하기 쉽게 편집된 것입니다.

본서는 패시브 쏠라 건축이 현대인이 직면한 에너지 및 환경 문제 중 일부에 대한 해답이 될 수 있는 방법을 설명합니다. 그러나 패시브 쏠라 건축의 자연 접근 방식에도 약간의 상업 에너지와 장비는 필요로 합니다. 패시브 쏠라 디자인에서는 건축물 자체가 건물의 쾌적한 환경을 전적으로 쏠라 패널과 결합된 기계장치에 전적으로 의존하는 액티브 쏠라 시스템과는 달리 건축구조물이 태양에너지를 수집하고, 저장하며, 분배합니다. 핵심은 단순함입니다. 인간의 시스템은 대체로 복잡하고 비효율적이며 고비용이고 자연적이지 못합니다. 태양 잠재력을 최적화하는 주택을 설계하려면 기본적인 열역학을 알고 나서 자연계에서 필요한 정보를 얻어야 합니다. 이것이 David Wright가 본서에서 제공하려는 것입니다. 본서에서 온실 효과, 열전달, 열 손실, 열 발생률, 표면적 대비 부피 비율 및 히트 싱크와 같은 중요한 요소를 부드럽고 따라 하기 쉬운 방식으로 완벽하게 설명되고 토론됩니다. 기술 자료를 읽는 것은 종종 힘든 일이 될 수 있지만 도움이 되는 다이어그램, 재치 있는 삽화, 아름다운 손글씨 텍스트 및 자연스러운 쏠라 건축의 회화적인 분위기는 즐거운 독서 경험이 될 것입니다. 추가로 David Wright는 쏠라 주택을 선택하는 것에서부터 입주 할 때까지 필요한 모든 단계에서 고려 사항을 철저히 할 수 있는 체크리스트를 제공합니다. Natural Solar Architecture는 문자 그대로 힌트와 가이드라인은 태양에너지 하우스를 원하며 계획하고 미래를 꿈꾸는 사람들, 아마도 환상을 가진 사람들을 즐겁게 할 것입니다. 본서 전반에 걸쳐 논의된 많은 원리와 아이디어는 솔직히 주거지에서 판타지 주택에 이르기까지 다양하게 활용 될 수 있습니다.

David Wright는 미국 평화 봉사단에서 아프리카 국가에 봉사한 1960년대 초반부터 다른 형태의 건축 디자인에 참여해 왔습니다. 초기 혁신가이자 선도적인 환경 건축사인 그는 전국적으로 수많은 성공적인 쏠라 프로젝트를 설계했습니다. 그의 작품. 미래 에너지 필요에 맞는 라이프 스타일 변화에 맞게 현대 건축물을 재구성하는 방향으로 주안점을 두고 있습니다. 그의 작품은 잡지와 책에서 그리고 쏠라에너지에 관한 영상물 등에서 빈번히 소개되고 있습니다. 그는 미국 건축가 협회(American Institute of Architects)의 회원으로 빈번한 강의와 슬라이드를 전하고 있습니다.

INTRODUCTION

Today, many catalogs of
alternate energy ideas,
generalized solar manuals, &
do-it-yer-self sufficiency
guides proliferate the
bookstores. This passive
solar primer will help fulfill the need for prerequisite knowledge of passive
concepts for students, architects, builders, home planners & survivalists prior
to the undertaking of the ultimate logical process of designing a climatically
oriented structure. It is meant for those of us who want
to touch on the A-B-C's of solar thermal phenomena
before tangling with highly technical manuals.

tee
hee!!

This is not a how-to book; it is meant to illustrate some of the
concerns of passive solar design & at the same time to
tickle the imagination.

It is my hope that the basics offered in this book will aid people in their
efforts to design energy efficient buildings which are attuned to the
environment, integrated with the landscape, beautiful to behold, & above
all, in harmony with the whole of nature.

Dedicated to the world around us; *David Wright*
Environmental Architect
the Sea Ranch, California

개 요

오늘날 대체 에너지 아이디어를 담은 많은 카탈로그와 일반화된 많은 태양열 매뉴얼과 독학에 충분한 지침들이 서점에 널리 보급되고 있다. 이 패시브 쏠라의 입문서는 기후 영향을 받는 구조물을 디자인하는 궁극적 논리 과정을 수행하기에 앞서, 학생들과 건축사와 건설인, 주택 계획가와 거주자들에게 패시브 개념을 사전 지식으로 얻을 수 있도록 충분히 도움이 될 것이다. 높은 기술지침의 덫에 빠지기 전 태양에너지의 실상 A, B, C 를 알고 싶은 많은 사람들에게 의미 있는 것이다.

이것은 방법을 기술한 책이 아니다.; 이 책은 패시브 쏠라 디자인의 개념 몇 가지를 예로 들며, 동시에 상상력을 만족 시키는 것에 의미가 있다. 나는 이 책에서 제공되는 기본적 개념이 환경과 그것을 지켜볼 수 있는 아름다운 경관과 자연 전체가 조화를 이루며, 그 이상의 모든 것 들과 어울리는, 에너지 효율적 빌딩을 디자인하려고 노력하는 사람들에게 도움을 줄 수 있기를 바란다.

우리 주변의 세상을 위하여; *David Wright*
환경건축가

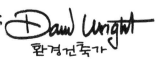

TABLE OF CONTENTS
내용 순서

✱ This symbol denotes trade names or proprietorships.

Prior to the fossil fuel age & the Industrial Revolution, people depended on fire, animals, sun, wind, water, & themselves to get work done ... & things got done. With the development of petroleum fuels, steam engines, electricity, & the like people used these means to do work for them.... Much, much more work got done & no end was in sight for these relatively cheap tools. Fossil fuels, originally derived from the sun's energy, were used to heat houses, run automobiles, light cigarettes, & even produce suntans! People forgot about the things that they could do & that nature could do for them. They concentrated on isolating themselves from nature's forces, allowing the machines & fuels to do as much as possible .... Many things were forgotten.

에너지 윤리

화석연료 시대와 산업혁명 전 인간은 불과 동물, 태양, 바람, 물 등과 활동으로 얻어지는 자신들과 일로 얻어지는 것들에 에너지를 의존해 왔다. 석유연료, 증기엔진, 전력과 유사한 것들, 사람들은 그것을 위해 일이라는 수단을 사용했다. 훨씬 더 많은 일이 수행되었고, 이와 관련되는 값싼 수단들은 끝이 없어 보였다.

화석 연료는 근본적으로 태양에너지로부터 오며, 집을 덥히고 자동차를 움직이고, 담뱃불을 붙이고, 심지어는 자연광을 만들기 위해 사용되었다. 사람들은 그들이 할 수 있는 것과 자연이 할 수 있는 것들을 모두 잊어버렸다.

그들은 자연의 힘으로부터 격리되어, 자신들이 기계들과 연료를 얼마든지 많이 쓸 수 있도록 허용하는데 집중하였다. 많은 사실들이 잊혔다.

에너지 이야기

After a while the natural environment became polluted & unsafe to live in because of the side effects of this new kind of work. The seemingly inexhaustable supply of fuel became more limited ... & then the end was in sight. More effort had to be expended to acquire less & less fuel. Suddenly, it was too expensive to drive cars, light cigarettes, take showers, & indulge in the energy orgy.

People had to look around to see what they could do. Lo & behold, there were some easy & economical things that could be done without relying totally on the old machines & fuels. Although people had been sidetracked by a seductive servant, they had learned a few things.... Science had made astonishing discoveries about the physical world; industry had developed; marvelous materials & devices had evolved, & concepts of the world had been broadened.

People became receptive to the SOLAR AGE.

It appeared silly & grossly inefficient to burn polluting fuel at temperatures in excess of 1000°F [538°C] in order to generate electricity & then send it hundreds of miles in order to heat water to 140°F [60°C] = all for a simple hot shower at about 100°F [38°C].

한동안 자연환경은 오염되기 시작했고 이런 새로운 현상으로 인한 영향 때문에 삶이 불안전하게 되었다. 무한정 소비할 수 있을 것 같은 연료의 공급이 제한되기 시작했고 그 끝이 보였다. 그리고 더 많은 노력이 더 적은 연료를 소비하는데 기울어져야만 했다. 갑자기 너무 비용이 많이 들어 자동차를 몰기 어려워졌고, 담뱃불 붙이기, 샤워하기 등등에 에너지를 흥청망청 쓸 수 없게 되었다.

사람들은 그들이 할 수 있는 것이 무엇인지 주위를 돌아보아야만 했다. 보라! 옛 기계들과 연료에 전적으로 의지하지 않고 할 수 있는 몇 가지 쉽고 경제적인 것들이 있다.
비록 사람들이 매혹적인 하인에 의해 잘못 인도되어 왔지만, 그들은 몇 가지를 경험하였다...... 과학이 물질적 세계에서 놀라운 발견을 해온 이래 산업은 발달되었고 훌륭한 재료들과 장치들이 개발되었고 세상의 관념도 넓어져 왔다.

사람들은 태양의 힘을 받아들이기 시작했다.

전기 생산을 위하여 538℃ 넘는 온도로 연료를 태워 오염물질을 배출한다.
그리고는 물을 60℃(단순 뜨거운 물 샤워는 약 38도℃임)로 데우기 위하여
전기를 수백 마일 보내는 것은 바보스럽고 아주 비효율적이라는 것을
알았다.

주택 지붕 위 물탱크에 평판 집광기를 붙이는 것이 훨씬 더 경제적이며 효율적이고 더 깨끗하며 재미있는 것이었다. 물은 정말 데워졌고, 우수한 투자라고 증명되었으며, 또한 몇 가지 고안은 좀 더 우수하다는 것을 알게 되었다.

집을 데우고 시원하게 한다는 것은 똑같았다.; 재래식 연료와 기계들이 항상 필요한 것은 아니었다. 사람들이 그들의 상상력과 친화적 자연을 이용하면 할수록 더 간단한 노력으로 성과를 얻게 되었다. 한 개의 크랭크축을 전기 모터로 돌릴 수 있는 것처럼 도르래로도 잘 작동하게 할 수 있으며, 그것은 훌륭한 동력이 되었다.

시간이 가면서 더 많은 변화가 있었다. 태양 전지가 전기를 만들어, 빛과 신선함과 통할 수 있게 만들어 준다. 바람은 기계를 돌려 물을 끌어올리고 배를 움직이는 동력이 되었다. 태양 에너지가 변환되어 성장한 식물로 산업과정에 들어가는 깨끗하고 안전한 연료를 만든다. 대안은 거의 무한정이었다.

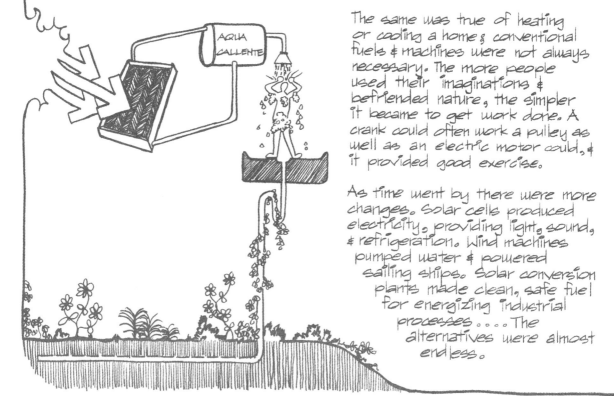

It was far more economical, efficient, cleaner, & fun to hook up a flat-plate collector to a water tank on the roof of one's house. The water got just as hot, proved to be an excellent investment, & some even thought it felt a little better.

The same was true of heating or cooling a home & conventional fuels & machines were not always necessary. The more people used their imaginations & befriended nature, the simpler it became to get work done. A crank could often work a pulley as well as an electric motor could, & it provided good exercise.

As time went by there were more changes. Solar cells produced electricity, providing light, sound, & refrigeration. Wind machines pumped water & powered sailing ships. Solar conversion plants made clean, safe fuel for energizing industrial processes . . . . . The alternatives were almost endless.

For some people it was difficult to change quickly. They still liked their old machines & the noises & smells they made while doing work. These folks had to pay more for less & less work. A larger & larger portion of their waking hours was allocated to the fossil fuel machines.

Many others liked using the natural methods & enjoyed paying less for more. They soon discovered many things they could do by alternative methods — such as sunbathing, growing food, drying crops, distilling liquids, cooking, pumping, generating, converting, transporting, communicating, & so forth.

They will live happily ever after....

어떤 사람들에게는 빨리 변화하는 것이 어려웠다. 그들은 여전히 낡은 기계와 그 기계들이 작동하는 동안 만들어 내는 소음, 냄새에 익숙해 있었다. 이와 같은 부류의 사람들은 적은 일에 더 많은 대가를 지불해야 했다. 깨어 있는 시간의 더 많은 부분을 화석연료 기계에 할당하게 되었다.

많은 다른 사람들은 자연적인 방식을 사용하고 싶어하며 적게 쓰고 더 많은 것을 바란다. 그들은 곧 대체방법으로 할 수 있을듯한 많은 것들을 발견했다. — 일광욕, 식용작물 기르기, 작물 건조, 액체 증류, 요리, 펌핑, 발전, 전환, 수송, 통신 등에서.

그 후 사람들은 영원히 행복하게 살 것이다.

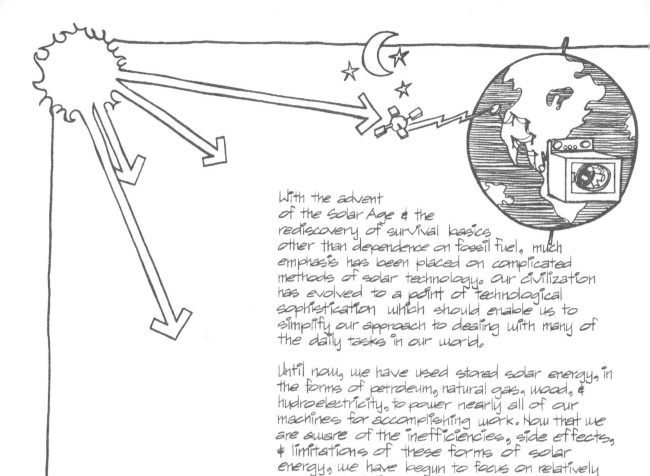

With the advent
of the Solar Age & the
rediscovery of survival basics
other than dependence on fossil fuel, much
emphasis has been placed on complicated
methods of solar technology. Our civilization
has evolved to a point of technological
sophistication which should enable us to
simplify our approach to dealing with many of
the daily tasks in our world.

Until now, we have used stored solar energy, in
the forms of petroleum, natural gas, wood, &
hydroelectricity, to power nearly all of our
machines for accomplishing work. Now that we
are aware of the inefficiencies, side effects,
& limitations of these forms of solar
energy, we have begun to focus on relatively
complex techniques of converting direct solar
energy for doing even simple work.

태양의 시민들

쏠라 시대의 출현과 화석연료에 의존하지 않고 살아갈 수 있는 기초적인
것들의 재발견으로 복잡한 쏠라기술이 훨씬 중요한 자리를 차지하고 있다.
우리의 문명은 기술적 궤변의 전환점을 맞았고 그것은 우리로 하여금 세상
에서 매일매일 많은 일을 다룰 때 우리가 단순하게 접근할 수 있어야만 한
다. 이제까지 우리는 작업 수행을 위하여 우리가 가진 거의 모든 기계의 동
력으로 석유, 자연가스, 목재, 그리고 수력전기 형태로 저장된 쏠라 에너지
를 사용해 왔다.

이제 우리는 이것들이 불충분하다는 것을 알았다.
그 밖에도 쏠라에너지의 이와 같은 형태에서의 제약
을 알았고, 간단한 노력으로 태양에너지를 직접 전
환하는 비교적 복잡한 기술에 관심의 초점을 두기
시작했다.

자연은 광대한 연결체계를 운영하기 위해 고장 나기 쉬운 펌프와 팬, 게이지와 다이얼 계기판에 의지 하지 않고 추적형수집기들을 작동한다. 인간의 시스템은 일반적으로 복잡하고, 불충분하며, 비싸고 그리고 상당히 부정확하다. 그러나 자연은 거의 그렇지 않다.

우리가 태양에너지를 직접적으로 열과 전기와 화학적 프로세스로 사용하는 것을 배울 때 우리는 우리 주위의 물질세계가 믿을 수 없이 오묘한 것을 이해하기 시작할 것이다.
그다음 우리는 우리의 행성 구성요소를 가지고 평화롭게 살 준비가 될 것이다. 우리가 주는 것보다 오히려 지속적으로 더 취하면서 — 그래서 우리 자신의 보금자리를 오염시키면서.

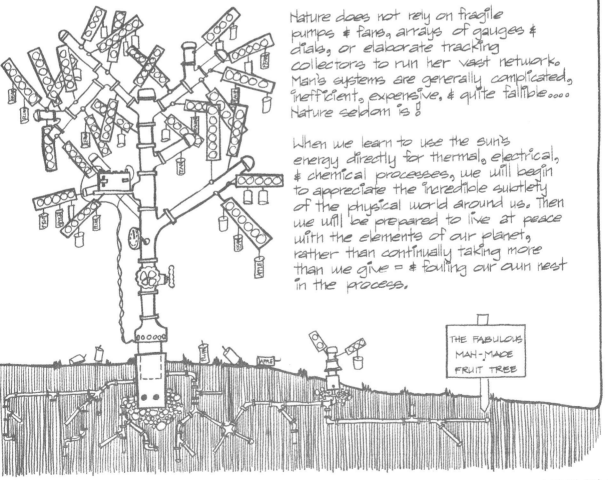

Nature does not rely on fragile pumps & fans, arrays of gauges & dials, or elaborate tracking collectors to run her vast network. Man's systems are generally complicated, inefficient, expensive, & quite fallible.... Nature seldom is !

When we learn to use the sun's energy directly for thermal, electrical, & chemical processes, we will begin to appreciate the incredible subtlety of the physical world around us. Then we will be prepared to live at peace with the elements of our planet, rather than continually taking more than we give — & fouling our own nest in the process.

THE FABULOUS MAN-MADE FRUIT TREE

Once we have recognized, identified, & made good use of the total spectrum of the physical potential we will undoubtedly change the ways in which we live. Solar power will not be a mystery to us. Use of the sun's energy will be second nature, & the routine of life will involve few of the unknown elements that pervade our existence today. It is our destiny to become solar citizens. When our politicians, economists, engineers, teachers, & the rest of us attain solar enlightenment, our physical world, too, will change. Land use patterns, structures, forms, functions, & the environment as a whole will all be affected — POSITIVELY!

일단 우리가 물리적으로 가능한 전 영역을 인식하고 확인하며 잘 이용한다면 우리는 우리가 살아온 방식들을 변화시킬 것이라는 것은 의심할 여지가 없다. 태양의 힘은 우리에게 신비한 것이 아니다. 태양에너지의 사용은 제2의 자연이 될 것이며 그리고 생명의 과정은 우리가 존재하는 현실에서 가득 찬 알려지지 않은 몇 가지 요소들과 연관될 것이다.

태양의 시민이 되는 것은 우리의 숙명이다.

우리의 정치가들, 경제인들, 엔지니어들, 선생님들과 나머지 모든 사람들이 태양에서 깨달음을 얻을 때 우리의 물질세계 역시 변화될 것이다.

토지 경작 패턴, 구조물들, 품종들, 그 역할과 전체 환경, 모든 것에 영향을 끼칠 것이다. — 즉 긍정적으로!

The transition from the passé fossil fuel age to the new energy consciousness will not be easy, but we must change gears & operate on a more efficient plane. The idea of tacking solar collectors on an antiquated structure of another age & considering it a solar house is much like adding an internal combustion engine to a horse drawn carriage & calling it an automobile. It is a start, but we have more to learn before we are truly solar citizens in a solar economy.

Obviously, if we are to survive, we cannot continue the way we have since the Industrial Revolution. Returning to some primitive state is not attractive. Therefore, we must work at developing new patterns of responsibility & a code of ethics for dealing with our earthly biosphere.

지나온 화석연료 시대에서 새로운 에너지 인식 시대로 옮겨 가는 것은 쉽지 않을 것이다. 그러나 우리는 장비를 바꾸고, 더 효과적인 단계로 작동시켜야만 한다. 다른 시대의 고색창연한 구조물 위에 태양에너지 수집기를 설치하는 아이디어와 그것을 태양에너지 집이라고 생각하는 것은 말이 끄는 마차에 내연기관을 덧붙인 것, 그리고 그것을 자동차라고 부르는 것과 같다. 이것은 시작이다. 그러나 태양의 경제 속에 진정한 태양의 시민이 되기 전에 우리는 더 배워야 한다.

명백하게 우리가 생존하려면 산업혁명 이래 우리가 하고 있는 식으로 계속 갈 수는 없다. 또 몇 가지만 원시적 상태로 회귀한다는 것은 흥미가 없다. 따라서 우리는 우리의 지구라는 생명 구체를 다루는 윤리규정과 책임을 새로운 형태로 개발해야만 한다.

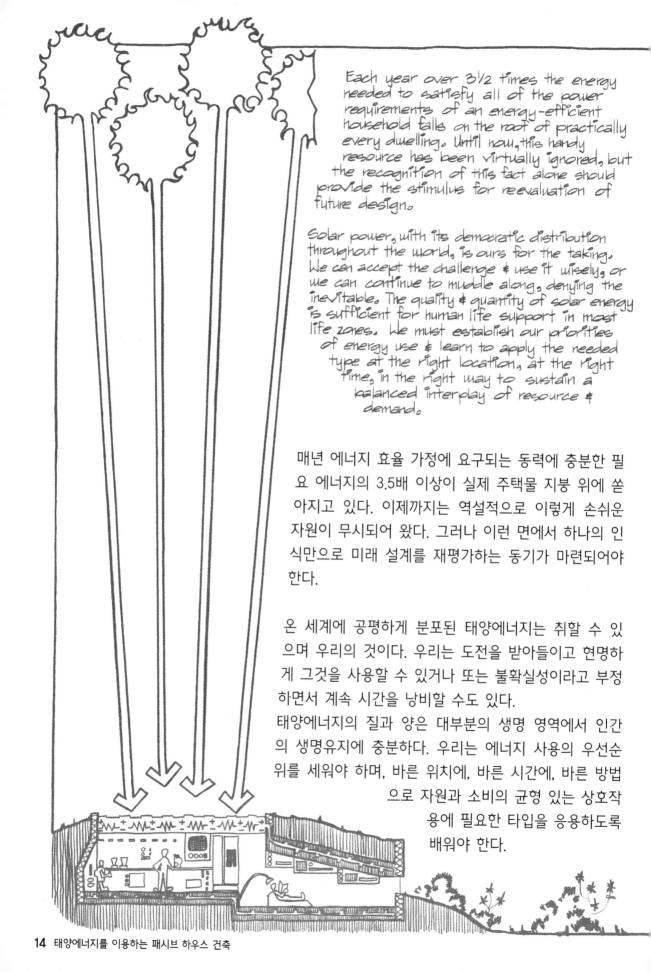

Each year over 3½ times the energy needed to satisfy all of the power requirements of an energy-efficient household falls on the roof of practically every dwelling. Until now, this handy resource has been virtually ignored, but the recognition of this fact alone should provide the stimulus for reevaluation of future design.

Solar power, with its democratic distribution throughout the world, is ours for the taking. We can accept the challenge & use it wisely, or we can continue to muddle along, denying the inevitable. The quality & quantity of solar energy is sufficient for human life support in most life zones. We must establish our priorities of energy use & learn to apply the needed type at the right location, at the right time, in the right way to sustain a balanced interplay of resource & demand.

매년 에너지 효율 가정에 요구되는 동력에 충분한 필요 에너지의 3.5배 이상이 실제 주택물 지붕 위에 쏟아지고 있다. 이제까지는 역설적으로 이렇게 손쉬운 자원이 무시되어 왔다. 그러나 이런 면에서 하나의 인식만으로 미래 설계를 재평가하는 동기가 마련되어야 한다.

온 세계에 공평하게 분포된 태양에너지는 취할 수 있으며 우리의 것이다. 우리는 도전을 받아들이고 현명하게 그것을 사용할 수 있거나 또는 불확실성이라고 부정하면서 계속 시간을 낭비할 수도 있다.
태양에너지의 질과 양은 대부분의 생명 영역에서 인간의 생명유지에 충분하다. 우리는 에너지 사용의 우선순위를 세워야 하며, 바른 위치에, 바른 시간에, 바른 방법으로 자원과 소비의 균형 있는 상호작용에 필요한 타입을 응용하도록 배워야 한다.

태양의 시민이란 무엇인가?

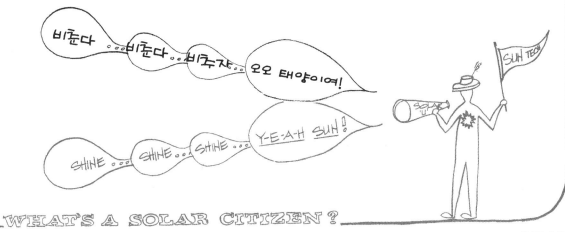

순응하는 자세

태양 시민권 윤리 이행을 위한 한 가지 길은 가장 자연적인 방법으로 그 과정에 접근하는 것이다. 패시브 쏠라의 개념은 최소한의 기계적 간섭하에 자연이 우리의 시스템을 작동하도록 허용하는 것이다. 우리는 비 기계적인 수단으로 우리의 주택과 공장 그리고 사무실 빌딩을 데우고, 시원하게 하는 동력 공급 가능성이 존재한다는 것을 아는 것이다. 이것이 일어날 수 있기 위한 우리의 능력에 우리의 상상력에는 끝이 없다.

가축의 힘에 의하는 것보다 중력에 의해 무거운 물체를 움직이는 것이 훨씬 더 쉽다. 언덕 위까지 하중을 밀어 올리거나 끌어올리기 위해 우리는 많은 노력이 필요하다.; 즉 반대로 내려오는 것은 단순하게 조정되는 하강일뿐이다. 자연에는 수리학적 순환, 바람, 조력, 중력 및 지구 자전과 같이 여러 가지 밀고 당기는 수단이 있다. 항해 요트는 바람과 잠재력을 가장 잘 이용한다.; 즉 필요한 모든 것이 조정될 수 있다. 돛에 의해 조정되고 그것을 유지하는데 응용되는 지식과 조정술로 아주 먼 거리를 최소한의 노력과 에너지 비용으로 여행할 수 있게 된다.

One avenue for implementation of the solar citizenship ethic is to approach the process in the most natural way. The passive solar concept is to allow nature to operate our systems with a minimum of mechanical interference. We know that the potential for heating, cooling, & powering our dwellings, factories, & office buildings by nonmechanical means exists. Our ability to allow this to happen is limited only by our imagination.

It is far easier to move a heavy object by gravity than by brute strength. We must exert much effort to push or pull a load up a hill; coming down the other side is simply a matter of controlled descent. Nature provides the push & pull in many cases, as with the hydrological cycle, winds, tides, gravity, & the earth's rotation. A sailboat makes the best of wind & current potential; all that is required is control. By applied knowledge & manipulation to keep the craft trimmed, great distances can be travelled with minimal effort & energy expense.

technology mountain

In most climates, the natural energies that heat, cool, humidify & dehumidify structures are available throughout the year. The trick is to distribute these energies to the times they are needed for comfort. Since the weather does not adapt to our exact needs, our structures must do the adapting. Buildings can be designed to accept or reject natural energy & store or release it at appropriate times.

If we maximize the passive potential for each building in each climate zone, our need for off-site energy will be vastly reduced. In many places it is possible to design & build totally self-sufficient structures. In others, a great percentage of the needed support is available. The idea is to do your best with what's there, & then augment with active solar power, renewable resource fuels, or conventional fuels — in that order.

On an individual basis, we can each look around & see what can be done. Many facts are available for our use. Today, this natural approach must be supplemented by intuition, estimation, guesstimation, & conjecture.

대부분의 기후조건에서 자연은 냉난방을 위해 습하고 건조한 구조물이 일 년 내내 이용할 수 있는 에너지다. 그 비결은 쾌적하게 하는데 필요한 이 에너지를 시간대로 분산시키는 것이다. 기후는 우리가 꼭 필요한대로 따라 주지 않으므로 우리의 구조물이 순응하도록 만들어야 한다. 빌딩은 자연의 에너지를 받아들이거나 거부하도록 디자인될 수 있으며 적당한 시기에 자연의 에너지를 저장하거나 방출할 수 있다.

각각의 기후 지역에서 우리가 각각의 빌딩에 대해 패시브 화 가능성을 극대화한다면 외부 에너지에 대한 우리의 요구는 굉장히 줄일 수 있게 될 것이다. 많은 곳에서 전체적으로 자족할 수 있는 구조물을 디자인하고 짓는 것은 가능하다. 기타 지역에서도 필요한 에너지를 많이 지원할 수 있도록 이용될 수 있다.
이 아이디어는 자연에 있는 것을 가장 잘 이용하는 것이다. 그리고는 활동적인 태양의 힘과 신재생 자원 연료 또는 재래식 연료에 대한 논의를 하는 것이다. — 동일한 방식으로

개별적인 토대 위에 우리 각각을 돌아보면, 될 수 있는 것을 바로 알 수 있다. 많은 현상들을 우리는 이용할 수 있다. 오늘날 이와 같은 자연 접근은 본능적, 계산적으로. 정확히 추측하고, 판별함으로써 보완되어야 한다.

미래에 적용된 엔지니어링, 물리학과 건축술은 현실적으로 완성될 수 있는 것들에 대한 파라미터를 더 잘 정의할 것이다. 그러나 현재에는 우리는 패시브 공조 응용들이 가장 경제적이며, 효과적이며, 가장 효율적인 쏠라에너지의 광범위한 사용 접근이 가능하다는 것을 알아야만 한다.

패시브 수용은 우리를 편안하게 만드는 것에 대한 통찰력이 요구된다.
우리에게 항상 온도 자동조절장치가 70°F[21℃]에서 50% 습도로 정해질 필요가 있는가? 그건 확실히 아니다. 보통 우리는 상대적인 체온의 득실로 편안함을 느낀다. 그러나 편안한 느낌은 대기온도도 한 가지 외에도 많은 요인이 관련된다. 평균 복사열(MRT)과 주변 대기온도는 안락함을 판단하는 두 가지 명백한 수단이며 그 두 가지는 각각 다른 것에 다소 영향을 미친다.
실내온도가 영하 25°F[4℃] 일 때, 그러나 햇볕 아래 서있을 때는 우리는 꽤 편안함을 느낄 수 있으며 아마도 따뜻하게 느낄 것이다.
태양의 방사열은 당신의 몸을 따뜻하게 한다.; 즉 차가운 공기가 최종적 안락함을 실제로 결정하는 것은 아니다.

Tomorrow, applied engineering, physics, & architecture will better define the parameters of what can realistically be accomplished passively. But for now we should be aware that passive space-conditioning applications are potentially the most cost effective, most efficient, & possibly most comfortable approach to world-wide solar energy use.

Passive acceptability requires insight into what makes us comfortable. Do we always need the thermostat set at 70°F [21°C] with a 50 % relative humidity? Certainly not! Usually we associate comfort with the relative loss or gain of body heat. However, the sense of comfort involves many factors besides air temperature alone. Mean radiant temperature (MRT) & ambient air temperature are two distinct means of judging comfort, each somewhat affecting the other. We have all experienced being outside on a clear winter day when a sheltered thermometer may read 25°F [-4°C], but when standing in the sunlight can feel quite comfortable, & perhaps even hot. The radiant heat from the sun is warming your body; the coldness of the air is really not the final determinant of comfort.

The same radiant comfort effect can be experienced in a building. Mean radiant temperature has 40 percent more effect on comfort than air temperature. Thus, for every 1.4°F decrease in air temperature, a 1°F MRT increase is required to maintain the same comfort level. If the mass of a structure contains enough heat to register 75°F [24°C], then the air temperature can be as low as 58°F [14°C] & you can still feel comfortable. Conversely, with cold walls & floors & an air temperature of 75°F [24°C], one can feel chilled. The rate at which a body gives off heat to surrounding surfaces is the determining comfort factor. Humidity & air motion will affect comfort, but mean radiant temperature is dominant.

If the conditioning in the spaces in which we live, work, & play is allowed to flex with the weather conditions, our ability to survive is probably reinforced. Many of today's maladies are due to our isolation, by our own volition, from the environment for which we were designed.

For instance, lately we have been heating air & blowing it around the spaces we inhabit. Radiant heating is much more uniform, comfortable, & efficient. The noise, dust particles, pollens, & irritation associated with forced air systems is tolerable only in terms of first cost economics = the price paid for the system.

동일한 쾌적성은 건물에서 경험할 수 있다. 대기온도보다 평균 복사 온도가 40%정도 더 안락함에 효과가 있다.

따라서 1.4°F 대기온도 낮아지는 동안 1°F MRT의 증가가 동일한 안락한 수준을 유지하는데 요구된다. 만일 구조 매체가 75°F[24℃]를 나타내기에 충분한 열을 가지고 있다면, 공기 온도는 58°F[14℃]로 낮을 수 있으며, 여전히 편안함을 느낄 수 있다.

역으로 차가운 벽과 마루에서 75°F[24℃]의 대기 온도에서 사람들은 서늘하게 느낄 것이다. 이와 같이 신체가 주변에 열을 빼앗기는 비율은 편한 함을 결정하는 것이다.

습도와 공기의 움직임은 안락함에 영향을 미치지만 평균 복사열이 우세한 요소가 된다.

만일 우리가 살고, 일하고, 노는 공간의 조건이 기후조건을 위축시키도록 허용한다면 우리의 생존 능력은 아마 강해질 것이다. 오늘날의 많은 질병은 우리의 의도에 따라 우리가 설계된 환경에서 고립되어 있기 때문에 발생한다.

예를 들어 최근에 우리는 공기를 덥혀 왔고, 우리가 거주하는 공간에 덥힌 공기를 불어넣었다. 복사 히팅은 훨씬 더 일정하고, 편안하며 효과적이다. 소음, 먼지 입자, 꽃가루, 강제순환 공기 시스템과 연관된 짜증 나는 것들은 초기 경제적 비용으로만 해결될 수 있다. 즉 그 시스템에 비용이 들어간다.

To have a passive attitude toward space conditioning is to create comfort levels closely related to the most natural temperature/humidity balance for a particular climate & season. Maintaining an artificial comfort level not related to the outside conditions is unhealthy; think about the metabolic shock experienced upon leaving an overly conditioned space and walking outside into ambient conditions that are much different. Our bodies must struggle to adapt, & we experience undue strain, which sometimes leads to illness & malfunction.

공조에 대한 패시브 태도를 갖는 것은 특별한 기후와 계절에 대한 가장 적합한 자연의 온도와 습도 균형에 다가가는 안락한 수준을 창조하는 것이다.

외부조건과 연관되지 않는 인위적 안락한 수준을 유지하는 것은 건강에 좋지 않다.; 즉 과도하게 조절된 공간을 떠나 훨씬 다른 바깥 외기 속으로 걷는 것을 생각해 보라.

우리의 몸은 적응하려고 몸부림쳐야 하며 때로 질병과 기능 불량을 가져오는 고통을 경험해야만 한다.

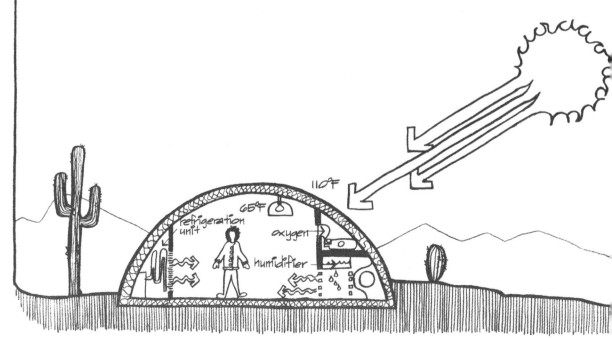

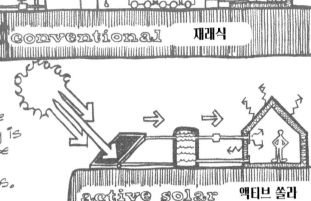

All space-conditioning systems involve the same basic chain of operations: energy collection, transportation, storage, distribution & loss back to the environment.

Conventional systems collect oil from production fields, transport it to refineries, convey it to holding tanks, & send it to home furnaces where it's burned. The energy is then distributed throughout the house to heat the interior, eventually escaping to the outside as heat loss.

Solar heating-systems, whether active or passive, act in much the same way. The sun's heat is gathered by solar collectors or the structure, transmitted to the heat storage mass, held until needed, & then distributed to spaces for warmth, where sooner or later it passes through the weatherskin (building exterior). Obviously, solar heating is vastly easier & more efficient in terms of the total chain of operation.

conventional 재래식

active solar 액티브 쏠라

passive solar 패시브 쏠라

모든 공조시스템은 동일한 기본적인 작동 사슬에 연관된다. 즉 환경으로 회귀하는 에너지 수집, 수송, 저장, 분배와 손실

생산 현장으로부터 원유 채굴의 전통적 시스템은 그것을 정유시설까지 수송하고 저장 탱크에 나르며 그것을 태우는 가정 난로까지 보낸다. 그다음 그 에너지는 내부를 덥히기 위해 집안 전체에 퍼지며, 언젠가는 외부 열손실로 새 나간다.

쏠라 히팅 시스템은 적극적이든 순응 방식이든 간에 똑같은 방식으로 작용한다. 태양열은 태양광 수집기 또는 구조물에 의해 모아지고, 열저장 매스에 전달되며, 그리고는 공간을 따뜻하게 하기 위해 분산되며, 더 빨리 또는 더 늦게 감싸고 있는 기후 측(빌딩 외측)으로 통과하게 된다. 명백하게 쏠라히팅은 전체 연결된 작동 면에서 훨씬 더 쉽고 효과적이다.

공간 히팅에 태양을 이용하는 것은 다른 어떤 에너지원보다 우리의 환경을 덜 오염시키고, 더 경제적이며, 더 건강에 유익하다. 가치 있는 연료원은 재료생산과 산업공정 그리고 수송과 같은 더 중요한 용도를 위해 아껴져야 한다.

재료의 사용은 패시브 자세의 또 다른 일면을 반영한다. 한 개의 태양건조 어도비 찰흙 블록 부피와 동등한 콘크리트 블록을 만드는 데는 300배 이상의 상업적 에너지가 들어간다는 사실이다. 그 어도비 블록은 압축강도를 위해 두 개 또는 3개의 블록이 소요될 정도로 콘크리트 블록의 구조적 성능을 갖지 못할 수도 있으나, 에너지를 많이 절약할 수 있을 것이다.

왜 열과 많은 에너지를 소비하는 무거운 재료를 화학적으로 변경하지 않는지 그리고, 가장 구조적인 재료의 대부분이 각 현장 발아래 있는데, 빌딩을 짓기 위해 무거운 재료를 먼 거리에 수송하는 이유는 무엇인지?

약간의 생각과 개발로 대지의 흙을 단순히 섞음으로써 우리는 현장에서 빌딩을 지을 수 있도록 하는 유기적 접합재를 생각해 낼 수 있다.
우리는 흙과 돌로 댐과 도로와 활주로를 건설할 수 있다. 우리는 동일한 재료와 기술로 거대한 구조물을 지을 수 있어야만 한다.

Solar space-heating is less polluting, more economical, & healthier for our environment & economy than any other energy source. Valuable fuel resources should be saved for more important uses, such as materials, industrial processes, & transportation.

The use of materials reflects another facet of the passive attitude. It takes over 300 times more commercial energy to produce a concrete block equal in volume to a sun dried adobe block. The adobe block may not have all the structural properties of the concrete block, so use two or three adobes for bearing strength & save a bunch of energy !

Why chemically alter heavy materials with heat & great consumption of energy & then transport them long distances in order to construct buildings when most of the structural material is underfoot at each site ?

BLOCK   300 ADOBES

With some thought & development, we should be able to come up with organic binders which would permit the simple mixing of the earth on site, enabling us to build structures in place. We build dams, roadways, & runways out of earth & stone. We should be able to build megastructures with the same materials & techniques.

As suitable methods of passive solar space-conditioning for various applications are determined, appropriate architectural materials will be developed. It is conceivable to create a structure of integral thermal-storage mass with an adaptable transmittive/insulative weatherskin that will accept or reject & automatically store all externally incident heat energy or internally generated energy. With adequate heat-storage mass, having constant temperature & variable thermal capacity properties, the building could absorb or lose large quantities of heat without changing temperature.

Novel materials with these & other characteristics are being developed by scientists, physicists, & system engineers in response to a heightened concern for efficient means of survival. As the new materials become a part of our architectural design palette, the traditional concepts of space conditioning, material use, & architecture will change.

다양한 응용을 위해 가장 적합한 패시브 쏠라 공조 방법이 결정될 때, 적절한 건축 재료가 개발될 것이다.
모든 외부 입사 열에너지 또는 내부적으로 생성된 에너지를 자동으로 수용하거나 거부하고 자동으로 저장할 수 있는 적응 형 변속기/ 단열 외피 일체형 열 저장 매체 구조를 만들 수 있다.

일정한 온도를 가지는 변화 능력 특성을 가지는 그러한 빌딩은 기후 변화 없이 많은 열량을 흡수하거나 잃을 수 있다. 생존의 효과적인 수단을 위해 집중 조명되고 있는 새로운 재료가 과학자들과 물리학자들 그리고 시스템 엔지니어들에 의해 개발되고 있다. 그 새로운 재료가 건축디자인의 소재가 될 때 공조방식과 재료의 사용, 그리고 건축의 전통적 개념은 변화할 것이다.

This book illustrates passive solar space-conditioning principles on a single-family dwelling scale. Although the individual structure, housing one family, may eventually become uneconomical as a way of living, it is still very much with us throughout the world. At this time, the individual dwelling is a convenient & personal proving ground or test tube for experimenting with & refining the new solar concepts.

Many of the concepts that work on a small scale will also apply directly to larger structures. But it is important to understand that large complexes & megastructures have a different functional scale & require special solutions. Thermally, a larger structure will not react in the same way; & natural cooling, as well as shading, ventilation, & lighting, rather than heating, may be the design objectives. The potential for operating with natural solar means is perhaps greater in large-scale projects. However, at present, it is expedient to learn by experimenting on a smaller scale.

이 책은 단일 가족 거주 규모 패시브 쏠라 공조 원리를 예시하고 있다. 비록 한 가족이 거주하는 개별적 구조물로 때로 이 삶의 방식이 비경제적일 수 있지만 세계 도처에 우리에게 대단히 많이 남아있는 것은 여전한 사실이다.
이 시대에 개개인의 거주지는 편안하고 개인적으로 검증된 지반이거나 새로운 쏠라개념으로 다듬고 실험된 시험관이다.

작은 규모에서 작업한 많은 개념들은 역시 커다란 구조물에도 역시 직접적으로 응용될 수 있다. 그러나 대규모 단지와 거대 구조물이 좀 다른 스케일의 기능을 가지고 있고 사회적 해법도 요구한다는 것은 중요한 사실이다.
열적으로 커다란 구조물은 똑같은 방식으로 반응하지 않는다. 즉 난방보다는 그늘과 마찬가지인 자연적 쿨링과 환기, 조명 등이 디자인의 목적이 될 수도 있다.
자연적 쏠라 방식 작동 가능성은 아마도 대규모의 프로젝트에서 더욱 커진다.
그러나 지금은 작은 규모에서 실험적으로 배우는 것이 편리하다.

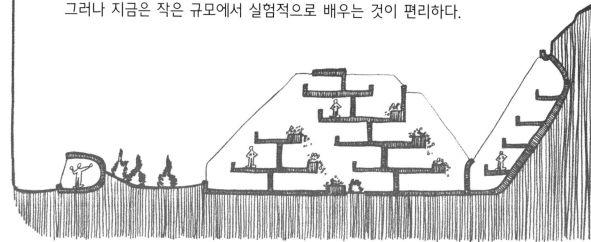

The basics of passive solar design in the following chapters are vital to implement natural solar architecture. Other rules of thumb, knowledge of thermal functions, & methods of use will continue to be discovered. As in all arts & sciences, the learning process is ongoing; each step forward is built upon preceding steps. It is hoped that the information included herein will provide one springboard for future advances into the solar field.

다음 장에서 패시브 쏠라 디자인의 기본은 자연의 쏠라 건축에서 매우 중요하다. 오른손 법칙이나 온도 기능에 관한 지식 그리고 사용법 등 다른 법칙들이 계속 나오게 될 것이다. 모든 예술과 과학에서 이 개념을 배우는 것이 진행되고 있다.; 즉 앞으로 각 단계는 바로 전 단계에 기초를 둔다.
여기에 포함된 정보가 쏠라계에 미래 발전을 위한 새로운 출발점의 하나를 마련할 수 있기를 바란다.

ocean 해양 · coastal plain 해안평지 · coastal hills 해안능선 · inland valley 내지계곡 · river 강

Each specific piece of land is endowed with certain characteristics which establish suitability for various life forms. At a given stage of earthly evolution the forces acting on any one area will determine what forms of mammal, bird, insect, fish, or vegetable life are likely to generate, adapt, thrive, or degenerate according to their compatibility. Mother Nature does not allow a redwood tree to grow in the desert, nor is a barrel cactus likely to survive in an alpine forest. But man is more imaginative & adaptive than many species. Stature, skin color, diet, culture, etc. enable people to survive in diverse places.

In the long-range scheme of things, man's struggle to survive in any place he finds himself — be it city, country, or outer space — will be governed by his ability to integrate his needs with the environment. The more attuned our habits are to the forces acting upon them, the less contrived the routine of survival. The simpler the methods of survival, the more harmonious they are with nature. Structures & life support systems should respond to the demands of the environment, optimizing the potential of their elements.

미세기후 디자인

각각의 세부적인 지형은 다양한 삶의 형태에 적응할 수 있는 능력을 만드는 어떤 특성을 천부적으로 가지고 있다.

지구적 진화라는 주어진 단계에서 어떤 지역에 작용하는 힘은 포유류의 어떤 형태의 조류, 물고기 또는 채식 생활이 그들의 양립 가능성에 따라 생성, 적응, 번식 또는 퇴화될 것인지를 결정할 것이다.

자연이라는 어머니는 적삼 나무가 사막에서 자랄 수 있게 허용하지 않으며; 원통 선인장이 고산식물 숲에서 생존하도록 허용하지도 않는다. 그러나 인간은 다른 많은 종보다 더 창조적이며 적응을 할 수 있다. 키, 피부색, 음식, 문화 등 다양한 삶의 장소에서 생존할 능력이 있는 사람들. 장기계획에서 도시에서, 시골에서, 또는 외부공간에서든 자신을 찾을 수 있는 어떤 장소에서나 생존하기 위한 인간의 투쟁은 환경의 필요한 요구를 통합할 수 있는 능력에 지배된다. 우리의 습관이 그들에게 작용하는 힘에 더 잘 적응할수록, 일상적인 생존을 저해하지 않는다. 생존의 방식이 단순하면 단순할수록 그들은 자연과 더 잘 조화를 이룬다. 구조물과 삶을 지원하는 시스템은 환경의 요구에 반드시 응답하여야 하며, 그 요소들의 잠재력을 최적화하여야 한다.

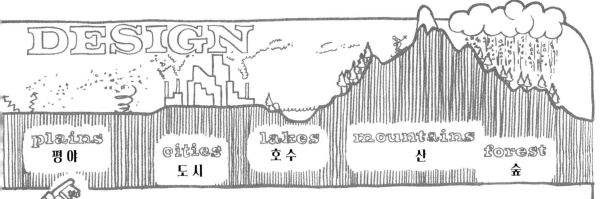

| plains 평야 | cities 도시 | lakes 호수 | mountains 산 | forest 숲 |

The key to long-range survival is to minimize man's impact by balancing all things in the web of life, while maximizing the potential of the natural elements. We need not go to the extreme of clear cutting a forest for material or fuel; neither is it necessary to treat forests, fields, & streams as inviolate. A happy balance is to use just enough to encourage proper regeneration. We should farm carefully, letting nature provide irrigation, fertilization, & insect control. Man's heavy-handed dominance seldom works in the long run.

When planning a structure it is important to evaluate all of the effects of the microclimate, (i.e., the essentially uniform local features of a specific site or habitat). LANDSCAPE & CLIMATE characteristics will dictate the most suitable siting, orientation, form, materials, openings, etc. The success of a design will depend primarily on the ability of the designer/owner/architect/engineer/builder to interpret the natural factors & to create architecture accordingly.

LANDSCAPE & CLIMATE DICTATE THE RULES!

장기간 생존의 열쇠는 자연의 요소의 잠재력을 극대화하면서 삶의 모든 면에서 균형을 이룸으로써 인간의 영향을 최소화하는 것이다.

재료나 연료를 목적으로 산림을 벌채하는 극단적 방향으로 나가지 않는 것,; 즉 숲과 들과 하천이 더럽혀지는 위험이 없도록 하는 것이 필요하다. 적절한 균형은 순수한 재생이 가능하기에 충분할 정도만 사용하는 것이다.

우리는 조심스럽게 경작하여야 하며, 자연적으로 관개가 이루어지고, 땅이 기름지게 되고 곤충들이 조절되도록 내버려두어야 한다. 인간이 극도로 조작한 우성은 거의 오래가지 못한다. 하나의 구조물을 계획할 때 모든 미세기후 영향을 평가하는 것이 중요하다.(즉 기본적으로 특정 대지나 거주지의 일정한 지역적 성격) 조경과 기후의 특성은 가장 적합한 배치, 향, 형태, 재료, 개방 등을 요구할 것이다.

디자인의 성공 여부는 주로 디자이너 / 소유자 / 건축가 / 엔지니어 / 시공자가 자연 요소를 해석하여 건축물을 창조하는 능력에 달려 있다.

경관과 기후는 자연의 법칙에 따르도록 명령한다!

The degree of MAN'S INFLUENCE changes a microclimate as sure as any natural factor. The effect of roads, buildings, dams, cities, farms, etc. exert a presence & control on future usage. The task of designing to best integrate with nature becomes more difficult in proportion to the impact of man's presence. In high-density, urban situations the possibility of creating natural solutions may verge on the impossible due to vested interests, zoning, space & sun rights, building codes, & conflicting ideals. Cities should become prime targets for natural solutions; in many cases, only good can come from evolving them into cleaner & more efficient places.

경관 특성

인간이 끼치는 영향이 어떤 자연적 요소보다도 확실하게 미세기후를 변화시킨다. 도로, 빌딩, 댐, 도시 농장 등의 영향.

미래 사용을 위해 보존하고 조절하려고 노력하라. 자연과 최상의 융합을 위한 디자인의 임무는 인간의 충격적 행위에 비례하여 더 어려워진다. 높은 밀도, 도시 상태에서 자연적 해법을 만들 가능성은 기득권, 구역 나눔, 공간과 일광권, 건설기준 등과 상충되는 아이디어 때문에 거의 불가능해져가고 있다. 도시들은 자연적인 해법에 주요 표적이 되고 있다.; 많은 경우에 좋은 것만이 더 깨끗하고 효율적인 장소로 진화할 수 있다.

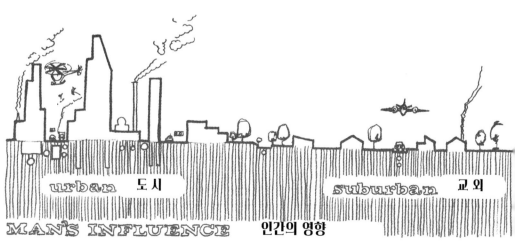

urban   도시   suburban   교외

MAN'S INFLUENCE   인간의 영향

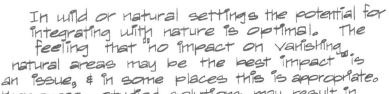

In wild or natural settings the potential for integrating with nature is optimal. The feeling that "no impact on vanishing natural areas may be the best impact" is an issue, & in some places this is appropriate. In other areas, studied solutions may result in happy solutions for both man's survival & preservation of natural conditions. The in-between suburban & rural areas are the most suitable for natural architecture. Housing, commerce, & industry can be planned to avoid deterioration of the quality of life and the environment. Indeed, they can enhance nature's processes.

야생 또는 자연환경에서 자연적으로 물을 끌어들이는 가능성을 만드는 것이 최적이다.

자연적인 지역이 사라진다는 어떠한 충격이 최상의 충격일 수 없다는 감각의 문제다.; 어떤 곳에서 이것은 적합하다. 다른 곳에서는 연구된 해법들이 인간의 생존과 자연조건의 보존 양자에 행복한 해법을 가져 올 수도 있다. 도시 주변과 농촌지역의 경계에서는 자연적 건축이 가장 적합하다.

주거, 상업 및 산업은 생명과 환경의 오염을 덜 할 수 있도록 계획될 수 있다. 사실 그것들은 자연의 프로세스를 향상시킬 수 있다.

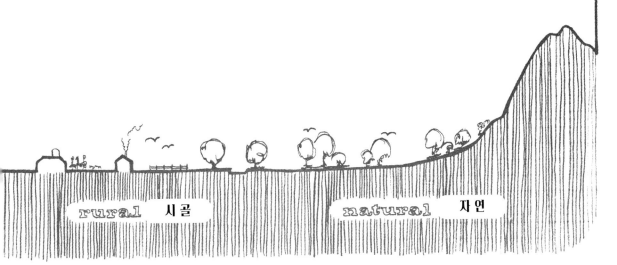

rural 시골   natural 자연

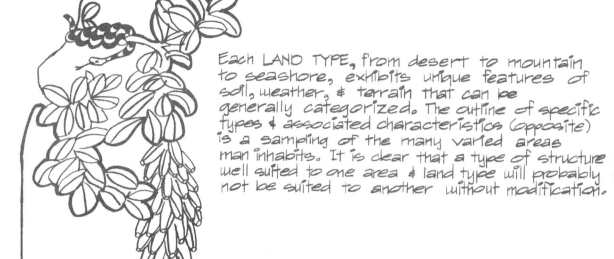

Each LAND TYPE, from desert to mountain to seashore, exhibits unique features of soil, weather, & terrain that can be generally categorized. The outline of specific types & associated characteristics (opposite) is a sampling of the many varied areas man inhabits. It is clear that a type of structure well suited to one area & land type will probably not be suited to another without modification.

사막에서 산과 바닷가에 이르는 각각의 토지 타입에서 토질과 기후의 독특한 성질은 나타난다. 그리고 일반적으로 카테고리화 될 수 있는 지역을 보여준다.

구체적 타입의 윤곽과 결합된 상반된 특성들은 많은 다양한 지역의 인간주거의 샘플이다.

한지역의 토지 타입에 잘 맞는 구조형식은 아마 수정되지 않으면 다른 지역에는 어울리지 않을 것이라는 것은 명백한 사실이다.

예를 들어 두 개의 딴 지역은 아주 다른 접근 방식이 요구된다.

사막에서 낮과 밤의 외기로부터 균형을 얻기 위해, 지구 지각의 안정된 온도를 사용하는 지표 밑의 구조물들은 논리적으로 극단적인 것이다.

열대 지역에서 지상의 빌딩들은 열과 습기와 없애고, 지표면 하의 물을 피하며, 산들바람이 시원하게 유통되도록 허용하는 것을 바란다.

For example, two diverse areas call for very different approaches. In the desert, subsurface structures using the stable temperature of the earth's crust to balance the outside day/night extremes are logical. In the tropics, above-ground building is desired to allow cooling breeze circulation, to combat heat & humidity, & to avoid subsurface water.

LAND TYPES 지형

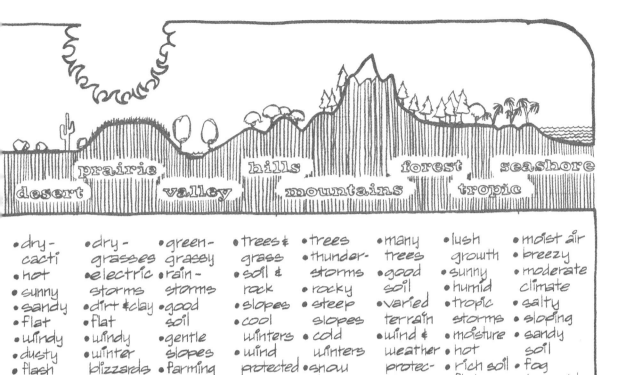

desert	prairie	valley	hills	mountains	forest	tropic	seashore
• dry-cacti • hot • sunny • sandy • flat • windy • dusty • flash floods	• dry-grasses • electric storms • dirt & clay • flat • windy • winter blizzards • summer draught	• green-grassy • rain-storms • good soil • gentle slopes • farming • temperate • subsurface water	• trees & grass • soil & rock • slopes • cool winters • wind protected	• trees • thunder-storms • rocky • steep slopes • cold winters • snow • deep freezing	• many trees • good soil • varied terrain • wind & weather protection • shady • good water	• lush growth • sunny • humid • tropic storms • moisture • hot • rich soil • flat • mosquitos	• moist air • breezy • moderate climate • salty • sloping • sandy soil • fog • changeable

사막	대초원	계곡	언덕	산악지대	삼림지역	열대	바닷가
• 선인장 • 뜨거움 • 햇볕 • 모래질 • 평탄함 • 맞바람 • 먼지 • 돌발홍수	• 건초 • 자기풍 • 진흙·점토 • 평지 • 맞바람 • 겨울 눈보라 • 여름 외풍	• 푸른 풀 • 폭우 • 좋은 토양 • 완만한 경사 • 농사 • 온도 • 지하수	• 나무와 풀 • 흙과 바위 • 경사지 • 추운겨울 • 바람막이	• 나무들 • 천둥폭풍 • 바위층 • 가파른 경사 • 추운겨울 • 눈 • 두꺼운 얼음	• 울창한 나무 • 좋은 흙 • 다양한 지형 • 바람과 기후막이 • 그늘 • 신선한 물	• 우거진 숲 • 햇볕 • 눅눅함 • 열대 • 습기 • 뜨거움 • 비옥한 흙 • 평지 • 모기	• 습한 공기 • 산들바람 • 온화한 기후 • 소금기 • 경사 • 사질토 • 안개 • 변화성

Soil types vary & combine widely. Any site is likely to contain several soil types at various locations & depths. Understanding the makeup & attributes of both surface & subsurface SOIL CONDITIONS is important when analyzing the pros & cons of drainage, percolation, bearing value, structural uses, stability, earthquake potential, heat storage & insulation value, planting, ease of construction, etc.

토질의 타입은 폭넓게 변화하고 복합적이다. 어떤 대지는 다양한 위치와 깊이에 서너 가지 토질 타입이 포함되어 있다.

배수, 지지력, 구조적 용도, 안정성, 지진 가능성, 열의 저장과 단열 값, 식재, 건설 용이성 등의 계획과 설치 분석을 위해 표층과 지하 토질 조건 양자의 구성과 특성은 매우 중요하다.

SOIL CONDITIONS　　토질 조건

실트층 — 비옥하고 팽창과 다짐, 적당한 지지력, 양호한 배수성, 손쉬운 굴착, 양호한 구조적 성질, 낮은 열 보유성.

롬층 — 식재성, 성형성, 상당한 지지력, 유기성, 다짐, 상당히 낮은 열능력, 벌레들에 좋음.

점토층 — 팽창성, 딱딱한, 성형과 점착성, 젖을 때 끈적끈적한, 낮은 지지력, 배수불량, 구조적 양호, 좋은 열용량.

모래층 — 느슨한, 거친 입자, 무거운, 좋은 지지력, 좋은 배수력, 분리특성, 좋은 열능력.

자갈 — 견고한, 무거운, 느슨한, 좋은 지지력, 양호한 배수, 매우 좋은 열용량.

돌 — 견고성, 무거운, 견고함, 특단의 지지력, 좋은 구조력, 배수불능, 특단의 열능력.

silt = fertile, expands & compacts, adequate bearing, easy digging, fair percolation, fair structurally, poor thermal capacity.

loam = plantable, moldable, fair bearing, organic, compacts, fair thermal capacity, nice for worms.

clay = expansive, hard, moldable & plastic, sticky when wet, poor bearing, poor percolation, fair structurally, good thermal capacity.

sand = loose, grainy, heavy, good bearing, good percolation, needs to be contained, good thermal capacity.

gravel = hard, heavy, loose, good bearing, good percolation, very good thermal capacity.

rock = hard, heavy, solid, excellent bearing, good structurally, no percolation, excellent thermal capacity.

The hierarchy of plant life offers an extensive palette for the landscape designer to draw from. The many various types of VEGETATION can be used in very effective ways to modify the microclimate of a site. Grasses stabilize soil, retain rainfall, & harbor insects, birds, & small animals. Shrubs stabilize soil, make good ground cover & visual screens, & provide homes for many creatures. Deciduous trees provide summer shade & mulch for the ground, house birds, & channel breezes. Evergreens make good wind & snow breaks & visual screens, as well as pleasant music when the wind blows ♪

Generally, indigenous plant species adapt most readily, both visually & climatically, requiring a minimum of care, feeding, watering, & maintenance.

식물 생애 계층 구조는 조경 디자이너가 끌어낼 수 있는 광범위한 팔레트를 제공한다. 여러 다양한 식물성장은 대지의 미세기후를 수정하기 위해 매우 효과적인 수단으로 사용될 수 있다.

잔디는 토질을 안정화시키고, 빗물 저장, 곤충, 새, 작은 동물을 안정화시킨다. 덤불은 토양을 안정시키고, 좋은 표지와 비주얼 스크린을 만들고, 많은 생물에게 안식처를 제공한다.

낙엽수는 여름 그늘을 제공하며 땅, 집 조류, 산들바람에 좋다.

상록수는 바람이 불 때 좋은 바람 & 눈 나누기 및 시각적인 스크린뿐만 아니라 즐거운 음악을 만든다.

일반적으로 원주민 식물 종은 가장 쉽게 적응하고, 최소한의 보살핌, 수유, 급수 및 유지가 필요하다.

VEGETATION 식재

grasses	**low shrubs**	**high shrubs**	**deciduous trees**	**evergreens**
• stabilize soil • retain rainfall • build soil • harbor insects & rodents	• cover ground • retain moisture • mulch soil • shelter small birds & animals	• visually screen • channel winds • mulch soil • shade ground • provide flowers & berries that taste & smell good	• mulch soil • seasonally shade • channel winds • shelter structures • bear fruit • visually screen	• cool breezes • block winter storms • visually screen • retain soil • add acid to soil • shade ground

잔디들	**낮은덤불**	**큰키덤불**	**활엽수**	**사철수**
• 비옥한 토양 • 빗물저장 • 토양형성 • 곤충과 양서류 피난처	• 지표커버 • 습기보존 • 뿌리토양 • 작은새와 동물의 보금자리	• 시각적 차단 • 통풍로 • 뿌리토양 • 그늘진 땅 • 맛과 향기가 좋은 꽃과 열매 공급	• 뿌리토양 • 계절적 그늘 • 통풍로 • 안식처 구조 • 곰열매 • 시각적 차단	• 시원한 산들바람 • 겨울바람 차단 • 시각적 차단 • 토질보존 • 토양산성 공급기 • 그늘진 땅

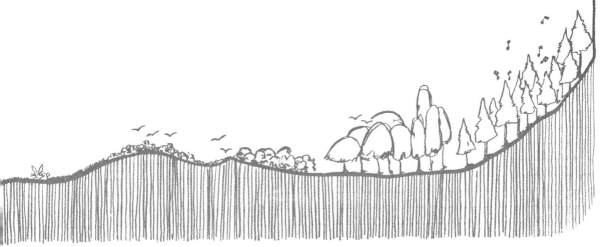

The contour of a site & adjacent lands will affect its
viability for building in many ways. Drainage; solar exposure;
wind, storm,& snow protection; ease of construction;
visual impact on the land; etc. are all dependent on the
PROFILE of the land. Each type of terrain suggests a
kind of structure most suitable for maximizing the useful
potential, while minimizing the adverse.

Usually, the structure which least modifies the natural form of
the land is preferred for protection from the elements &
low visual impact.

Nature's housing systems are unobtrusive & harmonious with
the landscape. Our ideal as builders should be to integrate
our structures with the terrain — our egos are
better fed if we are safe & warm, rather than
exposed to the mercy of the elements.

단지와 인접지의 등고선은 여러 가지로 빌딩의 건설 가능성에 영향을 줄 것이다. 배수; 일광 노출; 적설 방지; 용이한 건설; 대지의 시각적 영향; 등 대지의 현황에 따른다. 역효과를 최소화하면 각 지역의 대지 타입은 유용한 이용성에 가장 적합한 구조물의 종류를 제시한다.

통상 대지의 자연적 형태를 최소로 변형한 구조물은 이상과 같은 요소들과 수준 낮은 시각적 충격에서 보호받고 싶어 한다.

자연의 주택 시스템은 눈에 잘 띄지 않으며 풍경과 조화를 이룬다.
건설인으로서 우리의 이상은 우리의 구조물이 지역에 융합되게 하는 것이다. — 우리의 자존심은 만일 우리가 안전하고 따듯하다면 요소들에 휘둘려 노출되기보다는 오히려 더 잘 키우는 것이다.

PROFILE 종단면도

Each area or region is endowed with certain God-given material assets. These resources, indigenous to an area, are a part of the landscape. The shape & makeup of a structure should reflect & complement the material world at hand.

Any MATERIAL that may be native to an area, such as timber, sand, earth, stone, adobe, ice, etc. are probably the best suited to interact with the local landscape & climate forces. Redwood dries out & splits away in the desert. Adobe melts away in damp climates. Earth, stone, & timber are abundant material assets requiring little fuel energy to convert to usable form.

It is wise to maximize the use of local & to minimize imported & high-energy materials. Certain man-made items, such as glass, electrical wiring, steel reinforcing, & insulation, are necessary for modern building. Wise planning will limit the amount & expense of these valuable technical materials.

In almost any location safe, inexpensive, low-energy materials are at hand. Construction techniques may have to be developed to build with adobe bricks, stone, earth berm & sandbags. Yet, the potential for building cost-effective, modern structures with local resources may be our most energy-efficient option.

각각의 지역이나 영역에는 확실히 천혜의 재료 자산이 부여되어 있다.

이와 같은 자원들은 한 지역에 고유한 것이며, 경관의 한 부분이다.

구조물의 모양 관 치장은 재료 세계를 반영하고 보완해야 한다.

목재, 모래, 흙, 돌과 찰흙 벽돌 등과 같은 한지역의 고유한 어떤 재료들은 아마 지역적 경관과 기후력 상호 작용에 가장 적합할 것이다.

적송은 사막에서 말라서 사라진다. 찰흙 벽돌은 습한 기후에 녹아버린다. 흙과 돌 그리고 목재는 풍부한 재료 자산이며, 약간의 에너지를 써서 쓸모 있는 형태로 변환된다.

수입되는 고 에너지 재료를 최소화하기 위해 지역 및 지역의 사용을 극대화하는 것이 현명하다.

유리, 전선, 철근과 단열재 등과 같이 인간이 만든 어떤 품목들은 현대적인 빌딩을 짓는 데 필요하다. 현명한 계획으로 이와 같은 값비싼 기술적인 재료의 양과 비용을 제한할 수 있을 것이다. 거의 대부분의 지역에서 안전한 저비용, 저 에너지 재료들은 손쉽게 구해진다. 시공기술은 찰흙 벽돌, 돌, 흙과 모래주머니로 건설할 수 있도록 개발되어야 한다. 아직 지역자원을 가지고 비용 효과적인 현대적 구조물을 짓기 위한 해법은 아마도 우리가 가장 좋은 에너지 효율을 선택하는 것일 수도 있을 것이다.

재료들

The water table of a site can vary from nonexistent to excessive. The QUANTITY, QUALITY, & LOCATION of water regulate the suitability of land to support life. Water does not come from a pipe in the ground; it comes from watersheds & aquifers. In some climates one acre [0.004km²] of land will support one cow; other places with similar soil may require 100 acres [0.4km²] per cow. This is due to grass growth, which is due to moisture. The potential of any piece of land, watershed, or aquifer to support life is finite. The water crisis is real. Learn to respect this resource. It is like the air & the sun = fundamental to life.

대지의 수맥은 없는 곳에서 과다한 곳까지 변화할 수 있다. 물의 양과 질, 그리고 물의 위치는 생명 유지를 위한 대지의 적합성을 규정한다. 물은 지하 파이프로부터 나오지 않는다. 물은 낙수와 지하수를 함유한 다공질 지층에서 나온다. 몇몇 기후대에서는 한 에이커[0.004 km²] 땅에서 한 마리의 소를 기를 수 있다.; 유사한 다른 토질의 다른 장소에서 소 한 마리당 100 에이커[0.4 km²]가 요구될 수도 있다. 이것은 습기로 인한 풀의 성장 때문이다. 생명을 지탱하는 토지, 수역 또는 대수층의 잠재력은 유한하다.

물 위기는 현실이 되어 있다. 이 자원을 존경하도록 배워라. 이것은 공기와 태양과 같이 생명에 기초가 되는 것이다.

WATER SUPPLY. 물공급

The LOCATION of water in relation to the surface of land is a determining factor in type of WATER SUPPLY, building location, surface drainage, vegetation, etc. The QUANTITY of water affects seasonal allocation, conservation techniques, waste-water treatment, population, etc. The QUALITY of water influences taste, appearance, type of piping, need for filtration & softening systems, tooth decay, & many other factors.

Know where your water comes from & where it goes — you are what you drink ... & how often.

지표와 연관하여 물의 위치는 빌딩의 위치, 표면 배수, 채소 식재 등 물 공급 형식을 결정하는 요인이다. 물의 양은 계절적 공급, 보존기술, 하수처리, 인구 등에 영향을 미친다.
물의 질은 여과, 연성 시스템, 치아 부식 및 많은 다른 요인들을 위한 필요성 때문에 맛과 특징, 관의 타입에 영향을 준다.

당신은 물이 어디로부터 와서 어디로 가는지를 알아야 한다. — 당신이 마시는 물.... 얼마나 자주.

Location with relation to the equator is measured in degree
of north or south latitude. LATITUDE affects the
landscape & microclimate design in several ways. Generally
the farther away from the equator, the colder the climate
This is due to sun angle & related weather conditions.
Accordingly, the distance north or south of the equator
should affect the type & shape of a structure as it
does the characteristics of vegetation & other life forms
At the equator, a solar collector may be small & nearly
horizontal. Going north, the area & angle will increase
with latitude. A building at 50 degrees north latitude may
require the use of nearly all of its south-facing vertical walls
to satisfy only a percentage of
its heating needs.

The landscape should be visually
different, as buildings change
profile, size, & shape to
comply with the elements.
Knowing the latitude is
another clue telling the
designer what to do.

적도와 관련된 위치는 남과 북 위도로 측정된다. 위도는 몇 가지 방식으로 경관과 미세 기후에 영향을 준다. 일반적으로 적도에서 멀리 떨어지면 떨어질수록 기후는 더 추워진다.

이것은 태양의 반사각 때문이며 기후 조건들에 관련된다. 동시에 적도로부터 떨어진 남과 북의 거리는 구조물의 모양과 형식에 영향을 주며, 식물의 특성과 다른 형태의 생명에 영향을 준다.

적도에서 태양열 수집기는 작고 거의 수평이다. 북으로 가면 지역과 각도가 위도에 따라 증가한다. 북위 50도에서 빌딩은 남측에 면한 수직 벽 거의 전부가 사용되어야 할 것이며, 그것도 단지 난방 수요의 일부만 충족할 것이다.

경관은 빌딩의 외관과, 크기, 모양이 달라지는 것처럼 그러한 요소에 부합할 수 있도록 시각적으로 달라져야만 한다. 위도를 아는 것은 디자이너가 무엇을 할 것인가를 얘기할 수 있는 고리가 된다.

LATITUDE 위도

N   75° 60° 45° 30° 15° equator 15° 30° 45° 60° 75° S

As surely as beautiful trees, rivers, mountains, valleys, & skies characterize our landscape, POLLUTION affects our decisions, offends our senses, & ruins our health. Nature pollutes from time to time with forest fires, fouling the air & silt mudding spring rivers; but this organic pollution is recycling waste or regenerating life cycles.

Only man fouls the environment by creating sewage disposal problems, carcinogenics, smog alerts, fallout, electronic smog, & general systemic poisoning on all levels. The degree of pollution seems directly proportional to the density of human population. Our cities, skies, & rivers are always suspect of harboring unseen poisons. Inhabiting polluted places & systems is dangerous. Know how to recognize them. Correct & reclaim these areas when possible. Today's pollution will be tomorrow's resource — recycle containers, compost sewage, control waste, & respect the air & water as the vital fluids they are.

아름다운 나무, 강들과 산들 그리고 계곡과 스키장이 확실하게 우리의 경관에 특성을 가져오는 것처럼, 오염은 우리의 결정에 영향을 주며, 우리의 감각을 공격하고 우리의 건강을 망친다. 자연은 시대와 시대에 걸쳐 삼림 화재, 공기 오염, 강을 정화하는 실트습지를 오염시킨다.; 그러나 이러한 유기물질 오염은 하수를 리싸이클링하여 생명 순환을 재생시킨다.

단지 인간들만이 모든 레벨에서 하수 분산 문제, 발암성 물질, 안개 경보, 오염배출, 전자 스모그, 일반 시스템적 독성을 만들어 냄으로서 환경을 더럽힌다. 오염의 정도는 직접적으로 인구 밀도에 비례한다. 우리의 도시, 스키장, 강들은 항상 보이지 않는 독성의 은신처로 의심을 받는다.
인간이 살 수 없는 오염된 지역과 시스템은 위험하다. 그것을 인식하는 방법을 배워라. 가능할 때 이와 같은 지역을 수정하고 찾아내라. 오늘날의 오염이 내일의 자원이 될 것이다. — 재생 용기들, 퇴비 오수, 쓰레기 처리, 치명적인 유체로서 공기와 물에 대한 존경

POLLUTION 오염

VIEW is one of the first & last things considered when looking for land or an apartment, & prices generally reflect the quality of view. In today's world, pleasant landscapes & vistas are a vanishing species. Of course, as one wise man stated, "Beauty is in the eye of the beholder." Hence, not everyone needs to look at a national wonder all of the time. A designer can create small, interesting, subtle, & surprising sights virtually anywhere. It is desirable to find a microclimate that satisfies the yearning to behold beauty. Further, it is important to preserve & encourage nice views. Please don't block someone else's favorite spot. View is a matter of community responsibility; plant a tree, clean a yard, paint a house. Each new structure, garden, roadway, & sign becomes a part of the visible landscape, & it is the task of the designer to respect & harmonize with the surroundings. Mother Nature seldom makes mistakes with view. Man often does.

대지나 아파트를 볼 때 처음과 마지막까지 고려되는 것 중 하나는 전망이며 가격은 일반적으로 전망의 질을 반영한다.

오늘날 상긋한 조경과 조망들은 사라져 가고 있는 요소들이다. 물론 현자의 말처럼 "아름다움이란 보는 사람의 눈 바로 그것이다." 따라서 모두가 항상 전체적 경이로움에 주시할 필요가 있다.

디자이너는 도처에서 실질적으로 작고 흥미로우며 미묘한 그리고 놀라운 관경을 만들어 낼 수 있다.

아름다움을 갖출 수 있는 열망을 만족시키는 데는 미세 기후를 찾는 것이 바람직하다. 나아가서 조망을 보존하고 키우는 것도 매우 중요하다. 누군가 다른 사람의 선호하는 장소를 막지 말기 바란다. 조망은 중요한 공동체의 책임이다.; 나무를 심는 것, 정원 청소, 집에 페인트를 칠하는 것 등.

각각의 새로운 구조물, 정원, 도로와 표지판은 시각적인 조경의 한 부분이 된다. 그리고 주변과 어울리도록 하는 것은 디자이너의 책임이다. 자연의 본성은 거의 경관을 망치는 일이 거의 없지만 사람은 가끔 그렇지 못하다.

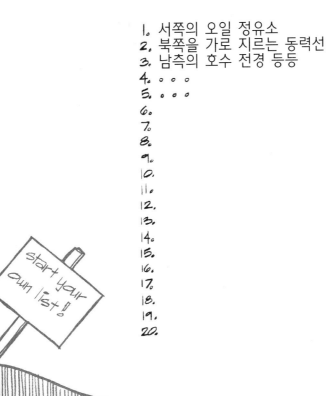

1. Oil refinery to the west.
2. Power line across north.
3. View of lake to the south.
4. ° ° °
5. ° ° °
6.
7.
8.
9.
10.
11.
12.
13.
14.
15.
16.
17.
18.
19.
20.

1. 서쪽의 오일 정유소
2. 북쪽을 가로 지르는 동력선
3. 남측의 호수 전경 등등
4. ° ° °
5. ° ° °
6.
7.
8.
9.
10.
11.
12.
13.
14.
15.
16.
17.
18.
19.
20.

start your own list!

기타 경관 특성들

OTHER LANDSCAPE CHARACTERISTICS

The microclimate as affected by its landscape characteristics is even further defined by its normal weather characteristics. Weather features & frequencies as they affect microclimate will differ from mountain to valley, north to south, etc. Often a climate condition will vary within a short distance vertically or horizontally, & even this variation establishes a microclimatic difference. The weather on one side of a hill or valley may be quite different from the other & will require a special solution for optimum design. TEMPERATURE tells us much about microclimate.

기후특성들

미세 기후가 경관 특성에 의해 영향을 받는 것과 같이 보통 기후 특성에 의해 더 심도 있게 정의되기도 한다.

날씨의 특성과 변화는 미세 기후에 영향을 주는 것처럼, 산악에서 계곡, 북쪽에서 남쪽 등에서 달라질 것이다. 가끔 어떤 기후 조건은 수직적, 수평적으로 짧은 거리에서도 변화할 것이다. 그리고 이와 같은 변화는 미세기후 차이를 만들기조차 한다. 언덕 면 또는 계곡의 날씨는 다른 곳과는 꽤 달라질 수 있으며 최적의 디자인을 위해 특별한 조건이 요구될 것이다. 기온은 우리에게 미세 기후에 관해 많은 것을 말해 준다.

weather characteristics

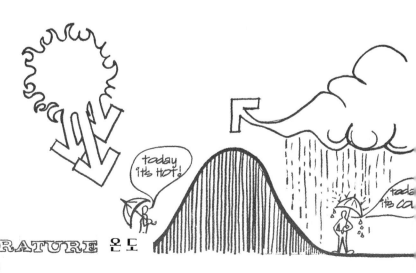

TEMPERATURE 온도

Temperature range is an indicator of required design. Depending on normal temperature records, heating or cooling may be needed to maintain comfort. The design, shape, & composition of a building changes considerably for temperature extremes. Window area, orientation, shading, exposure, & other variables are all adapted to the task of heating or cooling. A normally tolerable average temperature range is between 60 & 85°F [15 & 30°C]. If the average falls above or below this zone, heating or cooling is generally desirable. Humidity, air motion, mean radiant temperature, & sunlight can improve or diminish this feeling of comfort.

People become accustomed to individual climates & temperatures. A comfortable warm to an Eskimo would be an intolerable cool to a native of the tropics.

온도 변화폭은 디자인에 필요한 척도이다. 평상 온도의 기록에 따라서 난방 또는 냉방이 안락함을 유지하기 위해 필요하게 될 것이다.

건물의 디자인, 형태 및 구성은 극심한 온도 변화에 상당히 영향을 받는다.

창의 면적, 방위, 음영, 노출 및 여러 변수들이 난방 또는 냉방하기 위해 모두 적용될 수 있다.

보통 허용될 수 있는 평균온도의 범위는 60~85°F(15~30°C) 사이이다. 만일 평균치가 이 범위 상하로 벗어난다면 보통 난방과 냉방이 요구된다.

습도, 공기 움직임, 평균 복사온도와 햇볕은 안락한 느낌을 향상하거나 줄어들게 한다.

사람들은 개별적인 기후와 온도에 익숙해져 간다. 에스키모에게 안락한 따스함이 열대지방의 사람에게는 견딜 수 없이 차가운 온도가 될 수 있다.

The amount of SUNLIGHT & clarity of atmosphere will vary the character of each microclimate. The quality & quantity of sun acting on a site will psychologically affect each person's physical comfort. A bright, sunny day is not necessarily desirable, especially after a few hundred days without rain. On the other hand, a break between cold winter storms will do wonders to warm spirits, as well as solar collectors.

태양빛과 대기의 맑음 정도는 각각 미세기후 특성을 변화시킬 것이다. 대지에 내려 쬐는 태양빛의 질과 양은 심리적으로 육체적 안락함에 영향을 미칠 것이다. 특히 수 백일간 비가 없이 밝고, 맑은 날씨가 필수적으로 요구되지는 않는다. 또 한편 한순간의 차가운 겨울 폭풍은 태양열 수집기 같은 따스함을 잊히게 할 것이다.

태양광의 세기에 영향을 받는 미세 기후 요소들은 나무 그늘, 구름 그림자, 공기 오염, 위도, 계절적 패턴, 경도 등이 포함될 수 있다.
다양한 미세기후에 대한 디자인은 태양을 최대한 활용하기 위해 아주 넓은 유리 콜렉터 면적 또는 우산형 음영이 필요할 수 있다.

태양광은 위생적으로 좋은 영향을 끼친다. — 즉 자연은 수시로 우리의 습관 속에 위생적으로 좋은 영향을 가져오며, 자연은 우리를 건강하게 한다.

Microclimatic factors affecting sunlight intensity may include shading by trees, cloud cover, air pollution, latitude, seasonal patterns, & altitude. Designs for various microclimates might require extensive glass collector areas or umbrellalike shading to take best advantage of the sun.

Sunlight has a hygienic effect = bringing it into our habitats at times helps nature keep us healthy.

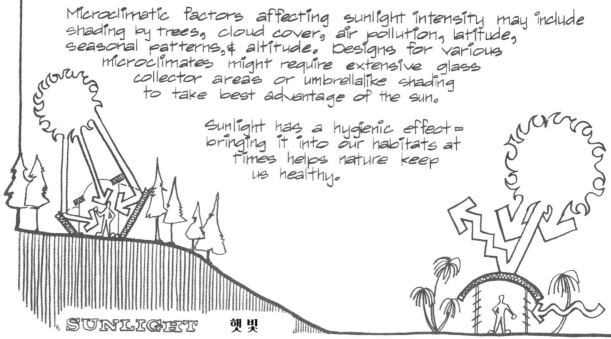

SUNLIGHT   햇빛

바람, 강수량, 햇볕, 온도 그리고 습도는 기후의 모든 요소이다. 기후의 사이클은 이와 같은 요소들을 확실하게 그룹핑하는 것이다. 각 기후 구역과 미세기후는 그 성격과 지속성을 나타낸다. 이와 같이 사이클의 형태로 한 지역에 대한 폭풍의 주기는 기후에 파동을 가져오며, 그 파동이 일어날 때 기후는 변한다.

기후란 거의 평범한 것이 아니다. 기후는 보통 유동적 상태이고 해마다 바뀌는 것 같이 보인다. 겨울 폭풍은 한꺼번에 밀려오고, 며칠간의 폭풍 후에는 햇빛 나는 기간이 이어진다. 이따금 돌풍 후에는 맑은 봄날도 이어진다.; 8월의 비는 여름 더위를 식힌다.

자연의 이런 패턴을 알고, 이와 같은 상호작용을 잘 이용하는 적절한 디자인은 미세기후 디자인의 기초가 된다.

Wind, precipitation, sunlight, temperature, & humidity are all factors of the weather. WEATHER CYCLES are distinctive groupings of these elements. Each climate zone & microclimate receives its character & sustenance by the pattern of these cycles. The rythym of storms for an area establishes the climatic pulse. When the pulse changes, the climate changes.

The weather is seldom normal. It is usually in a state of flux, seeming to change from year to year. Winter storms come in coveys - several days of storm may be followed by a sunny period. Gusty winds often accompany clear spring days; August rains interrupt the heat of summer.

To know these patterns of nature & to properly design to take best advantage of these interacting forces is the essence of microclimatic design.

WEATHER CYCLES   기후 싸이클

The amount of PRECIPITATION in the form of rain, fog, snow, hail, & night moisture, which delivers life-giving water to the land, does much to determine microclimatic character. Annual rainfall can be dramatically different within the same geographical area. Coastal mountains often receive three to four times the amount falling on coastal meadows. Mountains have a habit of rupturing clouds & benefiting from the contents, making the mountains greener & lusher than the neighboring lowlands. The amount & type of plant growth is directly related to precipitation. Vegetation, water resources, sunlight, erosion, & flooding are all microclimatic variations affected by the quantity & frequency of precipitation. A form of solar cooling are summer storms & fog = natural air conditioning forces that occur in many parts of the world.
It just might be that the grass really is greener on the other side of the fence!

비, 안개, 눈, 해일과 심야 습도의 형태로 대지에 생명수를 가져다주는 강수는 미세기후 특성 결정에 큰 영향을 끼친다. 년 간 내리는 강우가 지정학적으로 동일한 지역에서도 극적으로 달라질 수 있다. 해안 산악지대에는 흔히 하루 3~4시간 해안 초지에 내리는 강우량만큼 비가 내린다. 산줄기는 구름을 막아 강우량에 영향을 주어 인근 낮은 지형에서 보다 더 푸르고 숲이 우거지게 만드는 경향이 있다. 식물의 성장과는 직접적으로 강우량이 연관된다.

식물, 수자원, 일조량, 침식과 홍수 등은 모두 미세기후의 변화이며 강우량과 강우 빈도에 영향을 받는다. 태양열을 식혀주는 것은 여름 폭풍과 안개이며, 세계 도처에서 일어나고 있는 자연의 공기조화 능력이다. 풀밭은 정말 울타리 다른 쪽에서 더 푸르러질 수 있는지도 모른다.

PRECIPITATION 침적

우리를 둘러싸고 있는 대기 중 습도는 대부분 강우량처럼 항상 알 수 있는 것은 아니다. 습도는 대기 중에 퍼져있는 축축한 물이고 물기로 채워져 있는 공기의 백분율로 측정된다. 주어짐 온도에서 상대습도(RH) 100%에서 대기는 더 이상 습기를 추가로 받아들일 수 없다.

편안하게 느끼는 미세기후는 직접적으로 습도의 영향을 받는다. 춥고 축축한 공기는 차갑고 건조한 공기보다 훨씬 더 춥게 느껴진다. 즉 덥고 축축한 공기는 뜨겁고 건조한 공가에 비하여 더 답답하다.

눅눅한 미세기후 하에 설계할 때 공기 순환 허용과 제습을 고려하는 것, 땀나게 하는 조건을 이해하는 것과 성장하는 성질을 이해하는 것 등은 현명한 일이다.

습도의 결핍이나 매우 건조한 공기는 과도한 습기 증발을 가져오고 그로 인해 건조한 피부, 코골이, 식물의 성장 억제 원인이 된다. 안락한 상대습도의 범위는 일반적으로 20~60% 사이이다. 예를 들어 공기의 움직임이 적은 경우 77F(25℃)에서 실내 안락한 상대습도는 20~50% 사이인 것이다.

The moisture contained in the air surrounding us is not always visible, as is most precipitation. HUMIDITY is water moisture suspended in air & is measured as the percentage of the air saturated by water. At 100 percent relative humidity (RH) for a given temperature, the air cannot accept or hold additional moisture.

Microclimatic comfort is directly influenced by humidity. Cold, damp air feels much colder than cold, dry air; & hot, damp air is stifling compared to hot, dry air.

When designing for humid microclimates it is prudent to allow air circulation, to consider dehumidifying, & to be aware of conditions causing walls to sweat & mold to grow.

Lack of humidity or very dry air causes excessive evaporation of moisture, resulting in dried skin, nosebleeds, & inhibited plant growth. A comfortable relative humidity range is generally between 20 & 60 percent. For example, at 77°F[25°C], with little air motion, the range of relative humidity for interior comfort would be between 20 & 50 percent.

HUMIDITY 습기

dry

18% RH   62% RH
F
75°
humid

AIR MOTION through & around a microclimate influences everything. Seasonal wind motions that bring winter storms & spring winds add to heat loss & affect storm patterns, but also make for good kite flying. Constant winds affect humidity & ground moisture, move soil & sand, & provide potential for generation of electrical energy. Daily wind thermals can be used to advantage for cooling & air exchanges. In low wind areas, air motion can be induced by solar collectors to cool or heat buildings.

Comfort may call for opening to, or shielding from, the wind various times. Sheltered, outside-activity areas, insulation from associated noise, & reduction of heat-loss surfaces may be integral in design for high wind areas. Funneling of, & orienting to, prevailing breezes is desirable in warmer regions. By knowing the seasonal & daily wind patterns, the orientation & shape of buildings, fences, earth forms, & plantings can be planned to take best advantage of the forces of the wind.

미세기후 환경 하에 공기의 움직임은 모든 사물에 영향을 미친다. 겨울 폭풍과 봄 바람을 가져오는 계절풍 움직임은 열손실과 폭풍 패턴에 영향을 주지만 역시 연 날리기에는 좋다. 일정하게 부는 바람은 습도와 지면 습기에 영향을 주며 흙과 모래를 움직이고 전기에너지 발전 가능성을 가져온다. 하루의 바람의 온도는 쿨링과 환기에 이용될 수 있다. 바람이 적은 지역에서 공기의 움직임은 빌딩을 차게 하거나 덥히기 위해 태양열 수집장치에 유도될 수 있다.

안락함은 다양한 시간에 바람이 통과하거나 차단이 필요할 수도 있다. 그늘진 야외 활동지역, 소음과 열손실 면적 감소와 관련된 단열은 강한 바람 지역의 디자인에 꼭 필요한 것일 수도 있다. 산들바람이 우세한 더운 지역에서 통풍과 방향은 디자인에 꼭 필요한 것이다. 계절적 일상의 바람 패턴을 앎으로서 빌딩 울타리, 대지조성, 식재의 방향과 형태를 위해 바람의 힘을 가장 잘 이용할 수 있게 계획할 수 있다.

AIR MOTION & WIND 대기이동과 바람

LOCATION: Denver   YEAR: 1975
LATITUDE: 39°45'N   (Data taken from National Oceanic &
ALTITUDE: 5280 ft.   Atmospheric Administration, NOAA)

Month	Temp.			Degree Days (65°F base)		Precipitation		Humidity		Wind		Sunshine			
	high	low	ave.	heat	cool	water eq.	snow	AM	PM	dir.	speed	clear	pt.cldy	cloudy	% poss.
J	46	17	32	1024	0	0.2	3.6	62	38	W	10.2	9	7	15	64
F	45	16	31	957	0	0.4	4.0	65	41	NW	9.7	10	5	13	55
M	50	24	37	852	0	1.2	14.3	64	39	NW	11.4	5	11	15	57
A	58	30	44	621	0	1.1	10.9	72	36	SW	10.9	9	13	8	79
M	68	41	54	332	3	2.8	6.1	71	40	S	11.2	4	17	10	62
J	80	49	64	85	69	2.1	0.00	71	36	S	11.0	15	7	8	70
J	87	58	73	0	246	2.8	0.00	64	33	S	9.5	10	20	1	73
A	86	55	71	4	192	2.0	0.00	58	27	S	9.2	16	8	7	74
S	75	44	60	195	39	0.3	0.00	61	28	SE	8.5	17	4	9	76
O	71	36	53	363	5	0.3	2.7	57	28	S	9.3	18	7	6	85
N	51	23	37	840	0	1.9	15.2	64	49	SW	10.0	12	8	10	75
D	51	25	38	843	0	0.5	7.3	63	55	SW	9.2	9	8	14	70
ave	64	35	49	6116	554	15.5	64.1	64	38	SSW	10.0	134	115	116	70

Daily, monthly, & annual WEATHER RECORDS are available for most areas from national, state, & county climatological bureaus. Other local sources are agricultural agencies, newspapers, & airports. Old-timers often carry valuable microclimate information in their heads.

월	온 도			일간도수 65°F 기준		강 우		습 도		바 람		일 조			
	고	저	평균	열	냉	수위	적설	오전	오후	방향	속도	청명	약구름	구름	%
J	46	17	32	1024	0	0.2	3.6	62	38	W	10.2	9	7	15	64
F	45	16	31	957	0	0.4	4.0	65	41	NW	9.7	10	5	13	55
M	50	24	37	852	0	1.2	14.3	64	39	NW	11.4	5	11	15	57
A	58	30	44	621	0	1.1	10.9	72	36	SW	10.9	9	13	8	79
M	68	41	54	332	3	2.8	6.1	71	40	S	11.2	4	17	10	62
J	80	49	64	85	69	2.1	0.00	71	36	S	11.0	15	7	8	70
J	87	58	73	0	246	2.8	0.00	64	33	S	9.5	10	20	1	73
A	86	55	71	4	192	2.0	0.00	58	27	S	9.2	16	8	7	74
S	75	44	60	195	39	0.3	0.00	61	28	SE	8.5	17	4	9	76
O	71	36	53	363	5	0.3	2.7	57	28	S	9.3	18	7	6	85
N	51	23	37	840	0	1.9	15.2	64	49	SW	10.0	12	8	10	75
D	51	25	38	843	0	0.5	7.3	63	55	SW	9.2	9	8	14	70
ave	64	35	49	6116	554	15.5	64.1	64	38	SSW	10.0	134	115	116	70

일일, 월별, 년간 기후 기록은 국가, 주, 도시, 기상청으로부터 구할 수 있다. 기타 지역자료는 영농 기관, 신문사, 공항 관제소 등에 있다. 오랜 시간 기후기록은 그 기억 속에 가치 있는 미래 기후 정보를 가지고 있다.

WEATHER RECORD   기후 요인

Above & beyond the normal landscape & weather characteristics are a group of special considerations that we attribute to be ACTS OF GOD, which certainly are never welcomed as a part of the microclimate. Tornados, floods, earthquakes, forest fires, volcanos, landslides, tidal waves, hurricanes, & cyclones of devasting force occur infrequently & randomly. The likelihood of occurances in certain areas & even times when conditions are right are well known. Yet pinpoint accuracy of location & force is as impossible as is prevention.

Be aware of the possibility of these acts occuring wherever you are. In each case, careful planning & design of structures can lessen or minimize catastrophe. Do all you can to understand & deal with these forces. After that, only prayer will help.

신의 영역

정상적인 풍경 및 날씨 특성을 넘어서 그 이상의 것은 확실히 신의 행위라고 생각되는 특별한 그룹이다. 그리고 그것들은 결코 미세기후 영역의 한 부분으로 용납될 수 없는 것은 확실하다.

토네이도, 홍수, 지진, 삼림화재, 화산, 산사태, 쓰나미, 허리케인과 그 외 예측할 수 없는 싸이클론의 힘은 어떤 지역에 조건이 맞는 어떤 시간에 불확실하고 산발적으로 일어날 가능성이 있다는 것은 잘 알려져 있다. 아직도 꼭 짚을 만큼 정확한 위치와 힘을 알고 예방하는 것은 불가능하다.

어디에서도 일어날 수 있는 가능성에 주의하라. 각각의 경우에 구조물의 주의 깊은 계획과 디자인으로 재앙을 최소화하고 줄여 줄 수 있다. 이런 힘을 이해하고 다루는데 당신은 최선을 다하고 그 후에는 기도하는 자만이 도움이 될 것이다.

The ACTS OF MAN always modify the microclimate — planting a tree, building a house, or drilling a well all have an impact on the land. Sometimes the change is immediately visible. Many times the effect of what is done today may not be known for years to come.

It is important to know what the possible effects of our actions will be. POSITIVE CHANGE IS OUR GOAL.

인간의 영역

인간의 행위는 미세기후를 변경한다. — 나무를 심는 것, 집을 짓는 것, 우물을 파는 것, 이 모든 것은 대지에 충격을 준다. 어떤 때는 그 변화가 즉각적으로 나타난다. 오늘날 수많이 이루어 놓는 것의 영향은 다가올 여러 해 동안 알려지지 않을지도 모른다.

우리의 행위가 어떠한 영향을 미칠지 아는 것은 매우 중요하다.

The end result of applied climatic design is a true REGIONALISM.
In the past, regional architecture & city planning evolved
from climatic conditions, cultural habits & taste, use of
indigenous materials, social structure, tradition, & a myriad
of other factors. Regional styles in many instances have
failed to adapt to change, have become illogical in today's
world, or have been corrupted or forgotten in our rush toward
technology, systemization, & sameness.

Many facets of traditional regionalism are worthy of
preserving or readapting through microclimate design. If
fully understood & applied, it is inevitable that landscape &
climatic influences will generate a regional character with a
type of architecture & community plan that best suits a
geographical area. When supplemented with our vast
knowledge of technical methodology & materials, this regional
approach, modified & refined to suit present & future life-styles,
should provide the most logical solutions to habitat &
community design.

지역 주의

적용된 기후 디자인의 최종 결과는 진정한 지역주의다. 과거에는 지역적인 건축과 도시설계는 기후조건들, 문화 관습과 경험들, 토종 재료들, 사회적 구조물, 전통 그리고 무수한 다른 요소들로부터 진화되었다. 많은 사례에서 지역적 스타일들은 변화를 수용하는데 실패했고, 오늘날 세상에서 불합리하게 되었거나 또는 우리가 기술개발과 체계화, 동질화에 뛰어드는데 방해되거나 망각시켜 왔다.

전통적 지역주의의 많은 현상은 미세기후 디자인을 통해 보존하거나 재적용할 가치가 있는 것들이다. 충분히 이해하고 적용한다 하더라도 경관과 기후 영향이 지정학적 지역에 맞는 건축물과 공동체 계획의 타입에서 지역적 특성을 가져올 것이라는 것은 확실치 않다. 우리의 방대한 기술적 방법론과 재료에 관한 지식이 보완될 때 이와 같은 지역적 접근은 수정되고 정리되어 현재와 미래에 맞는 생활 스타일에 맞추어지고 가장 합리적인 해결책이 거주자와 공동체 디자인에 마련될 것이다.

regionalism

Today, with our rich storehouse of history & technology, we have much to draw from. Rather than being guided by style, custom, or first-cost economics alone, it is vital, in terms of long-range survival & ecology, that man use systemic analysis to shape his environment. This process leads toward a balancing of the long-range interaction of man, his world, & the solar system.

We are now approaching general system overload because of the way we live & use our resources. It is time to reevaluate transportation, housing, communications, economics, farming, city planning, defense,& all other systems in the light of past mistakes, new limits,& future quality. Enlightenment or escape from this earthly condition for our species is perhaps possible, but not in the forseeable future. In the meantime, we must strive to make each decision carefully & to make each action count, if we are to make a positive contribution to the overall scheme of things.

EACH REGION MUST ADAPT IN ITS OWN WAY !

오늘날 우리는 역사와 기술이 풍부하게 저장된 저장고에서 많은 것을 끌어내 가져온다. 스타일, 습관 또는 초기 가격 경제적인 것에 끌리기보다는 오히려 오랜 기간 살아남고 환경보호 수단에서 사람은 그들의 환경을 만드는데 체계적 분석을 한다는 것은 중요한 것이다. 이런 과정은 인간과 그들의 세상과 쏠라시스템의 오랜 기간 상호작용을 균형으로 이끌어 간다.

우리는 지금 우리가 살아가며 우리의 자원을 사용하기 때문에 일반적인 시스템에서 과부하되어가고 있다. 수송, 주택 짓기, 통신, 경제, 농경, 도시계획, 방재와 과거의 실패, 새로운 제약과 미래의 가치를 조명하는 모든 다른 시스템을 재평가할 시기에 도달했다. 우리 인류를 위해 이 지구적 조건으로부터 이해 또는 회피는 가능하지만 예측할 수 있는 미래는 아니다. 그동안 우리는 반드시 살아남아서 주의 깊게 각각 결정을 하고 갖가지 반응을 계산해야만 한다.

우리가 전체적인 사물을 계획하는 데 있어 긍정적 기여를 만들어 낼 수 있다면!

3 NATURE'S DESIGN TOOLS

Each of these tools can be used to create passive solar designs. The goal of passive solar applications is to create structures that respond to the patterns of nature.

A building that passively utilizes the energy of the sun for year-round space conditioning involves three basic principles:

- It must be designed to accept or reject solar heat when called for.
- It must have the thermal integrity to maintain internal comfort despite the range of climatic forces acting on its weatherskin.
- It must incorporate the ability to retain the presence or absence of heat within.

자연의 디자인 도구들

각각의 도구들은 패시브 쏠라 디자인을 만드는데 쓰일 수 있다. 패시브 쏠라 응용의 목적은 자연의 패턴에 응답하는 구조물을 만드는 것이다.

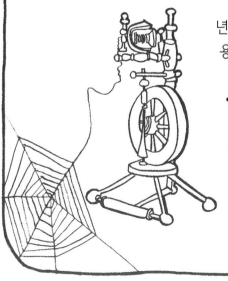

년 중 내내 공간의 공기조화를 위하여 태양에너지를 받아 이용하는 빌딩에는 3가지 기본 원리가 있다.

- 반드시 필요할 때만 태양열을 받아들이거나 거부할 수 있도록 디자인되어야 한다.
- 빌딩의 기후대응 외피에 작용하는 기후력의 변화에도 불구하고 내부의 안락함을 유지하기 위해 반드시 일정한 온도가 유지되어야 한다.
- 열의 존재 또는 부재 상태를 유지하는데 반드시 능력이 구체화되어야 한다.

Generally, these principles are applied by having solar gain surfaces of the right size & in the right place to selectively admit natural heat. Passive solar structures must be well insulated & must contain adequate heat storage mass. By the use of movable & flexible devices, the flow of energy can be controlled throughout the various conditions of all seasons.

It is possible, using the same materials, to create a building that will never be comfortable — or a building that will always be comfortable. An applied knowledge of NATURE'S DESIGN TOOLS is the key to successful PASSIVE SOLAR ARCHITECTURE.

일반적으로 이와 같은 원칙들은 자연적 열기를 선택적으로 받아들이기 위해 정확한 사이즈의 태양 수납 표면과 바른 위치를 가짐으로써 적용된다. 패시브 쏠라 구조물은 단열처리가 잘 되어야 하고 적당한 열처리 매체가 있어야만 한다. 유동적이며 가변적인 고안을 사용함으로써 에너지의 흐름이 전 계절에 다양한 조건 전반에 걸쳐 조절될 수 있다.

한 빌딩이 전혀 쾌적하지 않거나 또는 항상 쾌적한 빌딩을 만드는 것도 동일한 재료를 사용해 가능한 것이다. 자연의 디자인 도구들을 적용하는 지식은 패시브 쏠라 건축을 만드는 키이다.

"Energy can be neither created nor destroyed; when one form of energy disappears, another form always appears in equivalent quantity."

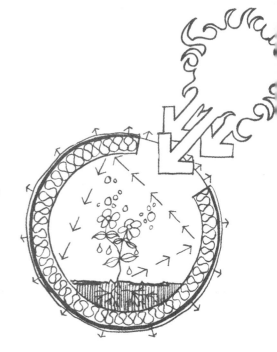

HEAT ENERGY CANNOT BE LOST. It can be converted to another form of energy (electrical, chemical, or mechanical) or remain as heat. It can be converted, stored, absorbed, moved, gained, etc. In any system it will always be accounted for somehow. In buildings, the energy collected or generated will eventually be converted as work done or escape as heat loss.

온도 요소들

에너지는 만들어지지 않거나 파괴되지 않을 수도 있다.; 에너지가 사라질 때는 항상 동등한 양으로 또 다른 형태가 나타난다.

열에너지는 손실되지 않는다. 에너지는 다른 형태로 전환될 수 있거나(전기적, 화학적, 또는 기계적) 또는 열로서 남아 있다. 열에너지는 전환될 수 있으며 저장되고 흡수되며 이동되고 축적될 수 있는 동등의 것이다. 어떠한 시스템에서 항상 그것은 어느 정도 계산될 수 있다. 빌딩에서 수집한 에너지, 생성된 에너지는 즉시 수행된 일 또는 열손실처럼 유출된 것으로 환산될 수 있다.

_FIRST LAW OF THERMODYNAMICS **열역학 제1법칙**

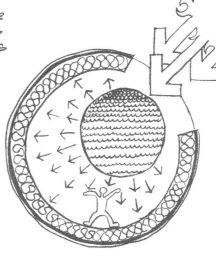

"Heat cannot pass spontaneously from a colder to a warmer body; when free interchange of heat takes place, it is always the hotter of the two bodies which loses energy & the colder that gains energy."

HEAT WILL SEEK OUT COLD. In passive solar design the heat absorbed or stored will constantly move to attain equilibrium throughout the mass of a building. Hot molecules of a substance can be thought of as excited, while cold molecules are still or quiet. By various methods of heat transfer, heat will constantly seek out cooler regions to share its molecular excitement.

열은 자연적으로는 차가운 것에서 따뜻한 물체로 이동될 수 없다.; 열의 자유로운 상호 교환이 일어날 때 에너지를 얻는다는 것은 항상 에너지를 잃은 두 물체가 더 뜨거워지고 그리고 더 차가워진다는 것이다.

열은 차가운 쪽에서 생길 것이다. 패시브 쏠라 디자인에서 흡수된 열 또는 저장된 열은 한 빌딩의 매스 전반을 통해 평형을 이루려고 일정하게 움직인다. 물질의 뜨거운 분자는 빠져나간 것으로 생각될 수 있고 반면에 차가운 분자는 정체 또는 잠잠하다. 열전달은 다양한 방법들에 의해 열은 일정하게 더 차가운 영역으로 새어나가 분자 간의 움직임을 분담할 것이다.

SECOND LAW OF THERMODYNAMICS 열역학 제2법칙

THERE ARE THREE WAYS
OF TRANSFERRING HEAT:

CONDUCTION
CONVECTION
RADIATION

Generally, for natural transfer to
occur, one body must contain more
heat (✚). According to the second
law of thermodynamics, heat will
travel to the cooler body or
place (⊐). Many times all three methods
of HEAT TRANSFER will occur
simultaneously. In passive solar
design these elements of HEAT TRANSFER
are of prime consideration & should
always be gracefully integrated with
any concept. Natural transfer
tendencies should never be denied;
rather, they should be recognized &
respectfully managed.

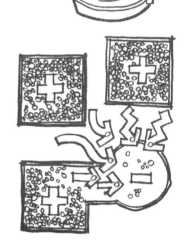

열이 전달되는 방법에는 3가지가 있다.

전도
대류
복사

일반적으로 자연적 이동이 일어나기 위하여, 한 물체는 열을 더 가지고 있어야
한다. 열역학 제2법칙에 따라 열은 더 차가운 물체나 위치로 이동할 것이다. 번번
이 열 이동의 이 3가지 방법으로 꾸준히 일어난다. 패시브 쏠라 디자인에서 열전
달의 이런 요소들이 우선적으로 고려되어야 하고 항상 어떤 개념과도 잘 융화되
어야 한다. 자연적으로 이동하는 경향이 결코 거부되지 않아야만 한다.; 오히려
그것들이 인정되어야 하고 잘 관리되어야 한다.

HEAT TRANSFER   열 전달

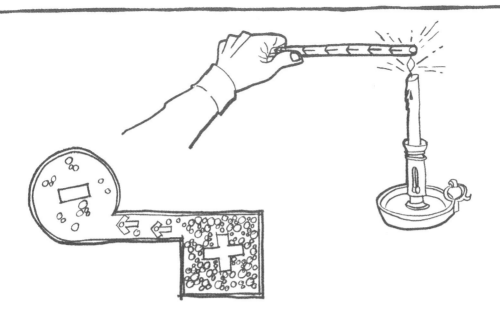

Heat energy travels from the candle, through the rod, to the hand, by CONDUCTION. Conductive transfer occurs between bodies in direct contact. The faster the rate of heat flow at a given temperature through a material, the higher its conductivity.

열에너지가 전도에 의해 촛불에서 막대를 통해 손으로 이동한다.
전도 이동은 두 물체 간 직접 접촉에 의해 일어난다. 주어진 온도에서 한 물질을 통해 열의 흐름이 빠르면 빠를수록 그 전도성은 높아진다.

CONDUCTION 전도

Heat energy travels from the candle, (by air currents) to the hand, by CONVECTION. In convection a flowing medium is necessary. Heat travels between two places via a fluid, such as a gas (air) or a liquid (water).

열에너지는 촛불로부터(공기의 흐름에 의해) 대류에 의해 손으로 전달된다. 대류에서는 유동 매체가 필요하다. 열은 두 장소에서 가스(공기)나 액체(물) 와 같은 유체를 통해 이동한다.

CONVECTION 대류

Heat energy is transmitted from the candle, through space, to the hand, by RADIATION. This transfer takes place without a medium. Radiant energy is transmitted as electromagnetic waves, which travel in lines through space & fluids until absorbed by a solid or reflected by a radiant barrier, such as silver or aluminum foil.

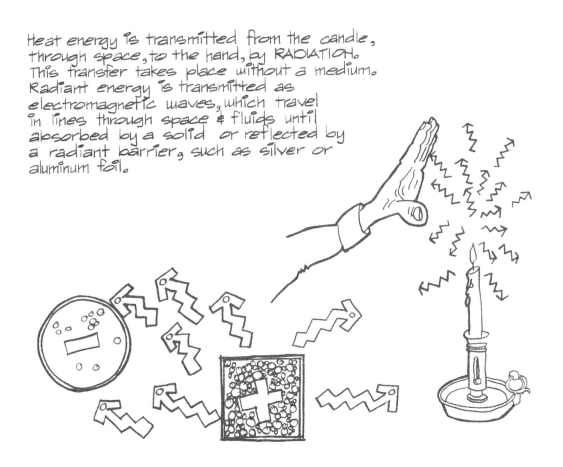

열에너지는 촛불로부터 이동한다. 공간을 통해 손으로 복사 작용에 의해. 이런 이동은 매체 없이 일어난다. 복사에너지는 전자기적 파동처럼 이동된다. 열은 공간과 액체를 통해 직접 이동한다. 고체에 흡수되거나 은이나 알루미늄 포일 같은 복사 장애로 반사되어 돌아올 때까지.

RADIATION 복사

As a fluid is heated, the distance between molecules increases. With this volume increase or expansion & no change in mass, each heated molecule is buoyed up. Water, air, & many other fluids will RISE when heated until contained or cooled. When cooled they contract & FALL until equilibrium is attained.

In a hot-air balloon heat energy is added to the air contained; the trapped volume becomes lighter than the surrounding atmosphere, & it rises. Thermal convection occurs when a fluid is heated. In a closed-loop, solar water system the water is heated & it rises up the collector. The hot water stores in the tank. The relatively cooler water at the bottom flows down to the bottom of the collector for another trip. This rise & fall factor is experienced in many facets of passive solar design.

유체가 더워질 때 분자 간의 거리는 증가한다. 이 부피의 증가나 팽창으로 그리고 매스 내 변화 없이 각기 데워진 분자는 떠오르게 된다. 공기, 그리고 많은 다른 액체는 열이 가해질 때 떠오른다. 떨어지거나 차가워질 때까지 식을 때까지 분자들은 수축 또는 평형을 이룰 때까지 차가워진다.
열기구에서 열에너지가 포함된 공기에 추가된다. 기구에 갇힌 공기는 주변 대기보다 가벼워져서 올라간다.

열대류는 유체에 열이 가해질 때 일어난다. 폐쇄 루프 내 쏠라수 시스템에서 물은 열을 받고 수집기로 올라가 뜨거운 물로 저장된다. 상대적으로 바닥의 차가운 물은 또다시 순환하기 위해, 수집기 바닥으로 흘러 내려간다. 이 상승과 하강 요인이 패시브 쏠라 디자인 여러 면에서 알려져 있다.

RISE & FALL   상승과 하강

In passive solar design the effect of STRATIFICATION can be useful in planning the placement of spaces & heat storage in relation to function. Various human activities require different temperatures for relative comfort = a person reading will require a higher temperature to be comfortable than a person running.

Heated fluids that have no natural flow circuit will tend to rise and stratify or layer in a given volume; the hottest fluid rising to the top & the coolest settling to the bottom, causing a thermal gradient. Any surface or object in a space will be affected by the flow & layering of the air, storing more heat toward the top than the bottom. The liquid in a vessel will stratify with the warmest at the top. Actually, the warmest fluids are in a constant movement with the fluids at the heat-loss surfaces cooling & falling. Conversely, they warm at the heat-gain surfaces, rising & constantly mixing.

패시브 쏠라 디자인에서 층상화 효과는 기능적으로 공간의 위치와 열저장 기능에 유용하게 쓰일 수 있다. 다양한 인간 활동에서 상대적 안락함에는 다른 온도를 요구한다. 독서를 하는 사람은 달리는 사람보다 안락함에 더 높은 온도가 요구된다.

전혀 자연적 흐름 회로가 없는 가열된 액체는 일정한 부피에서 상승하여 층을 이루거나 층이 깔리는 경향을 이룰 것이다.; 가장 뜨거운 액체가 맨 위로 오르고 가장 차가운 액체는 온도 변화를 일으키며 맨 아래로 가라앉는다. 한 공간 내 어떤 표면 또는 대상은 공기층과 흐름에 영향을 받게 될 것이다. 바닥보다 위쪽에 더 많은 열을 저장함으로서. 용기 내 액체는 상부에서 가장 따뜻한 게 층을 이룰 것이다. 실제로 가장 따뜻한 흐름은 냉각과 하강하는 열 손실 표면에서 액체 상태로 일정한 움직임이 있다. 역으로 그들은 열 획득 표면에서 상승 혼합되어 따뜻하다.

STRATIFICATION   층상화

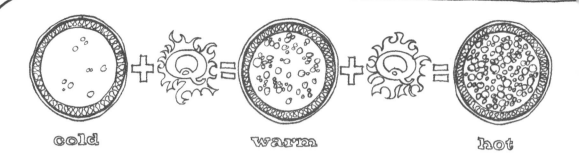

cold   warm   hot

Energy exists in six basic forms: thermal, electrical, mechanical, chemical, radiant, & atomic. In passive design thermal energy & radiant energy are the states commonly utilized. Radiant sunlight energy is the initial form in which solar energy is delivered. It can be measured in BRITISH THERMAL UNITS (BTU's). HEAT energy, as stored in water or rocks, can also be measured in BTU's.

The scientific symbol for heat is Q. Heat content is measured quantitatively. A specific quantity of material, such as a pound of water, can contain different amounts of heat. As the TEMPERATURE becomes hotter or cooler, the material will contain more or less heat energy. If you know the mass, specific heat, & temperature change of a material, you can determine the amount of heat stored or lost.

에너지는 6가지 기본적인 형태로 존재한다.; 온도적, 전기적, 기계적, 화학적, 빛과 원자. 패시브 디자인에서 온도와 빛 에너지는 같이 이용되는 상태다. 방사되는 태양광에너지는 쏠라 에너지가 공급되는 초기 형태이다. 그것은 영국 열 단위(BTU'S)로 계산될 수 있다. 열에너지가 물이나 돌에 축적될 때 그 열량은 BTU'S단위로 계산될 수 있다.

열에 대한 과학 기호는 Q이다. 정량적 열용량은 정량적으로 계산된다. 물 한 파운드 등과 같이 물질의 일정량은 열량을 가질 수 있다. 온도가 뜨거워질 때 또는 차가워질 때 물질은 열에너지를 더 많이 또는 더 적게 가지게 될 것이다. 당신의 매스에서 이러한 열과 온도 변화를 안다면 당신은 저장된 열 또는 손실된 열량을 결정할 수 있다.

HEAT & TEMPERATURE   열과 온도

All substances are capable of storing different amounts of heat. The SPECIFIC HEAT of a substance is the amount of heat required to produce a unit change in temperature per unit mass (a constant for each material)

or: $Q = C \times m \times \Delta t$ where :

$Q \equiv$ heat content, BTU's
$C \equiv$ specific heat, BTU/lb.°F
$m \equiv$ mass, pounds (lbs.)
$\Delta t \equiv$ temperature change, °F

Water has a specific heat of 1.0 & a density of 62.5 pounds per cubic foot (lbs./ft.³). It takes 1 BTU to raise 1 lb. of water 1°F, as per the definition of a BTU. Dry sand has a specific heat of 0.19 & a density of 96 lbs./ft.³.

Therefore, water holds $\frac{1.0}{0.19} \cong 5.3$ times more heat by mass than sand.

It follows that :

$\frac{1.0 \times 62.5}{0.19 \times 96} \cong 3.5$, or :

Water has approximately 3.5 times more HEAT CONTENT by volume than sand.

모든 물질은 서로 다른 량의 열을 저장할 수 있다. 물질의 열 정수는 단위 매스(각 물질에 대한 상수) 당 온도가 단위 변화를 일으키는데 필요한 열량이다.

또는 $Q = C \times m \times \Delta t$ 여기서 :

$Q \equiv$ 열량, BTU's
$C \equiv$ 열정수, BTU/lb.°F
$m \equiv$ 매스(질량), lbs
$\Delta t \equiv$ 온도변화, °F

물의 열 상수는 1.0이고 밀도는 62.5 lbs/ft³이다. 즉 물 1 lb를 1 °F 올리는데 1 BTU'S가 필요하다. BTU'S 정의로서 건조한 모래의 열 상수는 0.19이고 밀도는 95 lbs/ft³다.
따라서 물은,

$\frac{1.0}{0.19} \cong 5.3$ 배 더 모래보다 열을 잡아 두는 매스다.

$\frac{1.0 \times 62.5}{0.19 \times 95} \cong 3.5$ 배 또는 물은 3.5배 모래보다 용적으로 열용량을 갖는다.

SPECIFIC HEAT & HEAT CONTENT   **열상수와 열량**

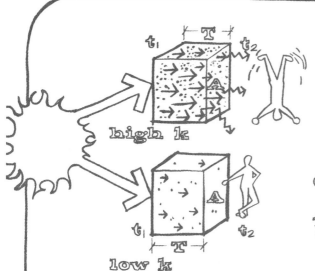

THERMAL CONDUCTIVITY of a material is the time-rate transfer of heat by conduction, through a unit thickness (T), across a unit area (A), for a unit difference in temperature (Δt). Or:

Qc≡heat conducted, BTU/hr.
A≡area, sq.ft.
k≡thermal conductivity, BTU-in/hr.sq.ft.°F
T≡thickness, inches
Δt≡temperature differential, (t_2-t_1), °F

The conductivity is caused by direct molecular interaction. Excited or hot molecules transfer some of their vibrational energy to their cooler neighbors.

A material with a good conductivity or higher k has potential for heat transfer surfaces or heat storage:
    steel=310, concrete=12, water=4.1.
A poorer conductor or lower k is generally more suited for insulation or resistance to heat loss:
    wood=0.8, fiberglass=0.27.

물질의 열전도성은 전도에 의한 열의 시간율이다. 단위 두께(T)를 통해 단위면적(A)을 지나 온도의 단위차(Δt) 또는

Qc≡전도된 열, BTU/hr.
A≡면적, ft.²
k≡온도 전도성, BTU-in/hr.ft²°F
T≡두께, inches
Δt≡온도차, (t_2-t_1), °F

전도성은 분자 간 직접 상호작용에 의해 발생한다. 활동하는 또는 뜨거운 분자는 분자 진동 에너지를 어느 정도 더 차가운 인접 분자에게 전달한다. 좋은 전도성을 가진 물질 또는 더 높은 K는 열전도면 또는 열저장 능력이 있다.;

철=310, 콘크리트= 12, 물= 4.1

더 빈약한 전도체 또는 더 낮은 K는 일반적으로 단열 또는 열손실 저항에 적당하다.;

목재=0.8, 유리섬유 =0.27

THERMAL CONDUCTIVITY 열 전도성

The gain/loss, rise/fall, expansion/contraction of heat energy is in all cases seeking a state of balance. In solar design the challenge is to achieve a state of EQUILIBRIUM between heat supply & demand. For each system points of crossover between collection/loss occur; these are points of equilibrium.

Energy flows in a continual quest for equilibrium = hot travels to cold, heated molecules rise, etc. This will occur as long as there is imbalance. With the achievement of equilibrium the process will stop momentarily in a serene harmony, until the process reverses & starts up again. In a passive system incoming energy, in its quest for equilibrium, will collect & store, seeking even distribution throughout the storage mass.

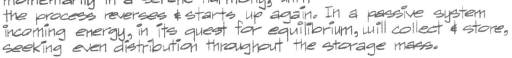

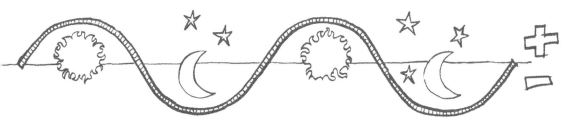

열에너지의 흡수/손실, 상승/하강, 팽창/수축은 모든 경우에 평형을 이루려 한다. 쏠라 디자인에서 열 공급과 수요 간에 평형 상태를 이루기 위한 도전이 있다. 각각의 시스템에서 수집/손실 사이에 교차점이 생긴다.; 이것이 평형 점이다.

에너지는 평형을 위한 지속적 요구 상태에서 흐른다. ― 뜨거운데서 차가운 데로 이동하고 열을 받은 분자는 상승하는 등. 이것은 불균형 상태가 지속되는 한 일어난다. 평형을 이룸으로 그 과정은 정지한다. 한순간 잔잔한 조화 상태로 그 과정이 역으로 다시 시작될 때까지. 패시브 시스템에서 평형을 위해 요구되는 만큼 얻어진 에너지는 수집되고 저장될 것이다, 저장매체 전반을 통해 분산을 추구하면서.

THERMAL EQUILIBRIUM   **열 평형**

As the heat content of a solid, liquid, or gas is raised, the volume expands. The coefficient of thermal expansion assigns a factor to the relative rate of the expansion for each material per degree of temperature rise.

As the material EXPANDS, its dimensions lengthen in all directions proportional to volume. Conversely, as a material cools, its volume CONTRACTS. These changes in size are important in the operation of solar devices, especially in heat-actuated valves which silently open & close depending on the temperature.

한 고체, 액체 또는 기체의 열용량이 오를 때 그 부피는 팽창한다. 온도팽창계수는 온도 상승에 따른 각 물질의 상대적 팽창률에 한 요소로 정의된다.

물질이 팽창할 때 그것의 치수는 부피에 비례하여 모든 방향으로 길어진다. 반대로 물질이 차가워질 때 그 부피는 줄어든다. 이러한 크기의 변화들은 쏠라 장비를 작동하는데 중요한 것들이다. 특별히 온도에 의해 조용히 열리고 닫히는 열 작동 밸브에서.

EXPANSION & CONTRACTION_ 팽창과 수축

Sensible heat is the thermal energy that changes the temperature, but not the state, of a substance. LATENT HEAT (Q1) is the heat required to change the state of a material without changing the temperature. Materials exist in one of three states = solid, liquid, or gaseous. Some materials occur on earth in only one state. Others can be observed changing phase = water can be converted to ice or steam. Latent heat is added to ice to produce water & to water to produce steam; it is released when the process is reversed.

Various substances require different quantities of heat to change phase. With the addition or loss of latent heat the substance changes volume & heat content until the change is completed. Steam at 212°F [100°C] contains much more heat than water at 212°F [100°C]. Thus, for a given volume, latent heat, or the energy required to change phases, has a much larger potential in energy storage than sensible heat storage.

온도를 변화시키는 온도 에너지는 민감한 열이다. 그러나 물질의 상태는 아니다. 잠복열(Q1)은 온도를 변화시키지 않고 물질의 상태를 변화시키는 데 필요한 열이다. 물질은 3가지 상태 중 한 가지로 존재한다. ― 고체, 액체 또는 기체.
어떤 물질은 지구 상에 단 한 가지 상태로 나타난다. 다른 것들은 상을 변화시키는 것으로 관찰될 수 있다. ― 물은 얼음이나 수증기로 전환될 수 있다. 잠복열은 물이 되기 위해 얼음에 그리고 수증기가 되기 위해 물에 가해질 수 있다.; 열은 그 과정이 역순으로 일어날 때 방출된다.

다양한 물질들이 상을 변화 시키는데 각각 다른 양의 열을 요구한다. 잠복열의 추가 또는 손실로 그 물질은 그 상이 완성될 때까지 부피와 열용량을 변화시킨다. 212°F[100℃]에서 수증기는 212°F[100℃]의 물보다 훨씬 많은 열을 포함하고 있다. 따라서 주어진 부피의 상변화에 필요한 잠복열 또는 그 에너지는 민감한 열저장 때보다 에너지 저장에 훨씬 더 큰 가능성이 있다.

LATENT HEAT   잠 열

THE SUN,
our nearest star, is a
power plant in space fired
by a nuclear fusion reaction.
With a surface temperature of over
10,000°F, the hydrogen fuel sustaining
the reaction is estimated to last a few
billion years. It is our most dependable,
ongoing source of usable energy.

The earth is a planet in orbit around the sun at
a distance of about 93 million miles. Each day
the sun provides more than 1,000 times the
energy ever used by humans. Solar energy
is the source of energy & life forms on
earth — coal, wood, gas, geothermal, wind,
plastics, eggs, flowers, & people are all
products of the sun. It has been
estimated that the solar energy bathing
the earth each hour equals the
amount contained in over
23 trillion tons of
bituminious coal.

태양 요소들

우리에게 가장 가까운 별로 핵융합 반응으로 불타고 있는 우주공간의 동력 발전소다. 표면온도 10,000°F를 넘어서며 재 반응이 유지되는 수소연료는 수십조 해 유지되는 것으로 계산된다. 태양은 사용 가능한 에너지원으로 현존하며 우리가 가장 의존할 수 있는 것이다.

지구는 9,300만 마일 떨어져 태양 주위 궤도상 한 위성이다. 매일 태양은 인간들이 사용하는 전 에너지의 100배 이상을 제공한다. 태양에너지는 지구 상의 에너지의 원천이다. ― 석탄, 나무, 석유, 지열, 바람, 모든 가소성 물질, 알들, 꽃들, 그리고 사람들까지 모두 태양의 산물이다. 매시간 지구를 덥히는 태양에너지는 역청탄 2,300백만조 톤 이상 함유한 양에 해당한다.

THE SUN 태양

As the earth orbits annually around the sun, its path is elliptical. Within this orbit, the earth rotates 15 degrees per hour on its axis, which is tilted 23½ degrees. The net effect of this perpetual circuit is our 24 hour day, 12 month year, the seasons, & the weather. In the northern hemisphere the sun is highest in the sky on June 21 = summer solstice = the longest sun day of the year. It is at its lowest point on December 21 = winter solstice = the shortest sun day. The midpoints of the solar altitude are on March 21 & September 21 = the equinoxes.

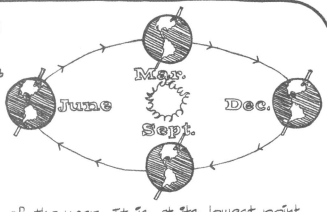

Solar installations are oriented to take advantage of various aspects of the SOLAR YEAR: winter/spring heating, summer/fall cooling, year-round water heating, electrical generation, crop drying, desalinization of seawater, etc. When designing it is important to accommodate to the sun seasons. It won't work the other way around!

지구는 일 년에 한 번씩 태양의 주위를 돌며 그 경로는 타원형 궤적이다. 이 궤도 내에서 지구는 시간당 15도 회전한다. 지구는 23.5° 기울어져 있다. 이 영구적 회로의 순 효과는 하루 24시간 일 년 12달 계절과 날씨다. 북반구에서 태양은 7월 21일 하늘에서 가장 뜨겁다. ─ 여름 최고점으로 년 중 최장 태양일이다. 12월 21일은 가장 낮은 온도로 겨울 최하점 즉 가장 짧은 태양일이다.

태양 고도의 중간점은 3월 21일 그리고 9월 21일이며 밤과 낮의 평분 점이다. 태양의 위치는 태양력에서 다양한 관점에서 이용되는 경향이다.;

태양열 설비는 겨울/봄철 난방, 여름/가을 냉각, 연중 온수난방, 발전, 작물 건조, 해수 담수화 등과 같은 태양력 여러 면에 이점을 취할 수 있도록 설치된다. 그것을 디자인할 때 계절 태양에 적응하는 것이 중요하다. 이것은 주위 다른 방법으로는 할 수 없다!

SOLAR YEAR   태양력

The sun, our cosmic clock, sets our seasons, years, days, hours, & minutes. A shadow cast by an object from the sun's rays can tell us if it is time to wake up, go to work, plant, & the true geographic direction. At the two equinoxes, the shadow cast by a gnomon or a rod perpendicular to the earth's surface will be of the same length at a given hour of the day. The length of shadows at midday will tell you if it's winter or summer.

SUN TIME is also an an accurate indicator of orientation. For example, to find solar noon determine the shortest shadow cast by a gnomon during the day. The direction of this shadow is a true North-South line.

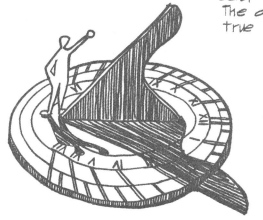

The sundial is a clock with split-second accuracy, not affected by electrical outages, winding, mechanical failure, or daylight savings time. Who really needs to know the time at night or during cloudy weather? Hourglasses anyone?

태양, 우리의 우주시계는 계절, 년, 일, 시간과 분초를 정한다. 물체에 의해 태양 광선이 가려져 생기는 그림자는 우리에게 시간이 되면 일어나고, 일하러 가고, 농사지으며 정확한 지리 방향을 말해줄 수 있다. 두 주야 평분 점에서 고대 천문 관측기 그노몬 또는 지표면에 수직으로선 막대에 의해 드리워진 그림자는 하루 중 일정한 시간에 똑같은 길이가 될 것이다. 한낮의 그림자 길이는 당신에게 그것이 여름인지 겨울인지를 말해 줄 것이다.

이것은 해 시간이며 방위의 정확한 지시시계이다. 예를 들어 정오의 태양을 판단하는 것은 하루 중 그노몬에 의해 드리워진 가장 짧은 그림자로 정하는 것이다. 이 그림자의 방향은 진정한 북-남선이다.

가해시계는 일종의 전기적인 한계가 없고, 바람이나 기계적 오류 또는 일광 시간 절약 등에 영향을 받지 않는 일초의 몇 분지 일을 나타내는 정밀한 시계이다. 진정 밤 또는 구름이 잔뜩 낀 날씨에 시간을 알아야하는 사람은 누구인가? 어떤 사람은 모래시계를?

SUN TIME 해 시간

Because the sun appears to move in three dimensions, it is convenient to use two-dimensional geometry to understand its relative motion.

As the earth rotates at the rate of 15 degrees per hour, the sun appears to move through our sky proportionally. It traverses a daily SOLAR ARC, which is the apparent path traced across the sky each day. Depending on the latitude north or south of the equator, each day the sun will rise at a different angle from true south & attain a different altitude in the sky from horizontal south. Only at the two equinoxes will the solar arc & the time of sunrise & sunset be approximately the same. This occurs about March 21 & September 21 each year. The shortest solar day occurs about December 21 (approximately 120-degree angle on the ground & 9 hours), & the longest occurs on June 21, (for 40° N. latitude, approximately 240-degree angle on the ground & 15 hours). The hours of diurnal traverse can be called solar time. A solar day is from noon to noon, or from zenith to zenith.

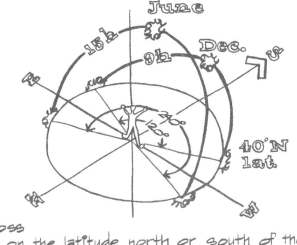

태양은 3차원으로 움직이기 때문에 그 상대적인 움직임을 이해하기 위해서는 2차원적인 기하학을 이용하는 것이 편리하다.

지구가 매시간 15도 각도 비율로 회전할 때, 태양은 비례해서 하늘을 통해 움직이는 것처럼 보인다. 그것은 매일 하늘을 가로지르는 뚜렷한 경로를 따라 일일 태양 원호를 가로질러 움직인다. 적도의 북반구 또는 남반구에 따라, 매일 태양은 정남보다 다른 각도에서 뜰 것이다. 그리고 수평면 남쪽 하늘에서 약간 다른 고도를 갖는다. 춘추분에서만 일출과 일몰 시 태양 아크 궤도는 개략적으로 같아질 것이다. 이런 현상은 매해 3월 21일과 9월 21에 일어난다. 가장 태양이 짧은 날은 12월 21경에 일어난다.(개략적으로 지상 120도 각도에서 9시간) 그리고 가장 태양이 긴 날은 7월 21일(북위 40도에서 지면에서 약 240도에서 15시간)쯤이다. 그 낮의 이동 시간은 해 시간으로 불릴 수 있다. 태양일은 정오에서 정오 또는 천정에서 천정이 된다.

SOLAR ARC   태양 원호

AZIMUTH is the horizontal angle between the sun's bearing & a north-south line, as projected on a plane horizontal with the earth's surface. This angle, at a given hour, will vary each day throughout the solar year. The sun comes over the horizon at a different point each day, & the daily total azimuth angle will be smaller in winter, larger in summer. For any latitude, tables & charts can be used to determine azimuth hour-by-hour & day-by-day.

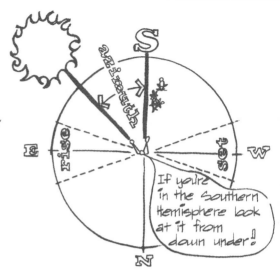

If you're in the Southern Hemisphere look at it from down under!

ALTITUDE is the vertical angle between the sun's position in the sky & the horizon plane of the earth at a given latitude. The altitude is lowest at winter solstice & highest at summer solstice. Like azimuth, charts & tables can be used to determine the sun's altitude throughout the year.

방위각은 태양의 거동과 자오선(남-북선) 사이의 지구 표면의 수평한 평면에 투사되는 수평각이다. 주어진 시간에 이 각도는 태양력 내내 매일 변할 것이다. 해는 매일 다른 지점에서 수평선 위로 떠오른다. 그리고 하루의 총 방위각도는 겨울철에 더 작아질 것이다. 어떤 위도에 대해서는 표와 차트는 시간 시간 그리고 매일매일 방위각을 결정하는 데 사용된다.

고도는 하늘의 해의 위치와 주어진 위도에서 지구의 수평면 사이의 수직각이다. 위도는 겨울 극점에서 가장 낮고 여름 극점에서 가장 높다. 방위각과 같이 차트와 표들이 년 중 내내 해의 위도를 결정하는 데 사용될 수 있다.

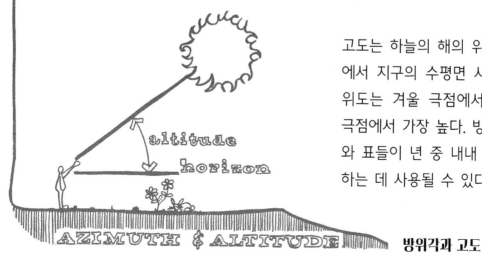

altitude

horizon

AZIMUTH & ALTITUDE

방위각과 고도

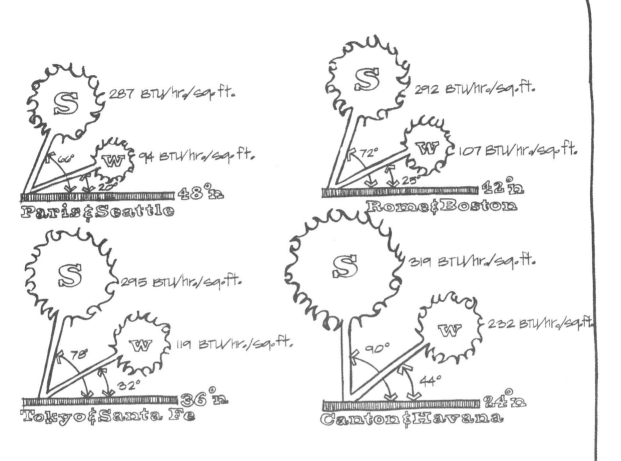

ALTITUDE VARIATION is an important facet of solar position &
intensity. The sun changes altitude by about 46 degrees from
summer to winter solstice. The following examples are for solar
noon at various latitudes.

고도의 변화는 태양의 위치와 강도에 중요한 면이다. 태양은 여름과 겨울의 극점까

지 약 46° 만큼 위도를 변경한다.

다음 그림은 다양한 위도에서 정오 태양의 사례이다.

The sun's energy reaches the earth radiantly across the nothingness of space. The amount of solar energy we depend on, or the SOLAR CONSTANT, received at the outer space around the earth above the atmosphere is about 429 BTU/hr./sq.ft. [116 cal./sq.cm.]. Some of this radiation is reflected back into space = some is absorbed in the atmosphere by bumping into air molecules, dust particles, & clouds. By the time it reaches the surface of the earth, the amount of solar energy available varies between 0 to 330 BTU/hr./sq.ft. [89 cal./sq.cm.], averaging about 225 BTU/hr./sq.ft. [61 cal./sq.cm.], but depending on the time of day, latitude, season, & the weather. If you can see even a faint shadow, it is possible to collect useful solar energy.

Different wavelengths of radiation come to us from the sun = X rays, ultraviolet, infrared, etc. But the largest portion of usable energy is in the visible light spectrum or shortwaves. Whenever there is light, solar energy is available.

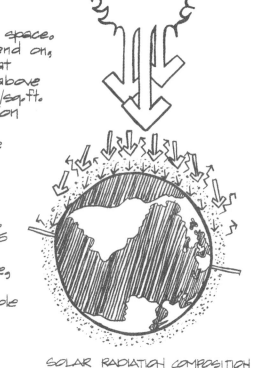

SOLAR RADIATION COMPOSITION

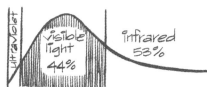

ultraviolet | visible light 44% | infrared 53%

태양에너지는 공허한 우주를 가로질러 방사되어 지구에 도달한다. 우리가 의존하고 있는 태양에너지의 양 또는 태양 상수는 대기 중 지구 주위의 외 공간에서 받고 있는 약 429 BTU/hr./ft² [116 Cal/cm²]이다. 방사량의 얼마는 우주로 다시 반환된다. — 그것은 평균 약 225 BTU/hr./ft² [61Cal./cm²]이며 그러나 낮 시간, 위도, 계절 그리고 기후에 따라 달라지지만 만일 당신이 희미한 그림자라도 볼 수 있다면 쓸모 있는 태양에너지를 수집하는 것은 가능하다.

여러 가지 다른 방사 파장은 태양으로부터 우리에게 온다. — X레이, 자외선, 적외선 등 그러나 쓸 수 있는 에너지의 대부분은 가시광선 스펙트럼이나 단파장들이다. 빛이 있는 곳에서는 언제나 태양에너지를 쓸 수 있다.

SOLAR CONSTANT 태양정수

The amount of solar energy that bathes any surface area at any orientation can be determined by insolation data tables. The quantity of INSOLATION that should be expected to fall on collectors, windows, clotheslines, gardens, etc. can be calculated. Excellent data from the ASHRAE (American Society of Heating, Refrigerating, and Air-Conditioning Engineers) Handbook of Fundamentals & other sources are available for surface angles at various latitudes, times of day, azimuth & altitude angles, & seasons. With this information you can determine the size & positioning of collectors & other solar gain surfaces.

INSOLATION: INcident SOLar radiATION. Not to be confused with insulation.

어느 방향에서든 어떤 표면에 내려 쬐는 태양에너지의 양은 분리 데이터 표에 의해 결정될 수 있다. 분리량... 집광기, 창문틀, 빨래줄, 정원 등에 떨어지는 것으로 예상될 수 있는 분리량은 계산될 수 있다.

ASHRAE(미국 냉방기 공조 엔지니어링 협회)의 기본 핸드북과 기타 자료로부터 우수한 데이터가 다양한 위도의 지표 각도에서 일조시간, 방위와 고도 앵글 그리고 계절에 대해 쓸 수 있다. 이와 같은 정보로 당신은 집광기의 크기와 위치 그리고 기타 태양에너지 수집을 위한 표면적을 결정할 수 있다.

AVAILABLE INSOLATION　가용 일사량

Geographic location, which establishes sun angles & intensity due to latitude, determines the ideal amount of solar radiation available. In addition to this established figure, PERCENT OF POSSIBLE must be considered before counting your solar eggs. In most locations throughout the world the percent of sun energy that annually reaches the ground will be considerably less than the amount possible with 365 clear days a year. Smog, cloud cover, dust, haze, fog, etc. all reduce the usable solar radiation to between 40 & 90 percent of the potential. It is important to determine the percent of possible sunshine factor for a given location before adding up your BTU's.

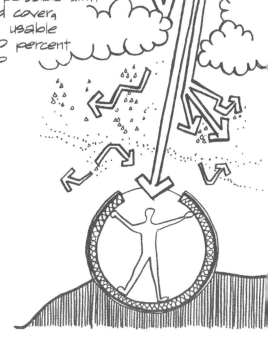

LOCATION	% OF POSSIBLE SUNSHINE/YEAR (%P)
Albuquerque	76
Boston	57
Chicago	59
Denver	67
Los Angeles	73
Miami	67
New York	59
Phoenix	85
Seattle	45

태양 각도와 위도에 의한 태양에너지의 강도를 나타내는 지리적 위치는 유용한 태양 방사의 이상적인 양을 결정한다. 이와 같이 수립된 수치에 더하여 가능한 %는 당신의 쏠라 에그를 산정하기 전에 반드시 참작하여야 한다. 세계를 통 털어 가장 좋은 위치에서 연 간 지상에 도달하는 태양에너지의 %는 일 년 365일 맑은 날 수집 가능한 양보다 훨씬 적을 것이다. 스모그, 구름 덮임, 먼지, 흐림, 안개등 모든 것들이 40~90%의 잠재력 사이에서 이용 가능한 태양 방사량을 줄인다. 당신이 소요 BTU'를 산정하기 전 주어진 위치에서 가능한 햇볕 요소의 %를 결정하는 것은 매우 중요하다.

PERCENT OF POSSIBLE 가능한 비율

태양의 방향은 패시브 디자인의 기본이고 정확한 방향 잡기도 그리 어렵지 않다. 많은 요소들이 태양에너지 수집에 영향을 준다. 기후에 의해 년 중 40%까지 변할 수 있으며 정확한 남측 태양으로부터 편차는 동서로 15°까지 변할 수 있으나, 겨울 극점에서 남측 수직면에 비추는 양의 98%를 남기며, 일사량은 단 2% 감소한다. 그러나 태양 광선의 수직 방향이 최적의 방향이며 따라서 이동형 집적기는 흡수에너지의 포착을 최대화 할 것이다. 이것은 고온 시스템에서는 매우 중요하나 저온 시스템에서는 과도한 것이 될 것이다.

만일 완벽한 방향을 잡기가 어렵거나 추가 에너지가 소용된다면 단순하게 수집 면적을 증가시켜라. 건축적 응용에서는 보통 밀폐하는 것만으로 충분하다.

Solar ORIENTATION is basic to passive design, but exact orientation is not too critical. Many factors affect collection, such as the weather, which can vary up to 40% year to year. Deviation from true or solar south can vary 15 degrees east or west, & the percentage of insolation decreases only 2 percent, leaving 98 percent of the amount striking a south-facing vertical surface at winter solstice. But an orientation perpendicular to the sun's rays is the optimum orientation, & a tracking collector will maximize the capture of incoming energy. This is important for high-temperature systems, but is overkill for low-temperature passive systems. If perfect orientation is not possible & the energy is needed, simply increase collection area. For architectural applications, close is usually good enough.

AZIMUTH VARIATION & PERCENT
EFFECTIVENESS AT
WINTER SOLSTICE

ORIENTATION

방위

역설적으로 하늘의 햇볕의 흐름을 방해하는 것은 어느 건물의 위치에서나 고려되어야 하는 중요한 요소이다. 만일 다행히 하루 종일 태양의 이동에 방해되지 않게 만든다면 이 요소는 무시된다. 가능한 미래 건설, 물과 나무의 성장을 제외한다면 최상의 위치는 어떤 그림자를 고려하는 것일 것이다. 특히 겨울에는 태양이 짧고 그리고 태양 경로가 하늘에 가장 낮게 드리울 때이기 때문에 대지가 지나치게 태양이 차단되어 통제될 수도 있다. 그때는 받을 수 있는 태양광 또는 태양광 수혜면적을 더 크게 한다거나 다른 방법으로 위치를 잡아야 할 수도 있다.

자연적으로 성장하는 수목이나 인공 장애물 여하에 따라서 이웃 재산으로부터 일조권과 차단의 법적 정의는 중요한 관심사이다. 태양광의 이용은 본질적인 권리가 되어야 한다. 그러나 이것은 궁극적으로 법정에서 결정되어야 하는 법적 사항이다.

Interference with the sweep of sunshine as it traverses the sky is a factor to be considered in any building location. If, with luck, the sun makes a full day's pass with no OCCLUSION, this factor is negligible, except for possible future building & tree growth. Most locations will have some shading to consider, particularily in winter, when the sun day is short & the sun's path is low in the sky. With excessive occlusion a site may be ruled out for solar use or solar surfaces might have to be sized larger or positioned differently.

The legal definition of solar rights & occlusion from neighboring properties, whether from natural growth or man-made objects, is an important concern. The use of sunlight should be a constitutional right; but this is a legal matter, ultimately determined by the courts.

OCCLUSION 흡수

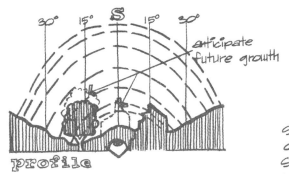

profile

anticipate future growth

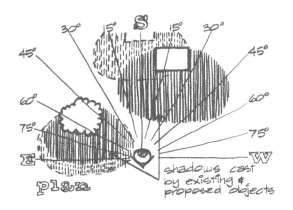

plan

shadows cast by existing & proposed objects

Shading is an important aspect of occlusion. A plot of the SUNLINE of any site can be made for each month by simple means. With a compass, transit or hand level, & sun path chart, you can plot the sunline & shadeline to determine how shading will affect the placement & solar gain of surfaces throughout the day & seasons. Trees, buildings, mountains, etc. will all cast shadows which may limit solar performance.

그늘은 햇볕 차단 관점에서 중요한 사실이다. 어떤 대지 위에 햇볕 구상은 단순한 방법으로 매달 만들어질 수 있다. 컴퍼스, 트랜싯, 수동 레벨기, 태양 경로 차트로 당신은 햇살과 그늘선이 어떻게 하루하루 계절 전반에 걸쳐 그늘이 어떻게 태양에너지 수급 면적과 위치에 영향을 주는지 결정하기 위해 플롯 할 수 있다. 나무들, 빌딩들, 산들은 태양의 작용을 제한할 수도 있는 그림자를 드리운다.

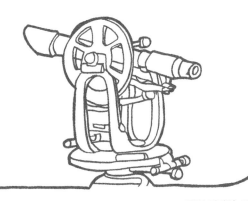

SUNLINE   햇 살

At first glance, the geometry of solar architecture in relation to the solar angle seems clear cut = block the high summer sun & admit the low winter sun. Nature, however, complicates things a bit = we must compare seasonal demand to solar availibility. The lowest point of the winter sun seems a likely place to aim a solar collector for winter heating, & this would be logical if the coldest day occured on December 21. The WEATHER is generally not in time with solar intensity; it LAGS behind the sun by a month or two. Almost consistently, the coldest period occurs in January - March & the hottest in July - September. Consequently, if solar gain is maximized at winter solstice & minimized at summer solstice, the design will tend to overheat in late summer & underheat in late winter.

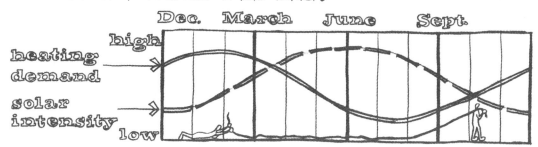

The weather will vary from year to year & season to season, so it is important to design for flexibility to accommodate the fickle weather. Ideally, most of the sun-angle geometry is fixed by architectural relationships, but fine tuning requires movable elements.

첫 눈에 태양각을 고려한 건축물의 형태는 명백하게 잘린 듯 보인다. — 여름철 높은 태양을 막고 겨울철 낮은 태양은 허용한다. 여하튼 자연은 물체들을 다소 복잡하게 한다. — 그래서 우리는 계절적 요구와 태양의 이용성을 비교해야 한다.

겨울철 태양이 가장 낮게 드리우는 곳은 겨울철 난방을 위한 태양에너지 콜렉터를 두기에 알맞은 장소로 보인다. 그리고 가장 추운 날이 12월 21일에 생긴다면 이것은 논리적인 것이 될 것이다. 기후는 일반적으로 태양의 강도와 맞지 않는다.; 즉 한두 달 태양보다 늦어진다. 거의 일정하게 가장 추운 달은 1월·3월에 발생하며 가장 더운 달은 7~9월이다. 결론적으로 만일 태양에너지의 축척이 겨울 극점에서 최대가 되고 여름 극점에서는 최소가 된다면 디자인은 늦여름에 과열되는 현상을 보이고 늦겨울에 낮은 온도가 되는 경향이 될 것이다.

기후는 해가 바뀌고 계절이 바뀔 때마다 변할 것이다. 그래서 불안정한 기후를 수용할 수 있는 융통적인 디자인이 중요하다. 이상적인 태양각 구도의 대부분은 건축적 연관관계에 의해 고정된다. 그러나 매끄럽게 조정하는 것이 변동 요소를 만족시키는 것이다.

WEATHER LAG   기후 지연

알베도는 받은 태양빛의 반사 비율이다. 이 짧은 파장 에너지는 태양으로부터 에너지를 받는 것과 유사하다. 그리고 여러 위치에서 전 에너지를 측정하는데 아주 중요하다. 우리가 보는 달은 알베도에 의해 태양빛을 받는 것이다. 구름, 눈, 모래사막, 산들과 물의 존재 때문에 반사되는 태양빛은 직접 받는 에너지양의 요인을 더 강하게 할 것이다.

반사경들은 알베도를 쓴다. 태양빛이 태양 에너지 수집 면적에 에너지를 반사되게 할 때 대기에 흩어지고 우주로 지구 반사와 발산되는 빛은 모두 공기분자로부터 태양빛의 알베도 효과이다. 알베도를 잡음으로서 한 지표면에 직접 태양에너지의 10%보다 더 에너지를 얻을 수 있다.

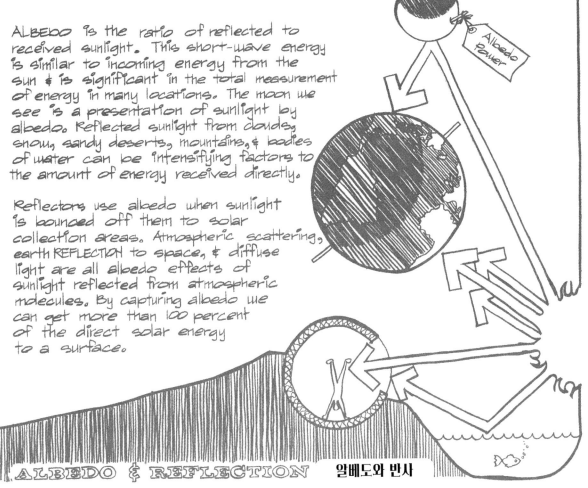

ALBEDO is the ratio of reflected to received sunlight. This short-wave energy is similar to incoming energy from the sun & is significant in the total measurement of energy in many locations. The moon we see is a presentation of sunlight by albedo. Reflected sunlight from clouds, snow, sandy deserts, mountains, & bodies of water can be intensifying factors to the amount of energy received directly.

Reflectors use albedo when sunlight is bounced off them to solar collection areas. Atmospheric scattering, earth REFLECTION to space, & diffuse light are all albedo effects of sunlight reflected from atmospheric molecules. By capturing albedo we can get more than 100 percent of the direct solar energy to a surface.

ALBEDO & REFLECTION   알베도와 반사

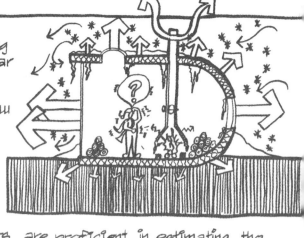

The loss of heat from a building is the villain which passive solar design attempts to control & balance. An effective solution requires an understanding of how a structure loses heat, how to control this loss, & how to offset the calculated HEAT LOSS with calculated heat gain. The methods of determining total heat loss are tried & true. Many manuals exist & most architects, engineers, & contractors are proficient in estimating the normal heating demands of buildings. There is nothing mysterious about heat loss; you can figure out approximately how a building will function thermally before it is built. This step, though mathematically cumbersome, is a vital part of the design process.

The conventional heat-loss calculation method is to determine the average minimum outside daily temperature for the coldest period of the year, figure out how many BTU's will be lost from a building, & then install a heating system capable of maintaining a comfort level of 65-70°F [18-21°C]. This is a reasonable approach if you can afford the gas, coal, oil, or electricity needed.

열손실

빌딩에서 열손실은 나쁜 것이다. 패시브 쏠라 디자인은 그것을 컨트롤하고 균형을 맞추기를 시도한다. 효과적인 해결은 어떻게 구조물이 열을 잃는가를 이해하는 것이 필요하다. 어떻게 이 손실을 컨트롤하며 어떻게 열 공급량을 계산하며 계산된 열손실을 상쇄시킬 것인가 하는 전체 열손실을 결정하는 방법이 밝혀져 시도되고 있다. 많은 매뉴얼이 있어 대부분의 건축가, 인테리어 시공자들은 빌딩에서 필요한 정량적인 난방 열량을 계산하는데 익숙해져 있다. 열손실에 관한 것은 선택이 아니다.; 즉 당신이 빌딩을 짓기 전에 빌딩이 어떻게 열적으로 기능할 수 있는가를 개략적으로 생각해 낼 수 있다. 이 단계는 수학적으로는 다루기 어렵지만 디자인 과정에서 아주 중요한 부분이다.

통상적으로 열손실 계산 방법은 년 중 가장 추운 기간에 대해 최소한의 평균 하루 외기 온도를 결정하고, 얼마나 많은 BTU'S가 빌딩으로부터 손실될 수 있는가를 계산한다. 그다음 65~70°F(18~21℃)의 쾌적한 수준을 유지할 수 있는 열 공급 체계를 세우는 것이다. 이것이 합리적인 접근방법이다. 만일 당신이 가스, 석탄, 석유 또는 필요한 전력을 공급할 수 있다면.

THE INS & OUTS 안과 밖

With passive solar design the approach is different. Conventional heating is relegated to the status of backup or auxiliary. The first concern is to design a structure that minimizes heat loss to the outside & eliminates wasted heat loss. When a satisfactory thermal tightness is attained, then solar heat gain & thermal storage are integrated to offset normal heating requirements. After the natural solar potential has been optimized, backup heating of active solar storage, wood stoves, or conventional heating can be sized for full tilt, ice-age cold spells when the sun doesn't shine for weeks. The most cost-effective idea is to provide partial backup until you experience the performance of the design & can determine what backup is actually needed.

패시브 쏠라 디자인에서 접근방법은 다르며 재래식 난방은 뒷전으로 또는 보조적으로 추방된다. 첫 번째 관심은 구조물을 디자인하는 것이고 그 건물의 외부로의 열손실을 최소화하고 낭비되는 열손실을 없애는 것이다.

만족할 만한 열손실이 됐을 때 그때 태양열 습득과 온도 저장은 정상적인 난방 조건을 보충할 수 있도록 구성된다. 태양 잠재력이 최적화된 후에는 액티브 태양열 저장 장치, 목재 스토브 또는 일반 난방의 백업 히팅이 태양이 몇 주 동안 비추지 않을 때, 빙하기 냉기에 맞게 전체 기울기와 크기가 조정될 수 있다. 최고의 비용효과 아이디어는 부분적으로 에너지를 저장할 수 있도록 준비하는 것이다. 당신이 디자인을 완성하고 경험할 때까지 또는 실제로 저장할 필요가 있는지를 결정할 수 있을 때까지.

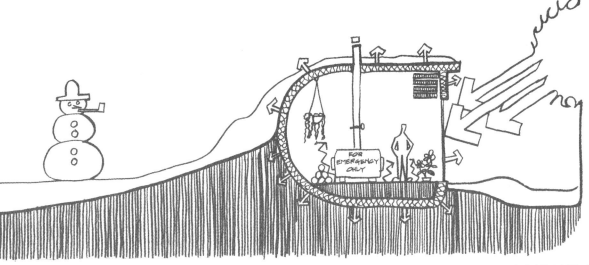

Each structure or complex of buildings has a SURFACE-TO-VOLUME ratio. The less the exterior surface area to the interior volume, the lower the ratio. A low ratio indicates less heat-loss area per unit of usable space. A sphere is the geometric form with the least surface enclosing the maximum interior volume. Hemispheres, which sit nicely on the ground, make good sense thermally. However, domes, triangles, spheres, & question marks as forms do not necessarily make good use of materials, interior space, or money invested. Curved, triangulated, or bent surfaces are sometimes difficult to build, seal, & insulate. With rectangular or plane surfaces the goal is to minimize corners & joints. A building that is a simple box will have less heat loss for a given volume than a form with many corners, surfaces, & sides. Of course, simple box architecture may not fulfill functional needs & might be unpleasing to look at. The ideal approach for heating is to minimize the exterior surface area within functional, structural, & aesthetic requirements, whether on a single dwelling, multiunit complex, or urban scale.

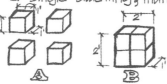

	surface / vol.		s/v ratio
A	24 sq.ft.	// 4 ft.³ ≡	6
B	16 sq.ft.	// 4 ft.³ ≡	4

각각의 건물이나 복잡한 빌딩에서도 용적 대 표면적의 비가 있다. 내부 용적에 비해 외부 표면적이 적으면 적을수록 그 비율은 더 낮아진다. 낮은 비율은 사용 가능한 단위 공간 당 열손실 면적이 더 적은 것을 나타낸다. 원형 구는 최대 내부 용적을 폐쇄하는데 최소의 표면적을 갖는 기하학적 형태이다. 지상에 근사하게 설치된 반구는 훌륭한 열적인 감각으로 만들어진 것이다. 하지만 돔, 삼각형, 원형구 그리고 의문부호 같은 갖가지 형태들은 필연적으로 좋은 재료와 내부 공간 또는 돈이 투자되게 하는 것도 아니다. 곡면, 삼각형 형태 또는 휘어진 표면은 때때로 건설이 어렵고 폐쇄하고 단열하기 어렵다. 단순한 상자의 건물은 주어진 용적에 대해 여러 면에 모서리, 표면적 그리고 측면을 가진 형태보다 열손실이 적다. 물론 단순한 상자형 건물은 기능적 요구를 충족하지 못할 수도 있고 미관상 좋지 않을 수도 있다. 난방을 위한 이상적 접근은 기능적, 구조적, 미적 요구 사항 안에서 또 단순 주거인지 복합적 다세대 또는 도시규모인지 여부에 따라 외부 표면적을 최소화하는 것이다.

SURFACE / VOLUME 　　표면적과 용적

한 건물에 환경과 대기 조건을 적용하는 방식은 그 건물의 온도 보존을 결정하는 것이다. 각각의 건물은 세상과 기후에서 각각 형태를 가진다. 일반적으로 외형이 단순해질수록 노출은 더 적어진다. 복잡한 외형을 가진 잘 단열된 빌딩도 단순한 외형의 빈약한 단열 구조물보다 용적당 더 많은 열손실이 될 수 있다.

외형은 스타일, 이론, 구조물, 자부심, 기능과 용적의 조합이다. 온도 보존이 되고 있는 각각의 빌딩은 그 건물이 위치하는 대지에 작용하는 기후력을 반영해야 한다. 만일 한 건물이 잘 디자인된다면 그 외형이 주변 경관에 잘 어울리고 기후에 잘 적응될 것이다. 열손실을 최소화한다는 것은 외적인 형태를 단순화하기 위한 중요한 이유이며 아주 중요한 것이다.

외기 표면적을 줄이기 위해 해가 들지 않는 북쪽 면에 최소한의 노출은 지표면을 파고 들어가는 것이며 바람과 폭풍에 노출되고 강한 추위로부터 방향을 돌리며 구조물을 집단화하는 것은 이 모든 열손실을 줄이는데 도움이 되며, 가끔 무시되지만 대지위에 우아한 휴식에 직관적 요구를 만족시키는데 도움이 된다.

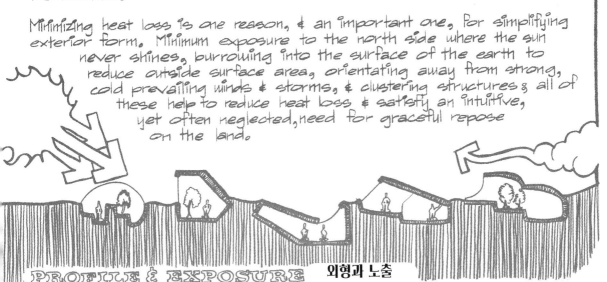

The way in which a building intrudes upon the landscape & atmosphere will determine its thermal integrity. Each structure presents a profile to the world & the weather. Generally, the simpler the PROFILE, the less its EXPOSURE. A well-insulated building with excessive profile can lose more heat per volume than a poorly insulated structure with a simple profile.

Profile is a combination of style, logic, structure, ego, function, & volume. Each building that is to have thermal integrity should reflect the climatic forces working on the land where its sited. If a building is well designed, its profile will blend with the landscape & accommodate the weather.

Minimizing heat loss is one reason, & an important one, for simplifying exterior form. Minimum exposure to the north side where the sun never shines, burrowing into the surface of the earth to reduce outside surface area, orientating away from strong, cold prevailing winds & storms, & clustering structures; all of these help to reduce heat loss & satisfy an intuitive, yet often neglected, need for graceful repose on the land.

PROFILE & EXPOSURE 외형과 노출

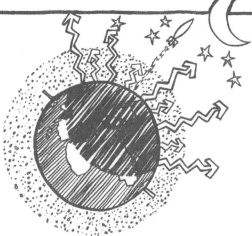

Space acts as a void in the absence of thermal mass. Radiant heat tends to travel to voids or to places with less heat content. Consequently, heat that is radiated from an outside surface on earth will head for space & will keep going. Some radiation will be absorbed by the atmosphere before reaching outer space, but the greater portion will escape. At night when the sun is not pouring solar energy onto the earth's surface, all surfaces radiate to deep space. Black & dark surfaces radiate best & lighter-colored surfaces radiate as well in the long wave, or infrared.

The clearer the night, the colder the outside temperature. This is due to DEEP-SPACE RADIATION. Clouds act as a blanket inhibiting this radiant loss, absorbing some radiation from the earth & reflecting some back.

Nighttime loss of heat by radiation occurs throughout the year. Effective summer cooling can be accomplished by allowing mass surfaces to reradiate heat absorbed during the day to the night sky.

공간은 온도 매체의 존재에서 하나의 공백으로 작용한다. 방사된 열은 공간으로 떠돌아다니거나 열량이 적은 장소에 자리 잡는다. 결론적으로 지구 상 외측 표면으로부터 방출된 열은 공간으로 향할 것이고 계속 나아갈 것이다. 어느 정도의 방사량은 외 공간에 도달하기 전 대기에 흡수되지만 더 큰 부분이 빠져나갈 것이다. 태양이 태양빛을 지구 표면에 쏟아붓지 않는 밤에는 모든 표면에서 우주공간으로 방사될 것이다. 검고 어두운 표면은 최고의 방사를 할 것이다. 즉 가벼운 색깔의 표면들은 긴 파장 또는 적외선으로 잘 방사한다.

밤하늘이 맑으면 맑을수록 외기 온도는 더 차가워진다. 이것은 공간 깊숙이 방사되기 때문이다. 구름들은 이 방사 손실을 막는 담요 같은 작용을 한다. 지구로부터 약간의 방사열을 흡수하여 약간은 되반사 한다.

방사에 의한 열손실은 년 중 내내 일어난다. 효과적인 여름 냉방은 물체 표면이 낮 동안 흡수한 열을 밤하늘로 되반사하도록 하는 것이다.

DEEP-SPACE RADIATION **깊은 공간 방사**

Heat loss from a structure is affected by the climate & terrain factors acting on the site. These should be considered when selecting or designing for a particular building location.

CHILL FACTOR = Wind speed will make the effective or experienced temperature less than the actual thermometer reading, & is taken into account when establishing outside design temperatures.

HIGH ALTITUDE = Allows more deep-space radiation because the thin atmosphere allows radiative loss. Higher altitudes are usually colder.

CLOUD COVER = Clouds, moisture content, pollution, & airborne particles act as insulation or a blanket, inhibiting radiation to space.

TERRAIN = Cool air falls. Locating a building in a canyon or valley will allow colder air to flow around it.

EXPOSURE = A building that is on the nonsolar side of a mountain or in the path of prevailing winds or storms will be more exposed to cold than one that is protected by hills or trees.

MOISTURE = Damp air has a high heat-content capacity & will take more heat from around a structure than dry air.

BODIES OF WATER = Oceans & large lakes can act as heat sinks, containing more heat than land mass.

wind speed mph.

thermometer temperature °F	5	10	15	20	25	30	35	40	45	50
35	33	21	16	12	7	5	3	1	1	0
30	27	16	11	3	0	-2	-4	-4	-6	-7
25	21	9	1	-4	-7	-11	-13	-15	-17	-17
20	16	2	-6	-9	-15	-18	-20	-22	-24	-24
15	12	-2	-11	-17	-22	-26	-27	-29	-31	-31
10	7	-9	-18	-24	-29	-33	-35	-36	-38	-38
5	1	-15	-25	-32	-37	-41	-43	-45	-46	-47
0	-6	-22	-33	-40	-45	-49	-52	-54	-54	-56
-5	-11	-27	-40	-46	-52	-56	-60	-62	-63	-63
-10	-15	-31	-45	-52	-58	-63	-67	-69	-70	-70

CHILL FACTOR

한 구조물의 열손실은 기후와 대지에 작용하는 지역적 요인에 영향을 받는다. 이것은 특정한 빌딩의 위치를 선정하고 디자인하는데 고려되어야 한다.

추위 요소 — 바람의 속도는 실제 온도계의 눈금보다 경험적으로 확실히 더 춥게 만들 것이고 외측 온도 디자인에서 고려해야 한다.

높은 고도 — 이것은 더 깊은 우주로 방사를 허용한다. 대부분 대기층이 엷어 방사 손실이 크다. 고도가 높아질수록 보통 더 추워진다.

지형 — 차가운 공기는 하강한다. 협곡이나 골짜기에 빌딩이 위치하는 것은 더 차가운 공기가 그 주위에 흐르도록 허용한다.

노출 — 산의 해가 안 드는 쪽에 있는 빌딩 또는 바람이나 폭풍이 자주 부는 통로에 빌딩은 언덕이나 나무에 가려진 위치보다 추위에 더 노출될 것이다.

습기 — 습윤한 공기는 높은 열용량을 가지고 있고 건조한 공기보다 구조물 주위에 더 많은 열을 가질 것이다.

물방울 — 대양이나 큰 호수는 대지라는 매체보다 더 많은 열을 빨아들여 열이 떨어지도록 작용한다.

COOLING EFFECTS 냉각 효과

The term DEGREE DAYS (DD) is a convenient expression for rating the annual heating or cooling demand in any climate. Historical temperature data are available for most areas where people build. To determine the degree days of heating, take the temperature difference in degrees F between the interior (tp=65°F) [18°C] & the average outdoor temperature for each day of the year, then add these figures up. This will give a quantative value for how cold a particular area is in relation to other places. This is a useful tool to let you know what ball park you are playing the solar game in. In colder DD climates extra insulation is required for successful designs. In climates with high DD's of cooling, insulation may be required only to keep heat out.

LOCATION	HEATING DD
Albuquerque	4348
Boston	5634
Chicago	6500
Denver	6283
Los Angeles	2061
Miami	214
New York	5000
Phoenix	1765
Seattle	5200

온도일이라는 용어는 어떤 기후에서 요구되는 년 간 난방이나 냉방 비율을 표시하는데 편리한 표현이다. 역사적 온도 데이터는 사람들이 집 짓고 사는 곳 대부분 지역에서 유용하다. 난방 온도일을 결정하는 것은 내부65°F(18℃)와 년 간 각각의 하루 평균 외기 온도 간에 온도차를 취하는 것이다. 이것은 특정지역이 다른 장소에 비해 얼마나 추운가에 대한 양적인 값을 줄 것이다. 이것은 당신이 어떠한 조건으로 쏠라 게임을 하고 있는지 알려주는 유용한 도구이다. 더 추운 온도일 기후에서 추가 단열은 성공적인 디자인을 위해 요구된다. 높은 냉방 DD'S(온도일)을 가진 기후에서 단열은 열이 새 나가지 않을 만큼만 필요하다.

DEGREE DAYS   온도 일

DESIGN TEMPERATURE(t_o), for determining the temperature differential (Δt), is based on Historical weather records, which are available for most climates through NOAA, U.S. Department of Commerce, Asheville, NC. Temperature differential is the numerical indicator of the potential heat loss or gain through the fabric of a structure, & is the difference between inside design temperature (t_i) & the normal average low or high outside design temperature (t_o).

For design, interior temperatures range between 65-70°F [18-21°C]. This is considered the normal comfort level. When you set your thermostat to a lower level, you are in fact changing the comfort level in order to save fuel.

FOR HEATING:

$$\Delta t = t_i - t_o$$

Δt = temperature differential
t_i = interior temperature
t_o = design temperature

Normal outside design temperatures vary widely by climatic zone. For each area, the t_o used by professionals for sizing heating & cooling systems takes into account day & night averages, chill factors, deep-space radiation, cloud cover, solar gain & intensity, & other climatic variables.

LOCATION	HEATING t_o,°F
Albuquerque	17
Boston	10
Chicago	1
Denver	3
Los Angeles	44
Miami	48
New York	16
Phoenix	34
Seattle	32

Interpolated from ASHRAE Handbook of Fundamentals. Approximately 90% design conditions.

온도차(Δt)를 결정하기 위한 디자인 온도(to)는 날씨 역사 기록에 기초한다. 이 기록들은 미주 NC.Asheville 미국 상무부, NOAA에서 대부분 기후에 대해 찾아볼 수 있다. 온도차는 구조물의 재료를 통한 잠재적 열 손실 또는 습득의 수치적 표시이며, 내부 디자인 온도(ti)와 정상 평균 외부 디자인 온도 (to)의 고저 차이이다.

난방시 :

$$\Delta t = t_i - t_o$$

Δt = 온도차
t_i = 내부 온도
t_o = 디자인 온도

디자인에서 있어 내부 온도 범위는 18~21℃(65~70°F)로 한다. 이 온도는 보통 안락한 수준으로 고려된다. 낮은 수준으로 온도조절기 설정할 때, 당신은 실제로는 연료를 절약할 수 있도록 안락함 수준을 바꾸고 있는 것이다.

보통 외부 디자인 온도(to)는 기후대에 따라 많이 달라진다. 각 지역에서 냉난방 시스템 규모 결정을 위해 전문가들이 사용되는 to는 밤과 낮의 평균온도, 냉기 요인, 깊은 공간으로 방사, 구름층, 태양열 습득과 강도와 기타 다른 기후적 변수들을 고려한다.

DESIGN TEMPERATURE

디자인 온도(to)

The INSULATION value of a MATERIAL is primarily due to the amount of air spaces or pockets separating the solid parts in the material. These air spaces stop the conductive transfer of heat directly through the material. The solid portion separating the voids should have a low heat conductivity. The more air spaces & the lower the conductivity of the solid between them, the better the insulation value.

The basic types of insulation are:

FIBERS = Woven loosely to form a mat of materials with many air spaces, (fiberglass).
FOAM = Air bubbles trapped in a solidified liquid like plastic (polyurethane, polystyrene).
PARTICLES = Small pieces, loosely placed, allowing air spaces between (sawdust).

Insulation is used to keep heat out as well as in. Many materials can be used for insulation. Select the type suited to the job based on cost effectiveness, fire resistance, energy required to produce, structural practicality, ease of installation, etc.

MATERIAL	R/INCH
polyurethane (exp)	6.25
polystyrene (exp)	5.26
cellulose (loose)	3.70
fiberglass (batt)	3.17
perlite (exp.)	2.70
cellular glass	2.50
earth (dry)	2.25
sawdust (loose)	2.22
wood (soft)	1.25
plywood	1.25
plaster	0.18
concrete	0.008
inside air film	0.62
outside air film	0.17

재료의 단열 능력은 일차적으로 재료 내부의 공간이나 틈 사이를 채우고 있는 공기의 양에 의해 결정된다. 이 공기층들은 열이 재료를 통해 곧바로 전도되는 것을 막아준다. 공기층 이외의 골격을 이루는 재료도 낮은 열전도성을 가져야 한다. 공기층이 많을수록, 그리고 재료의 열전도율이 낮을수록 단열 성능이 좋다.

기본적인 단열재에는 다음 몇 가지 종류가 있다

섬유형 단열재 — 느슨하게 직조되어 있으며 많은 공기층을 갖고 있음(유리섬유)

발포 단열재 — 플라스틱과 같이 액상이 굳어 고체가 된 가운데에 공기방울들이 갇혀 있는 재료(폴리우레탄, 폴리스티렌)

입자형 단열재 — 작은 크기의 입자들이 느슨하게 분포되어 사이사이에 공기층을 가지고 있는 재료(톱밥)

단열은 내부의 열을 밖으로 내보내지 못하게 하는 것이며 동시에 외부의 열이 안으로 들어오는 것을 막는 것이다. 많은 물질들이 단열재로 사용될 수 있다. 가격대 성능비, 내연성, 제조 시 필요한 에너지, 구조적 실용성, 설치 용이성 등을 고려해 선택하면 된다.

INSULATION MATERIALS 단열재

Every material in a building has an INSULATION VALUE. This value can be expressed as the coefficient of heat transfer (U) or the resistance to heat loss (R). These values are inversely proportional, or U=1/R. The lower the U value, the better the insulation; the higher the R value, the better the resistance to heat loss. Resistance can also be expressed as the inverse of conductivity (K), or R=1/K.

$U = BTU/hr.-ft.^2 °F$ $R = hr.-ft.^2 °F/BTU$ $K = BTU-in/hr.-ft.^2 °F$

$U_{total} = \frac{1}{R_{total}}$ ≡ $R_T = R_1 + R_2 ... R_x$ ≡ $\frac{1}{K_1} + \frac{1}{K_2} + ... \frac{1}{K_x}$

Only R values are additive. Both U & K are absolute values for a given material, thickness, or composite & cannot be added to establish an overall value for a composite.

Normally, these values can be found in tables stating r per inch thickness (t) or R per thickness given. Values for various materials, air spaces, air films, etc. are established, & these can be used to calculate the coefficient of heat transfer for each heat loss surface of a building. Tables are available in the ASHRAE Handbook of Fundamentals & other sources. This is the first step in determining the heat loss or gain for the entire building.

outside air film
1" wood siding
20# felt paper
5½" fiberglass batts
¾" plaster
inside air film

MATERIAL	THICKNESS	r	R	U
outside air	—	—	.62	
wood siding	1.0 in.	1.25	1.25	
felt paper	—	—	0.06	
fiberglass	5.5 in.	3.17	17.4	
plaster	.75 in.	0.18	.14	
inside air	—	—	.17	
TOTAL (U_T=1/R_T) —————→			19.7	0.05

모든 빌딩 재료는 단열 값을 가지고 있다. 이 값은 열전달 계수(U), 또는 열 손실 저항값(R)으로 표현될 수 있다. 이 값들은 서로 반비례하며 U=I/R로 나타낸다. U값이 낮을수록 더 좋은 단열 즉, R값이 높을수록 열 손실에 대한 저항이 더 높다. 저항값은 또한 열전도율(K)의 역수로 표현할 수 있다. (R=1/K)

$U = BTU/hr.-ft.^2 °F$ $R = hr.-ft.^2 °F/BTU$ $K = BTU-in/hr.-ft.^2 °F$

$U_{total} = \frac{1}{R_{total}}$ ≡ $R_T = R_1 + R_2 ... R_x$ ≡ $\frac{1}{K_1} + \frac{1}{K_2} + ... \frac{1}{K_x}$

단 R 값은 더해진다. U와 K 두 값은 주어진 재료, 두께 또는 이 복합재에 대한 절대 값이며, 복합체의 전체 값을 설정하기 위해 더해질 수 없다.

이 값들은 인치 두께 당 r 또는 주어진 두께 당 R로 표기한 표에서 찾아질 수 있다. 다양한 물질, 공기층, 공기 필름 등에 대한 R 값이 구해져 있으며, 빌딩의 각 표면 열손실에 대한 열전달 계수를 계산하는 데에 사용될 수 있다. ASHRAE Handbook of Fundamentals나 여러 다른 자료에서 이 값들을 정리한 표를 볼 수 있으며, 이는 건축물 전체의 열 손실이나 열 흡수를 결정하는 첫 단계이다.

재 료	두 께	r	R	U
외 기	—	—	.62	
목재슬라이딩	1.0 in.	1.25	1.25	
펠트지	—	—	0.06	
유리섬유	5.5 in.	3.17	17.4	
회반죽	.75 in.	0.18	.14	
내 기	—	—	.17	
합 계 (U_T=1/R_T) —————→			19.7	0.05

INSULATION VALUES   단열값

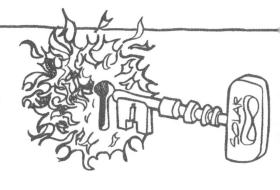

Response to daily & seasonal heating requirements is the key to passive solar comfort. FLEXIBLE or adjustable insulation of adequate resistance to heat flow should be provided for all exterior openings. Sliding, folding, blown, or removable insulation methods can be devised to prevent excessive heat loss or gain for any surface.

Ease of operation, durability, & visual appearance are as important as insulation value. Devices that are too large, cumbersome, or difficult to operate will inhibit proper usage. If a child can open & close shutters, chances are that the routine will become habitual & fun.

Seasonal operation may be needed only a few weeks or months each year depending on the climate. Shutters & panels can be removed & stored for much of the year. Flexible insulation devices can be manual or automated, but dutiful operation is necessary in order to attain optimum comfort & in order for the passive solar structure to be most effective.

일별, 계절별 난방 필요성에 대응하는 것이 패시브 쏠라 안락함의 핵심이다. 모든 외측 개구부에 열 흐름을 적절히 막기 위해 유연하거나 조절 가능한 단열이 마련되어야 한다. 슬라이딩, 접이식, 바람막 또는 이동식 단열 방식이 어느 표면에서든 과도한 열 손실이나 흡수를 막기 위해 고안될 수 있다.

작동의 편리, 내구성, 외관은 단열성능 값만큼 중요하다. 너무 크거나 다루기 힘들거나 작동하기 어려운 장치들은 정확한 사용이 어렵다. 만약 한 아이가 셔터를 열고 닫을 수 있다면, 일상적이 되고 흥미 있게 될 수 있다.

기후에 따라 연간 몇 주, 몇 달 동안 계절적 운용이 필요할 수도 있다. 셔터나 패널은 제거될 수도 있어 몇 년간 보관될 수도 있다. 유동적인 단열장치는 수동 또는 자동화될 수도 있다 그러나 패시브 솔라 구조물이 가장 효과적이기 위해서는 역시 충실한 작동이 필요하다.

make it easy!

FLEXIBILITY   유연성

Flexible insulation can take many forms; select or dream up the type most suitable to your design. Interior shades & shutters are less susceptible to the elements. Exterior devices can act as reflectors & may be required where thermal mass is adjacent to solar gain surfaces.

A variety of winches, cords, pulleys, hinges, rollers, catches, etc. that are commercially produced are suitable to a wide range of applications. Sailboat hardware is sturdy, weather resistant, & elegant. Door, window, & cabinet mechanisms suit many uses. Alternate energy companies stock a variety of useful items. Your local building-supply store has many things that the manufacturer never imagined would suit your needs. Find something & try it!

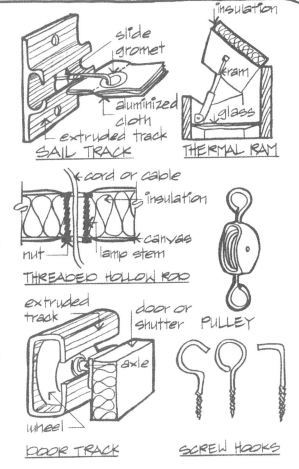

SAIL TRACK

THERMAL RAM

THREADED HOLLOW ROD

PULLEY

DOOR TRACK

SCREW HOOKS

유동적 단열은 여러 가지 형태를 취한다.: 디자인에 가장 적합한 유형을 선택 또는 구상한다. 실내 차양이나 셔터는 소재에 덜 민감하다. 실외 장치는 반사판 역할을 할 수 있으며 열매체가 태양열 흡수면에 인접한 곳에 요구될 수도 있다.

다양한 윈치, 케이블, 도르래, 힌지, 롤러, 걸게 등이 광범위한 용도에 적합하게 상업적으로 생산되고 있다. 항해 보트용 철물은 견고하고 내구적이며 우아하다. 문, 창문, 캐비닛 방식은 많은 쓰임이 있다. 대체 에너지 회사들은 많은 다양한 쓸모 있는 아이템을 보유하고 있다.

인근 건재 공급상에는 제조사가 결코 상상하지 못했던 당신의 필요에 적합할 수 있는 여러 가지 물건이 있다.

무언가 찾아내어 시도해 보라!

HANDY HARDWARE 간편한 철물

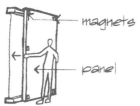

HITEWALL *
Foam panels store
away; attach with
magnets to window
frame.

HORIZONTAL SLIDING
Sliding door track
stacks rigid panels
to sides.

HORIZONTAL FOLDING
Bifold door action
folds panels to
side.

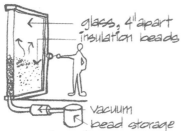

BEADWALL *
Foam beads are
blown to fill glass
at night; emptied
during the day.

HORIZONTAL LOUVER
Foam panels pivot
open & closed.

BOTTOM HINGED
Outside reflective
panel is pulled up;
shut at night.

— 자석

— 판넬

니트 벽판

별도 보관 폼 판넬;
창틀에 자석 붙임

문 트랙
슬라이딩 판넬

평행 슬라이딩

슬라이딩 문 트랙
이동 서가식 판넬

접이식
판넬

접힌문
작동

평행 접이식

접이문 작용
측면 접이식 판넬

4" 간격 유리
단열 구슬

구슬진공저장

구슬 벽

거품구슬이 밤에는
유리사이에 불어넣고
낮에는 비운다.

피봇 판넬
결합

평행 루버

거품 판넬 피봇
개방과 개폐

밧줄고리
줄

금속 외장판넬
힌지

바닥 경첩

끌어당겨지는
외측열반사판넬
야간닫힘

INSULATION DEVICES THAT MOVE   가변 단열 장치 I

VERTICAL FOLDING
Rigid panels fold up
to ceiling & down
to floor.

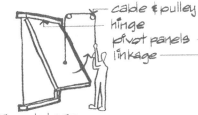

TOP HINGED
Rigid panel hinges
up to ceiling

VERTICAL LOUVER
Foam panels pivot
open & closed.

OVERHEAD ROLLING
Panels roll up to
or into ceiling.

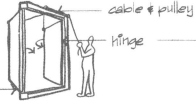

EXTERIOR SIDE HINGED
Outside reflective
panel is pulled in to
shut at night.

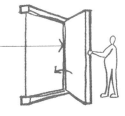

INTERIOR SIDE HINGED
Rigid panel hinges
open to adjoining
wall.

케이블과 도르래
힌지

수직 접이식

천정바닥까지 접고
내리는 고정 판넬

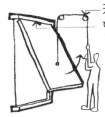

케이블과 도르래
힌지
피봇 판넬
결합

천정 힌지식

천정 힌지올림
고정 판넬

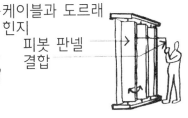

천정 힌지식

천정 힌지올림
고정 판넬

천정 트랙
롤라 위 판넬
스프링

천정 말이식

판넬을 위로 또는
천정 속 말아 올리기

케이블과 도르래
힌지

외측 정첩식

외측열반사 판넬은
밤에 당겨 닫힘

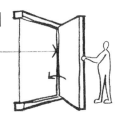

내측 정첩식

힌지 고정 판넬
인접벽으로 열림

MORE DEVICES 가변 단열 장치 2

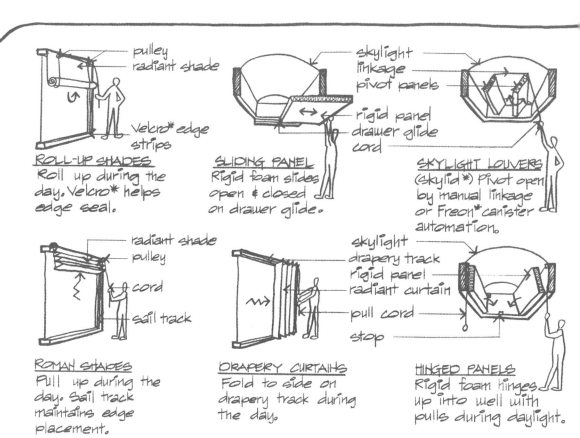

ROLL-UP SHADES
Roll up during the day. Velcro* helps edge seal.

pulley
radiant shade
Velcro* edge strips

SLIDING PANEL
Rigid foam slides open & closed on drawer glide.

skylight
linkage
pivot panels
rigid panel
drawer glide
cord

SKYLIGHT LOUVERS
(Skylid*) Pivot open by manual linkage or Freon* canister automation.

ROMAN SHADES
Pull up during the day. Sail track maintains edge placement.

radiant shade
pulley
cord
sail track

DRAPERY CURTAINS
Fold to side on drapery track during the day.

HINGED PANELS
Rigid foam hinges up into well with pulls during daylight.

skylight
drapery track
rigid panel
radiant curtain
pull cord
stop

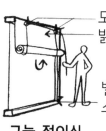

도르래
밝은그늘
벨크로 모서리 스트립

그늘 접이식

낮 동안 올림
벨크로 틈새막이

슬라이딩 판넬

고정 거품슬라이드
서랍장으로 개폐

천창
고정창
피봇 판넬
고정판넬
서랍장
줄

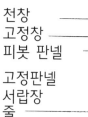

천창 루버

(안보임) 피봇은 수동결합 또는 페론용기 자동

밝은그늘
도르래
코드
바람개비 트랙

로마식 샤브레

낮에는 끌어올림
바람개비 트랙은 모서리 위치 유지

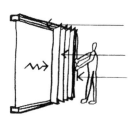

주름 커튼

낮동안 주름트랙
옆으로 접힘

천창
주름진 트랙
고정 판넬
밝은 커텐
당김줄
멈춤턱

힌지 판넬

고정 거품 판넬 힌지
낮동안 잘 당겨져 위로 인입됨.

AND MORE   가변 단열 장치 3

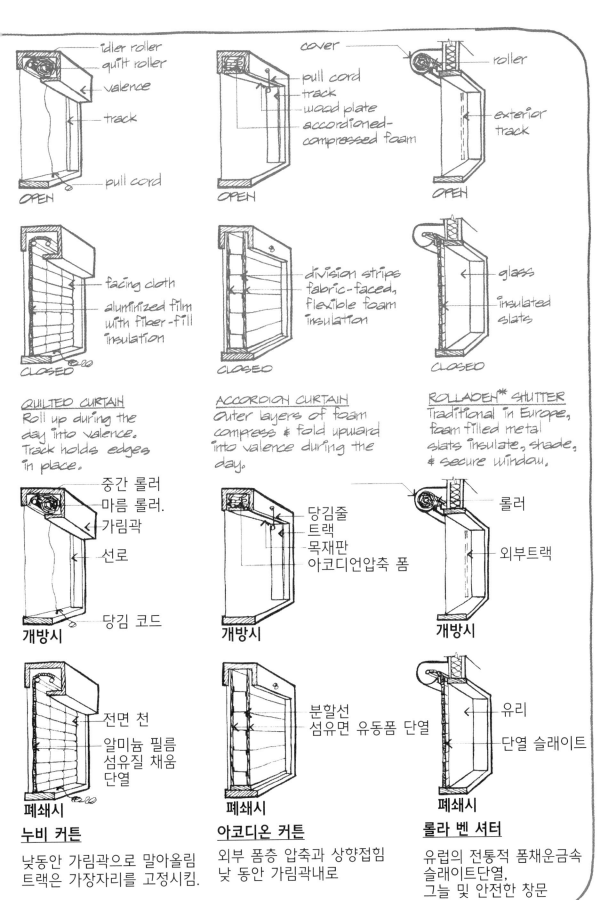

QUILTED CURTAIN
Roll up during the day into valence. Track holds edges in place.

ACCORDION CURTAIN
Outer layers of foam compress & fold upward into valence during the day.

ROLLADEN** SHUTTER
Traditional in Europe, foam filled metal slats insulate, shade, & secure window.

누비 커튼

낮동안 가림곽으로 말아올림 트랙은 가장자리를 고정시킴.

아코디온 커튼

외부 폼층 압축과 상향접힘 낮 동안 가림곽내로

롤라 벤 셔터

유럽의 전통적 폼채운금속 슬래이트단열, 그늘 및 안전한 창문

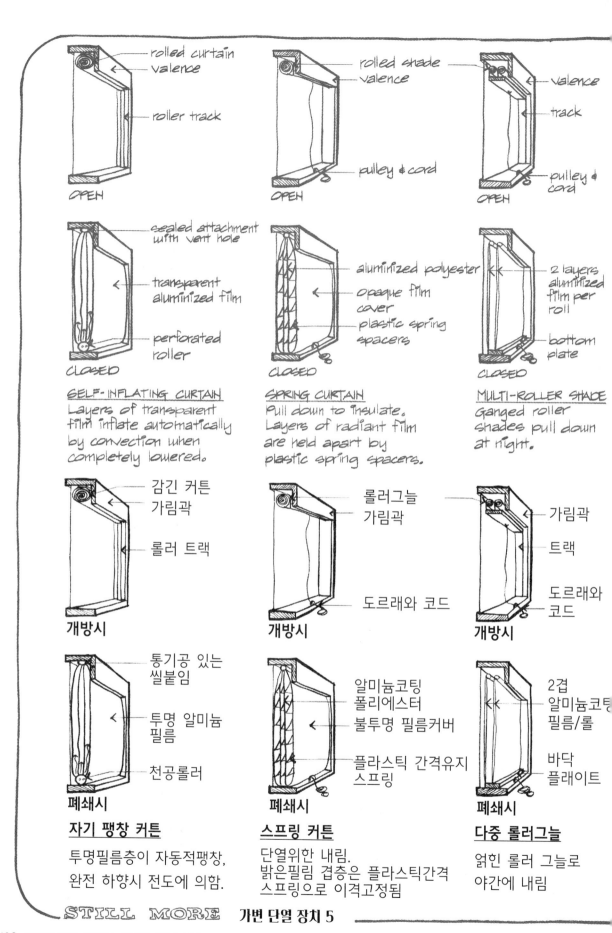

SELF-INFLATING CURTAIN
Layers of transparent film inflate automatically by convection when completely lowered.

SPRING CURTAIN
Pull down to insulate. Layers of radiant film are held apart by plastic spring spacers.

MULTI-ROLLER SHADE
Ganged roller shades pull down at night.

자기 팽창 커튼

투명필름층이 자동적팽창, 완전 하향시 전도에 의함.

스프링 커튼

단열위한 내림.
밝은필름 겹층은 플라스틱간격 스프링으로 이격고정됨

다중 롤러그늘

얽힌 롤러 그늘로 야간에 내림

STILL MORE   가변 단열 장치 5

보온병의 구조를 살펴보는 것은 열적 밀폐 구조물의 목적을 이해하는데 좋은 개념이다. 보온병은 단위용적당 표면적 비율이 좋으며, 우수한 단열, 개구부 밀폐 씰, 복사 방지벽이 있고 그리고 개구부와 창이 최소화되어 있다.

만약 보온병이 뜨거운 차와 같은 열매체로 가득 채워져 있고, 투명한 막으로 커버되어 직사광에 열려 있다면, 열이 인입되고 액체를 덥힐 것이다. 해가 졌을 때, 상부가 단열된 뚜껑으로 덮는다면, 햇빛으로 데워진 차를 오랫동안 마실 수 있을 것이다.

이런 과정을 역으로 하면 차를 차갑게 유지하는 것 역시 가능하다. 낮에는 그늘진 장소에서 닫은 다음 열어 차가운 밤하늘에 노출시키면 냉장하지 않고도 언제든지 차가운 차를 마실 수 있다.

같은 원리가 건축물에도 적용된다. 잘 디자인되고 융통성 있는 빌딩은 대부분 기후에서 연중 안락한 온도를 유지할 수 있다.

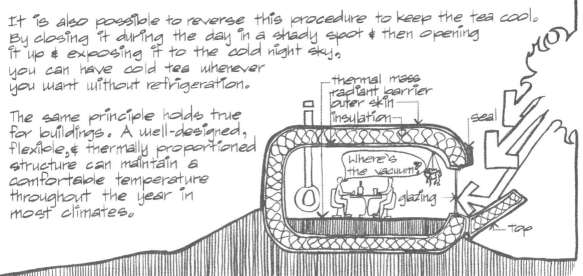

The THERMOS*BOTTLE analogy is a good concept for understanding the goal of thermally tight structures. A thermos*bottle has a good surface-to-volume ratio, excellent insulation, tight seals at openings, a radiant barrier, & minimum doors & windows!

If a thermos*bottle is filled with enough thermal mass, such as tea, & is opened to the direct sun with the opening covered by a transparent membrane, heat will enter & warm the liquid. When the sun goes away, if you cover the opening with an insulated top, it will be possible to have solar-warmed tea at all times.

It is also possible to reverse this procedure to keep the tea cool. By closing it during the day in a shady spot & then opening it up & exposing it to the cold night sky, you can have cold tea whenever you want without refrigeration.

The same principle holds true for buildings. A well-designed, flexible,& thermally proportioned structure can maintain a comfortable temperature throughout the year in most climates.

thermal mass
radiant barrier
outer skin
insulation
seal

Where's the vacuum?

glazing

tap

THERMOS*BOTTLE   보온병

Doors & windows are culprits responsible for considerable heat loss from structures. Because they open, have cracks around them, & are made of lightweight or transparent materials, they lose much heat by steady state & infiltration. Shutters are useful for insulating windows. However, doors do not facilitate the use of shutters. Instead, double sets of doors can be used in cold or hot climates to insulate & isolate the interior from the weather. An AIR-LOCK is the space between two doors. In winter, when one door is opened, all of the heated air inside the rest of the building is not lost to the outside. Air-locks also make excellent mud rooms for stamping off boots, removing heavy clothing, & storing outside gear. A greenhouse can act as an air-lock. In hot climates an air-lock will help keep interior spaces cool.

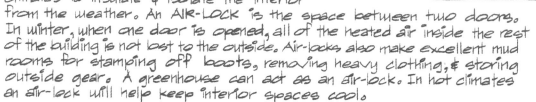

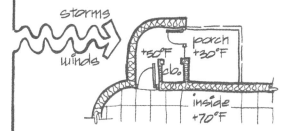

Air-locks are used in submarines & space vehicles to keep from losing vital support substances. Today, the energy for heating & cooling buildings is valuable, & air-locks help to retain the invested energy.

문과 창문들은 많은 열 손실에 책임 있는 범인이다. 그것들이 열려 있고, 주위에 틈이 있으며, 가볍거나 투명한 재료로 만들어지기 때문에 정상상태에서 많은 열을 잃거나 침투시킨다. 셔터는 창문 단열에 유용하다. 하지만 문에는 셔터를 다는 것은 쉽지 않다. 대신에 춥거나 더운 기후에서 단열을 위해 또는 날씨와 실내를 격리하기 위해 이중문이 사용될 수 있다. 에어락은 두 문 사이의 공간이다. 겨울에 한쪽 문이 열릴 때도 건물 나머지 안쪽 내의 모든 따뜻한 공기는 밖으로 나가지 않는다. 에어락들은 또한 부츠를 벗고, 무거운 옷을 벗고 외부 장비를 보관할 수 있는 우수한 토방을 만든다. 온실이 에어락과 같은 역할을 할 수 있다. 더운 기후에서 에어락은 실내를 시원하게 유지하는데 도움이 될 것이다.

에어락은 잠수함과 우주선에서 생명 유지 물질을 잃지 않게 하는 데 사용되고 있다. 오늘날, 빌딩 냉난방 에너지는 중요하며 에어락은 투자된 에너지를 유지하는데 도움이 된다.

AIR-LOCKS   에어 락

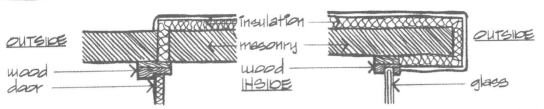

Thermal bridges to the outside are another consideration to be dealt with when designing a thermally tight building. Beams, walls, floor slabs, foundations, etc. should be insulated from the outside. An otherwise well-insulated house can lose a tremendous amount of heat by conduction through materials that are not properly separated from the outside. A THERMAL BREAK does the trick.

For example, windows with metal frames & insulating glass can lose more heat by conduction through the metal frame than through the double glass! This should be avoided by using wooden window frames or by insulating the metal frame's interior from its exterior. Even a relatively small air space, membrane, or insulation layer will help to break the thermal conductivity of concrete & masonry walls, steel or concrete beams, floor slabs, etc.

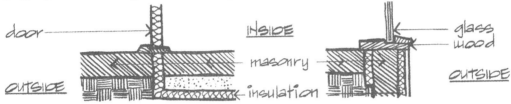

열적 밀폐 빌딩을 디자인할 때 외부 쪽 열교는 다루어져야 하는 또 다른 고려사항 이다. 보, 벽, 바닥 슬래브, 기초 등은 외측으로부터 단열되어야 한다. 그렇지 않으면 단열이 잘 된 집이라 해도 건물 외부와 제대로 분리되지 않은 자재를 통한 전도로 많은 양의 열을 잃을 수 있다. 열적 단절은 비결이다.

예를 들어 금속 창틀에 단열 유리를 끼운 창은 이중 단열 유리보다 금속재 창틀을 통한 전도로 인해 더 많은 열을 잃는다. 이와 같은 것은 목재 창틀에 의해 또는 창 틀 외부로부터 내부 금속틀을 단열함으로 피해야 한다. 상대적으로 아주 작은 공기 층, 얇은 막 또는 단열층이 콘크리트나 조적 벽, 철강 또는 콘크리트보, 바닥 슬래브 등의 전도를 차단하는데 도움이 될 것이다.

THERMAL BREAKS   열 교

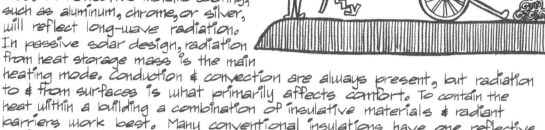

A RADIANT BARRIER can act as the first line of defense against heat loss. A reflective metallic coating, such as aluminum, chrome, or silver, will reflect long-wave radiation. In passive solar design, radiation from heat storage mass is the main heating mode. Conduction & convection are always present, but radiation to & from surfaces is what primarily affects comfort. To contain the heat within a building a combination of insulative materials & radiant barriers work best. Many conventional insulations have one reflective surface. Fire-fighting clothing is metalized to reflect the heat of fire, preventing it from reaching the cloth fabric & skin. Thermos bottles are reflectively coated on the inside of the glass container.

A radiant barrier, with an air space in front of it, can reflect up to 95 percent of long-wave heat energy before this heat is absorbed by insulation or glass & conducted to the outside. It is difficult to determine exactly how effective radiant barriers are because of the many factors involved. It appears that an air space bounded by aluminum foil will increase the thermal resistance by approximately 2.5 times, indicating that a 1/4-inch [0.63cm] air space (r=1.0), when lined with foil, attains an r equal to 2.5. It follows, therefore, that a curtain of four 1/4-inch air spaces between layers of foil would have an R of 10.0 & Radiant barriers are a valuable tool indeed !!!

복사 차단재는 열 손실을 막는 최일선의 역할을 하고 있다. 알루미늄, 크롬, 은과 같은 금속 재질 코팅은 장파 복사를 반사시킬 수 있다. 패시브 솔라 디자인에 있어 열 저장체에 의한 복사는 주된 가열 방식이다. 전도와 대류는 항상 일어나지만 표면에서 표면으로의 복사열이 주로 안락함에 영향을 미치는 것이다. 빌딩 내 열을 보존하기 위하여 단열재와 복사 방지재의 조합을 잘 적용하는 것이다.

건물 내의 열을 차단하기 위해 단열 재료와 복사 방지벽의 조합이 가장 효과적이다. 많은 전통적인 단열재들에는 하나의 반사면이 있다.

화재 진압용 의류는 화염을 반사하기 위해 금속 코팅되어 천이나 피부에 화염이 도달하지 못하게 한다.

보온병은 내부의 유리용기 안쪽에 반사 코팅이 되어 있다.

전면에 공기층이 있는 복사 방지벽은 이 열이 단열재 또는 유리로 흡수되고 외부로 전도되기 전에 장파 열에너지의 최대 95%를 반사할 수 있다. 많은 요소가 관련되기 때문에 복사 차단벽이 얼마나 효과적인가를 결정하는 것은 어렵다. 알루미늄 포일로 둘러싸인 공기층은 열저항 단열능(R) 값을 약 2.5배 정도 증가시키는 것으로 보이며, 1/4인치(0.63cm)의 공기층(R=1.0)을 호일로 감싸면 r 값이 2.5로 얻어지는 것으로 나타난다. 그러므로 호일층 사이에 4개의 1/4인치 공기층이 있는 커튼은 R이 10.0이 된다.

복사 차단벽, 정말 가치 있는 도구이다!!!

RADIANT BARRIERS   복사 차단벽

Clear glass, which transmits up to 87 percent of available solar energy & retains almost all the reradiated long-wave heat, is one of nature's best organic tools. Single glass has a resistance to heat loss (R) of 0.88. With double glazing R=1.72 & with triple glazing R=2.77. However, each successive glazing layer reduces the amount of entering solar energy.

Materials have been & are being developed that transmit solar energy, as well as double glass, & yet attain significantly better R values :

TRANSPARENT FOAM = comprised of many tiny bubbles, which allow solar energy to penetrate & inhibit conductive loss back out through a maze of air spaces (R=2.5 & above).

HEAT MIRROR = Glass or plastic with a transparent, metallic, reflective coating on the inside of the exterior layer, adjacent to a dead-air space, prevents up to 98 percent of reradiation & attains an R of up to 4.0.

FILM LAYERS = Polymers or plastics with high solar transmission can be evenly spaced to create several air spaces. With solar transmissions of 80 percent, R values of 4.5 can be achieved.

ONE-WAY TRANSMISSION MATERIALS = Prisms or concentration cells can allow the sun's energy to enter, trapping it to the inside in a way similar to primitive fish traps. R values of 3.0 & greater can be realized.

유효한 태양 에너지의 87%까지 전송하고 거의 모든 재사용된 장파장 열을 유지하는 투명 유리는 자연의 최고의 유기농 도구 중 하나이다. 유리 한 장의 열손실 저항값(R은) 0.88이다. 두겹 유리의 단열 능 값은 1.72이고, 세 겹 유리는 2.77이다. 그러나 각각 이어지는 유리층은 입사 태양 에너지양을 감소시킨다.

이중유리와 같이 태양에너지를 잘 전달하는 재료들이 개발되어 왔고 또 개발되고 있으며, 지금 재료들은 뛰어나게 더 좋은 R 값을 가지고 있다.

투명 폼 : 태양 에너지가 침투하도록 허용하고 공기층(R=2.5 또는 그 이상) 미로를 통해 나가는 전도 손실을 방지 할 수 있는 많은 작은 거품으로 구성

열 거울 : 갇힌 공기층에 인접한 외부 층의 내부에 투명하고 금속성이며 반사성 코팅이 된 유리 또는 플라스틱은 방사열의 98%까지 반사하고 최대 4.0의 R값을 갖는다.

필름 층 : 태양광 투과성이 높은 폴리머나 플라스틱을 몇 개의 공기층을 갖도록 일정한 간격으로 붙여 놓은 것이다. 80%의 태양광 투과성을 가지며, R값은 4.5에 이른다.

일방향 투과성 재료 : 프리즘이나 집광 셀은 태양의 에너지를 건물 내부로 들어갈 수 있게 하고 원시적 물고기 잡는 통발과 유사한 방식으로 에너지를 가둬 놓는다. R값은 3.0이며 더 큰 값도 실현할 수 있다.

NSULATIVE-TRANSMISSION SURFACES **단열-투과면**

빌딩 또는 공간으로부터 정상상태 열손실은 외피를 통해 계속적으로 잃어버리는 열이다. 각 외부 표면(지붕, 벽, 창, 슬래브 주변, 바닥 등)은 열전달 계수 또는 단열 값 (U)으로 주어질 수 있다. 이 U 값에 표면적(A)와 온도차(Δt)와 소요시간(h)를 곱함으로서 전면적에 대한 열손실(Qhl)이 계산될 수 있다. 이 손실은 시간당, 일당, 계절당으로 합산될 수 있으나 보통 24시간 베이스로 계산된다.

$$U \times A \times \Delta t \times h = Q_{hl}$$

$U \equiv$ 열전달계수, $BTU/hr./ft^2/°F$
$A \equiv$ 면적, ft^2
$\Delta t \equiv$ 온도차, $°F$
$h \equiv$ 소요시간
$Q_{hl} \equiv$ 열손실, BTU's

만일 열손실이 바닥이나 기초벽체를 통해 계산된다면 Δt는 변한다. 지표면 아래 온도는 위치에 따라 45~75°F[7~24℃]부터 변한다.; 일반적으로 겨울철 외부온도 보다 더 높다.

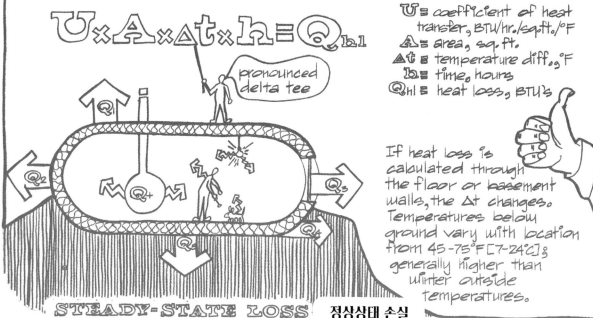

The STEADY-STATE HEAT LOSS from a building or space is the heat that is continually being lost through the exterior fabric. Each exterior surface (roofs, walls, windows, perimeters of slabs, floors, etc.) can be given a coefficient of heat transfer or insulation value (u). By multiplying this u value by the total surface area (A), by the temperature differential (Δt), & by the time in hours (h), the heat loss for each area (Qhl) can be calculated. This loss can be totaled per hour, day, or season, but is usually done on a 24 hour basis.

$$U \times A \times \Delta t \times h = Q_{hl}$$

pronounced delta tee

$U \equiv$ coefficient of heat transfer, BTU/hr./sqft./°F
$A \equiv$ area, sq. ft.
$\Delta t \equiv$ temperature diff., °F
$h \equiv$ time, hours
$Q_{hl} \equiv$ heat loss, BTU's

If heat loss is calculated through the floor or basement walls, the Δt changes. Temperatures below ground vary with location from 45-75°F[7-24℃], generally higher than winter outside temperatures.

STEADY-STATE LOSS 정상상태 손실

Room-by-room calculation is a convenient way to keep organized, check your figures, & size the heating requirements for each room. When the heat loss for each exterior surface area is determined, all the losses are added for a total heat loss value (Qhlt). It is this total loss that must be compensated for by some heat input (Qin), either conventional or solar, to maintain thermal comfort within a space. Many spaces may generate heat of their own; human bodies give off heat, as well as cookstoves, lights, refrigerator motors, computers, etc.

EXAMPLE :

Assume a room with 200 sq.ft. of exterior wall area. The wall has a U value of 0.05, the outside design temperature is 32°F, the inside design temperature is 70°F, & length of time is one day, or 24 hours. SO =

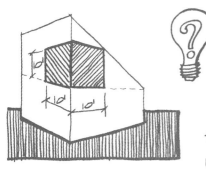

$$U = 0.05 \text{ BTU/hr/sq.ft/°F}$$
$$A = 200 \text{ sq.ft.}$$
$$\Delta t = 70° - 32° = 38°F$$
$$h = 24 \text{ hours/day}$$

$$Qhl = U \times A \times \Delta t \times h$$
$$= 0.05 \times 200 \times 38 \times 24$$
$$= 9120 \text{ BTU/day}$$

Follow this procedure for each heat loss surface in a space, & add them up. Then do each room this way. Add up the room loss total for every room & you have a total steady-state loss for the building & are ready to tackle infiltration loss!

각 방의 난방 요구 사항을 파악하고 크기를 확인하는 데는 방별로 계산하는 것이 편리하다. 각 외부 면적에 대한 열 손실이 정해질 때, 총 손실 값(Qhlt)을 위한 모든 손실들이 더해진다. 공간 내의 열적 쾌적함을 유지하기 위해 기존 또는 태양광 중 일부 열 입력(Qin)에 의해 보상되어야 하는 것은 이 총 손실이다. 많은 공간에서 자체 열이 발생될 수 있다.; 인간의 몸도 열을 낸다. 스토브, 불빛, 냉장고 모터, 컴퓨터 등처럼

예로, 외벽이 200㎡인 방이 있다고 가정하자.
그 벽의 U값은 0.05이며, 외부의 디자인 온도는 32°F이고, 내부의 디자인 온도는 70°F이다. 그리고 시간은 하루 또는 24시간이다. 그래서

$$U = 0.05 \text{ BTU/hr./ft}^2\text{/°F}$$
$$A = 200 \text{ ft.}^2$$
$$\Delta t = 70° - 32° = 38°F$$
$$h = 24 \text{시간/일}$$

$$Qhl = U \times A \times \Delta t \times h$$
$$= 0.05 \times 200 \times 38 \times 24$$
$$= 9120 \text{ BTU/일}$$

한 공간에서 열손실 면적에 대해 이 과정을 따르고 그 값들을 더하라.
그다음 각 방을 이 식으로 계산하라. 각 방에 대한 총 방 손실을 더하라. 그러면 건물에 대한 총 정상 손실 값을 알고 침투 손실에 대처할 준비가 된다.

건물들은 낮보다 밤에 더 많은 열을 잃는다.

겨울 동안 해가 날 때, 태양열 습득으로 에너지를 얻는다. 하지만 외부로 열손실은 계속 손실된다. 창문, 장식 창, 천창과 같은 태양열 습득면은 햇빛이 없을 때도 열손실을 최소화하기 위해 단열되어야 한다. 열 손실을 계산할 때 정상, 정상 상태, 열손실 표면과 다르게 태양열 습득 표면을 계산하는 것이 중요하다.

밤과 흐린 기간 동안 단열된 창문들은 태양열 수집 시간동안 단열되지 않아 더 열을 잃는 것으로 여겨질 수 있다. 만약 태양 열 에너지가 겨울 낮 8시간 동안 사용 가능하면, 그 계산은 8시간 단열되지 않아, 16시간이 단열된 것으로 반영되어야 한다.

예 : 20ft² 창문은 하루 16시간 1/8인치 합판과 1인치의 폐쇄 공기층이 있는 2인치 두께 폴리우레탄 셔터가 있다고 가정하자.

아래 데이터를 이용하면, 손실은 다음과 같다.

U 단열 안됨 = .58 BTU/hr/ft²°F
U 단열 됨 = .06 BTU/hr/ft²°F
$A = 20 ft^2$
$\Delta t = 45°F$

$Q = U \times A \times \Delta t \times h$
$Q day = .58 \times 20 \times 45 \times 8 = 4,176 \; BTU$
$Q night = .06 \times 20 \times 45 \times 16 = \underline{864 \; BTU}$
TOTAL DAILY LOSS, Qhl = 5,040 BTU

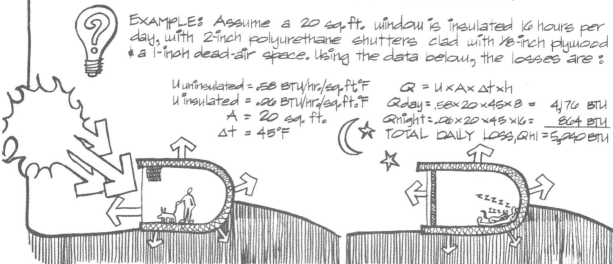

Buildings lose more heat at NIGHT than during the DAY. During the winter when the sun shines, solar gain adds heat energy. However, heat continues to be lost to the outside. Solar gain surfaces, such as windows, clerestories, skylights, etc., should be insulated when the sun doesn't shine to minimize heat loss. It is important, when calculating heat loss, to evaluate solar gain surfaces differently than normal, steady-state, heat loss surfaces. Windows, which are insulated during the night & overcast periods, can be assumed to be uninsulated & lose more heat during solar collection time. If solar energy is available for 8 hours during a winter day, the calculations should reflect 8 hours uninsulated & 16 hours insulated.

EXAMPLE: Assume a 20 sq.ft. window is insulated 16 hours per day, with 2-inch polyurethane shutters clad with ⅛-inch plywood & a 1-inch dead-air space. Using the data below, the losses are:

U uninsulated = .58 BTU/hr/sq.ft.°F
U insulated = .06 BTU/hr/sq.ft.°F
$A = 20 \; sq. ft.$
$\Delta t = 45°F$

$Q = U \times A \times \Delta t \times h$
$Q day = .58 \times 20 \times 45 \times 8 = 4,176 \; BTU$
$Q night = .06 \times 20 \times 45 \times 16 = \underline{864 \; BTU}$
TOTAL DAILY LOSS, Qhl = 5,040 BTU

DAY LOSS/NIGHT LOSS 낮손실/밤손실

공기침투와 공기교환에 의한 열손실은 구조물의 정상 상태의 열손실과는 다르다. 열침투는 건물의 모든 균열에서 일어나며 이것은 바람과 온도 차이로 인해 발생된다.

균열을 최소화시키고, 자재들이 만나는 접합부를 메우면서 건물을 최대한 밀폐되게 짓는 것이 중요하다. 문, 창문 틈 마개를 사용하는 것도 도움이 된다. 방수지 또는 방습지를 붙이는 것도 벽이나 지붕에서 열이 새는 것을 줄여준다. 건물 한쪽 면에서 공기가 밀려들어오게 하는 바람은 반대편으로 공기가 밀려 나가게 할 것이다. 덧 창, 좋은 밀폐재를 사용하여 우세한 바람에 면해있는 모든 창 면에 사용하면 침투를 제어하는데 도움이 된다. 고도, 풍속, 건물 높이 등 역시 침투율에 영향을 주는 요소들이다.

이러한 요소들이 일반화된 시간당 환기 표에 반영되어 있으면 그걸로 충분하다.

환기는 배기 되었거나 깨끗한 공기로 교체된 내부 공기의 양이다. 벽난로를 태우는 것, 문이나 창문을 여는 것, 환풍기를 돌리는 것 등 모두가 환기에 기여한다. 어떤 환기는 숨 쉴 공기를 제공받기 위해, 냄새를 없애기 위해서 또는 뭔가를 태우기 위해서 요구된다. 요점은 불필요한 환기를 최소화시키는 것이다.

Heat loss due to air INFILTRATION & air exchange is different from steady-state heat loss of a structure. Infiltration occurs at all cracks in a building & is due to pressure differences between the outside & inside, caused primarily by wind & temperature differentials. It is important to construct a building as tight as possible, by minimizing the amount of cracks & by caulking all the joints where materials meet. Using doors & windows with good weather stripping helps. Building paper & vapor barriers reduces the leakage through walls & roofs. Wind forcing air into a building on one side will force air out on the opposite side. Use of storm windows, good sealants, & reduced window area facing prevailing winds all help control infiltration. Altitude, wind speed, & building height are factors that also affect the infiltration rate. Let it suffice that these factors are included in the generalized air-change-per-hour table.

AIR CHANGE is the amount of room air which is exhausted & replaced by reconditioned or fresh air. Burning fireplaces, opening doors & windows, mechanical exhaust fans, etc. all contribute to the exchange. Some air change is required to provide air to breathe & to clear odors & smoke. The point is to minimize uneeded air exchange.

INFILTRATION 침투

The CRACK METHOD of calculating the infiltration is to sum all the length of crack around windows & doors & then multiply this total by a factor rating the tightness of type of crack. This method is questionable, since the factors are based upon subjective evaluation of the tightness of each crack, while leakage through the walls & other places is neglected.

SURFACES WITH EXTERIOR DOORS & WINDOWS	0	1	2	3
number of air changes per hour, n		.33	.66	1.0	1.33

$$Q_i = a_{hc} \times V \times \Delta t \times h \times n$$

Q_i = infiltration heat loss, BTU
a_{hc} = air heat capacity, =0.018 BTU/ft.³/°F
V = space volume, cubic feet (ft.³)

Δt = temperature differential, °F
h = time of loss, hours
n = number of air changes per hour

The AIR EXCHANGE METHOD applies a general factor to each space based upon the number of exterior surfaces with windows, doors, or skylights. This method factors in all typical leaks, & external effects with the exception of ventilation. The air-change-per-hour chart shown above assumes double glazing & good weather stripping. By this method, the heat loss by infiltration for a space (Qi) is equal to the heat capacity of air (ahc=0.018 BTU/ft³/°F)[0.00029 cal/cm³/°C], multiplied by the space volume (V) in cubic feet, times the temperature differential (Δt), by the time (h) in hours, & the number of air changes per hour (n).

침투를 계산하는 균열법은 균열 유형의 기밀성을 평가하여 창문 및 문 주변의 균열 길이를 합한 다음 합계를 곱한다. 이 방법은 각 균열의 기밀성을 주관적으로 평가하고 벽 및 기타 장소를 통한 누설은 무시되므로 요인들로 의문의 여지가 있다.

외부 문과 창문의 표면적	0	1	2	3
시간당 환기 횟수		.33	.66	1.0	1.33

$$Q_i = a_{hc} \times V \times \Delta t \times h \times n$$

Q_i = 침투열 손실, BTU
a_{hc} = 공기열 용량, =0.018 BTU/ft³/°F
V = 공간 용적, ft³

Δt = 온도 차, °F
h = 손실의 시간, 시간
n = 시간당 환기 횟수

환기방법은 각 공간에 창문, 문이나 채광창 같은 외부 면적의 수를 바탕으로 한 일반적인 요소를 적용한다.
이 방법은 모든 전형적인 누출 및 환기를 제외한 외부 효과에 영향을 준다. 위에 보이는 시간당 환기 표는 이중창과 좋은 밀폐제로 된 것을 가정한다.
이 방법으로 한 공간(Qi)에서 침투로 인한 열 손실은 공기의 열 용량
(ah =0.018 BTU/ft³/F°) [0.00029cal/cm³/C°]에 과 공간 용적(V)ft³을 곱하고, 시간당 온도 증분 시간과 시간당 환기 횟수를 곱한 값과 같다.

AIR CHANGE METHODS 공기 교체법

예 : 용적 900ft³이며, 외벽 창 한 개, 지붕 천창(ntotal=1.0) 한 개가 있는 방의 하루 침투 손실을 산출하라.

내부 디자인 온도는 70℉이고 외부 온도는 25℉이다.

$ahc = 0.018$ BTU/ft³/°F
$V = 900$ ft³
$\Delta t = 70° - 25° = 45°F$
$h = 24$
$n = 1.0$

$Q_i = ahc \times V \times \Delta t \times h \times n$
$= 0.018 \times 900 \times 45 \times 24 \times 1.0$
$= 17,496$ BTU/

각방과 공간에 이 과정을 따르고, 정상 상태 및 침투 손실 각 값을 웜 통 전체에 대해 합산하라. 당신은 이제 건물 전 열 손실을 계산했다.

skylight
window
900 ft.³

$ahc = 0.018$ BTU/ft³/°F
$V = 900$ cubic ft.
$\Delta t = 70° - 25° = 45°F$
$h = 24$
$n = 1.0$

Follow this procedure for each room or space, add each value for steady-state & infiltration loss together, total the whole can of worms, & you've calculated the entire heat loss of the building!

EXAMPLE :

Determine the daily infiltration loss of a room having a volume of 900 cubic ft., a window on one exterior wall, & a skylight on the roof (ntotal = 1.0). The interior design temperature is 70°F & the outside temperature is 25°F.

$Q_i = ahc \times V \times \Delta t \times h \times n$
$= 0.018 \times 900 \times 45 \times 24 \times 1.0$
$= 17,496$ BTU/

$Q_{i(1)} + Q_{i(2)} + Q_{i(3)} + Q_{i(4)} + ? + ? + ?$

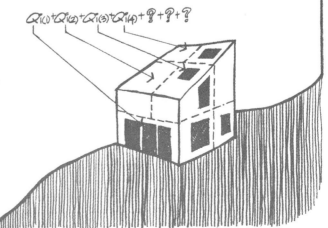

Traditionally, winter heat loss calculations have been gross estimates & relatively simple approximations of the actual thermal performance of buildings. This has often been compensated for by oversizing heating units &, thus, the energy consumed to maintain comfort = an expedient approach due to the relative low cost of heating equipment & fuel. Summer cooling or heat gain calculations, on the other hand, have been more sophisticated & complex, taking into account a wider range of thermal factors, because air cooling is more expensive.

With a new emphasis being placed on life cycle cost of systems & the accompanying concern for fine tuning our ability to efficiently space condition buildings, new procedures will develop for more accurate determination of the actual year-round thermal performance. This will be of particular importance for passive structures.

One approach which should be updated & applied to annual analysis is the SOL-AIR EFFECT, or the calculation of solar radiation on, & air temperature at, a building's weatherskin. This procedure takes into account a number of factors:

□ Solar radiation on all building surfaces.
□ Outside air temperature with relation to time of day & solar position.
□ Building orientation.
□ Exterior materials with relation to thermal mass, conductivity, color, texture, & movable insulation.
□ Shading on all surfaces.
□ Window placement.

습관적으로 겨울철 열손실 계산은 빌딩 총체적으로 견적하고 상대적으로 빌딩의 실제 열손실은 단순 약산 해왔다. 난방 장치를 대형화하여 쾌적함을 유지하는 데 소비되는 에너지 즉 난방 장치 및 연료의 상대적 저렴한 비용으로 인해 편리한 접근으로 흔히 보완되었다. 반면에 여름 냉방계산 또는 열 습득 계산은 냉방에 더 비용이 들기 때문에 광범위한 열적 요소를 고려하면서 더 미묘하고 복잡해져 왔다.

시스템의 생애주기비용 더해지고 그리고 우리의 효과적인 빌딩 공간 조건 능력 향상에 관심이 수반되는 새로운 중요성이 대두되어, 새로운 방식은 실제로 년 중 내내 열적 성능을 더 정확하게 결정하기 위해 개발될 것이다. 이것은 패시브 구조에 아주 중요하다. 연간 분석이 갱선되어 적용되어야 하는 한 접근 방법은 쏠-에어 효과(THE SOL-AIR EFFECT)라는 것이다. 이 과정은 많은 요인을 고려한다.

1. 전 건물 표면 위의 태양 복사열
2. 낮 시간과 태양 위치와 관련된 외부 온도
3. 건물 향
4. 열매체, 전도성, 색상, 질감과 이동성 단열에 관련된 외부재료
5. 모든 표면의 그늘
6. 창문 위치

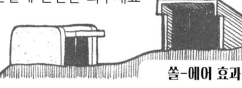

SOL-AIR EFFECT

쏠-에어 효과

During cooling periods the SOL-AIR calculations indicate the net heat gain into a building. This gain must be removed to maintain comfort. An interior design temperature for cooling is usually 75-80°F [24-27°C].

For heating periods SOL-AIR calculations will usually total a net heat loss which is less than the steady-state & infiltration loss totals for a given 24 hour period. By subtracting the SOL-AIR loss from the steady-state loss, the radiation effect on the weatherskin is known. By adding the direct gain through the solar collection surfaces to this SOL-AIR radiation value, we have a good idea of the total solar radiation impact on the building.

The important implication of SOL-AIR analysis, other than determination of the thermal performance of a given building, is its ability to analyze building shape, orientation, materials, & window placement suitable for best year-round performance for each site. SOL-AIR tables & charts will facilitate schematic design analysis prior to actual design development = a valuable tool indeed !

COOL REGION (Minneapolis)
추운 지역
12°

TEMPERATE REGION (New York)
온화한 지역
17.5°

HOT-DRY REGION (Phoenix)
덥고 건조한 지역
25°

HOT-HUMID REGION (Miami)
덥고 습한 지역
5°

Through dynamic SOL-AIR analyses involving complex calculations it can be proved that in most climate zones the optimum year-round solar orientation is slightly east of south.

냉방기간 동안 쏠-에어 계산법은 빌딩에 입력되는 순 열 습득을 나타낸다. 이 습득은 쾌적함을 유지하기 위해 반드시 없어져야 한다. 냉방을 위한 내부 디자인 온도는 보통 75~80°F[24-27°C]이다.

난방기간 동안 쏠-에어 계산은 주어진 24시간 동안 정상 상태 소실과 침투손실보다 적은 전체 순 열손실이 될 것이다. 정상손실에서 쏠-에어 손실을 감함으로써 기후 표피에 전도 효과는 알려져 있다.
태양열 수집을 통해 직접 습득되어 쏠-에어 전도치에 합산됨으로써, 우리는 빌딩에 부딪히는 전 태양열 전도라는 좋은 아이디어를 얻는다.

주어진 건물의 열 성능 결정보다 다른, 쏠-에어 분석의 중요한 함축성은 빌딩의 형태, 향, 재료들과 각 대지에 년 중 내내 가장 적합한 창문 위치를 분석하는 능력이다.
쏠-에어 테이블과 차트는 실제 디자인 개발에 앞서 개략적 디자인 분석을 용이하게 한다. — 실제 가치 있는 도구(태양광 판넬)!

복잡한 계산을 포함한 역동적인 쏠-에어 분석들을 통해 대부분 기후 지역에서 연중 최적 태양 방향은 약간 남동쪽이라는 것이 입증되었다.

CALCULATING heat loss from a building is a well-established engineering procedure. Much is known about thermal phenomena. However, the procedure is fairly complicated, & it involves enough options & subjective decisions that no two analysts will come up with exactly the same total heat loss for the same building in the same location.

The goal is to be thorough & close to the potential performance of a given building. The values, tables, & charts for design temperatures are based on historical average weather & climate conditions. The weather as we experience it is seldom average. Floods, drought, severe cold, mild winters, hot summers, rainfall, etc. all conspire to elude normalcy. The world's weather is in constant flux & gradual change. Given these parameters, heat loss & thermal performance are at best calculated & educated estimates.

Use a consistent procedure & format for calculations. A checklist is a handy visual aid outline to help organize the process.

건물의 열손실 계산은 잘 정립된 공학 절차다. 열적 현상에 관해서는 많이 알려져 있다. 그러나 이 과정은 상당히 복잡하여 어느 두 분석가가 같은 위치의 같은 건물에 대해 정확히 동일한 계산에 이르지 못할 정도로 많은 선택과 주관적 결정이 관련된다.

목표는 철저히, 주어진 건물의 잠재적 성능에 가까워야 한다는 것이다. 디자인 온도를 위한 값, 테이블과 차트는 역사적인 평균 날씨와 기후 조건에 기초해 있다. 우리가 경험하는 날씨는 좀처럼 평균적이지 않다. 홍수, 가뭄, 강한 추위, 따스한 겨울, 뜨거운 여름, 폭우 등 모든 게 정상과는 멀어지기로 작정을 한듯하다. 세계의 날씨는 끊임없이, 끊임없이 변화하고 있다.

주어진 이러한 매개변수들과 열 손실, 열 성능들은 가장 잘 계산되고, 정리된 수치이다. 계산을 위해 일관된 과정과 체제를 사용하라. 체크리스트는 과정을 만드는데 도움을 주는 손쉬운 시각 보조 자료이다.

CALCULATING   계 산

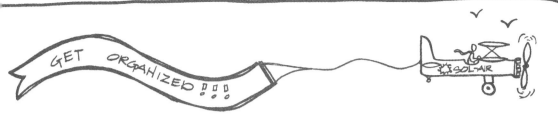

HEAT LOSS CHECKLIST:

☐ 1. Determine inside & outside design temperatures & temperature differential (Δt).
☐ 2. Establish U values for each heat loss surface.
☐ 3. Calculate areas of each heat loss surface.
☐ 4. Calculate steady-state heat loss for all surfaces. (don't forget day loss/night loss & sol-air effect.)
☐ 5. Total steady-state heat loss (Qhlt).
☐ 6. Calculate volumes of rooms or spaces.
☐ 7. Select appropriate air change factors.
☐ 8. Calculate infiltration heat loss by air change method for each room or zone (Qi). (Is the sol-air effect useful?)
☐ 9. Total infiltration heat loss for building (Qit).
☐ 10. Sum steady-state & infiltration heat losses (Qhlt +Qit).
☐ 11. Evaluate total loss & reconsider loss areas & space volumes; better insulation, fewer windows, reduced volumes, etc. Revise if necessary.
☐ 12. You have now conquered heat loss. Treat yourself, get laid back, & gloat before tackling solar gain, thermal storage, & auxiliary.

열손실 체크리스트

1. 내 외부 디자인 온도와 온도차를 결정하라.[Δt]

2. 각 열손실 면에 대한 U값을 만들어라.

3. 각 열손실 면을 계산하라.

4. 모든 면에 대한 정상 상태 열 손실을 계산하라.
   (낮 손실, 밤 손실, 태-공 효과를 잊지 마라.)

5. 총 정상 상태 열 손실(Qhlt)

6. 방이나 공간의 용적을 계산하라.

7. 근접한 환기 요소를 선택하라.

8. 각 방이나 구역 환기방법에 따른 침투 열 손실을 계산하라.(Qi)
   (태-공 효과가 쓸모 있나요?)

9. 빌딩의 총 침투 열 손실

10. 정상 상태 손실과 침투 열 손실들을 합하라.

11. 총손실을 평가하고, 손실 면적과 공간 용적을 재고하라.; 더 좋은 단열, 더 적은 창문, 용적 줄이기 등을. 필요하다면 개정하라.

12. 당신은 이제 열 손실을 정복했다. 이제 태양 에너지, 열 저장 장치 및 보조 장치를 추적하기 전에 자신을 돌보고 잠시 쉬어라.

The incoming radiation from the sun is primarily short-wave, high temperature energy. Interior objects absorb this short-wave radiation & emit long-wave or infrared, low temperature radiation. A minor portion of these emitted long waves radiate back & strike the glass, heating it. The glass then reradiates this heat energy in all directions. Consequently, most of the heat is "trapped" within the space. This collected heat can be stored in a thermal mass to heat the interior, eventually to be lost through the envelope of the structure.

It is important to remember that although a structure may collect, trap, & store radiant energy, at the same time, normal infiltration & conductive losses occur through solar gain surfaces; & these losses must be considered in thermal calculations.

 The GREENHOUSE EFFECT, which causes trapped radiant energy, allows high interior temperatures in an automobile with its windows closed & heater off on a clear, cold day.

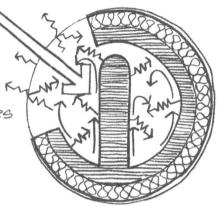

열 흡수

태양으로부터 얻어지는 방사열은 주로 단파이며, 고온의 에너지이다. 내부 물체들은 이 단파 방사열을 흡수하며 장파 또는 적외선, 저온 방사열로 방출한다. 방출된 이 장파들의 작은 부분은 빛을 다시 방사돼, 유리에 부딪히며 열을 가한다.

그다음 그 유리는 이 열 에너지를 모든 방향으로 다시 방사한다.

결과적으로, 열의 대부분은 공간 내에 잡힌다. 이 수집열된 열은 내부를 덥히기 위해 열매체 내부에 저장될 수 있다. 결국 구조물의 외피를 통해 잃어버리게 된다. 비록 하나의 구조물이 방사 에너지를 수집하고, 가두고, 저장하더라도 같은 시간에, 일반 침투, 전도 손실이 태양열 획득 면에서 일어날 것이다. 그리고 이 손실은 열 계산에 반드시 계산되어야 한다.

방사 에너지를 가둠으로써 일어나는 온실 효과는 맑고 추운 날 차창을 닫고 히터를 꺼놓은 자동차의 내부 온도를 높게 한다.

GREENHOUSE EFFECT   온실 효과

In passive solar-design terminology more descriptive than solar home, solar energized, sun heated, etc. is the term SUNTEMPERED. The idea of orienting & shaping a structure to take advantage of seasonal sun angles & intensities, thus providing required heating, cooling, ventilation, & light, is basic. Suntempering is simply a design form which in winter allows the sunlight to penetrate & store & in summer blocks out the sun & permits ventilation, optimizing the natural solar potential.

The climate & weather of any location will dictate the type, amount, & flexibility of suntempering required. This is an attitude of accommodating & adjusting to the patterns of nature.

태양 단조라는 용어는 패시브 솔라 디자인에서 태양 에너지화 된, 햇볕으로 덥힌 태양열 주택보다 더 기술적인 용어이다.
한 구조물이 계절적 태양 각도와 강도의 이점을 취할 수 있도록 향과 모양을 정하는 아이디어는 요구되는 난방, 냉방, 배기, 조명을 마련하는데 기본이 된다.

태양단조는 겨울철 햇빛이 들어와서 저장되고, 여름에는 햇볕을 막고 환기를 시켜 자연적 태양력을 최적화하는 것이다. 어떤 위치에서 기후와 날씨는 그 타입, 양, 그리고 요구되는 태양단조의 융통성을 지시해 줄 것이다.

SUNTEMPERING 태양단조

The size of a collection surface is dependent on several interacting factors. Basically, the type & size of a collector should be adequate to absorb & store the amount of heat energy required to make up for the daily average winter heat loss (Qhlt) of a building. In order to store energy for nonsolar days, more than make-up heat should be collected; a factor of 1.25 will allow a storage bonus of 25 percent each day the sun shines. In four days collection, a full day of reserve is stored. If a collection system is 50 percent efficient (e), transferring only half of the energy it receives (Qs) into storage, the COLLECTOR AREA (Ac) must be increased accordingly to deliver the required amount of heat into storage.

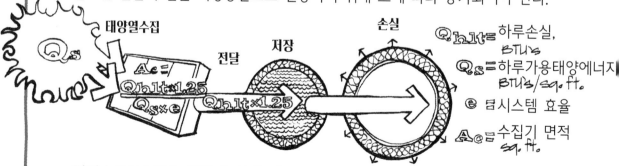

solar
collect transfer store loss

Q_s

$A_c = \dfrac{Qhlt \times 1.25}{Q_s \times e}$

$Qhlt \times 1.25$ distribute

$Qhlt$ = daily loss, BTU's
Q_s = daily solar available, BTU's/sq. ft.
e = system efficiency
A_c = collector, sq. ft.

Direct gain systems deliver a maximum quantity of heat to a space. With adequate storage & insulation, this type of system will require the least collection area. Still the idea of collecting a daily surplus is important. Excess heat can be eliminated by ventilation.

수집 면적의 크기는 몇 가지 상충되는 요소들에 달려있다.
기본적으로, 수집기의 타입과 크기는 빌딩의 일일 평균 겨울철 열손실(Qhlt)을 계산하는데 요구되는 에너지양의 흡수와 저장에 적당해야만 한다. 해 없는 날 에너지를 저장하도록 필요한 열보다 더 많이 수집해야 한다.; 1.25 배율은 매일 햇볕의 25% 추가저장을 허용할 것이다. 4일 수집에서는 하루치가 보유 저장되는 것이다.
수집 시스템이 50% 효율이라면(e), 에너지의 절반만 전달되어 저장고에 (Qs)로 받아들여지는 것이다.
집열기 면적(Ac)은 필요한 양의 열을 저장 장치에 전달하기 위해 증가시켜야 한다. 필요한 만큼의 열을 저장공간으로 전송하기 위해 그에 따라 증가되어야 한다.

태양열수집   전달   저장   손실

Q_s

$A_c = \dfrac{Qhlt \times 1.25}{Q_s \times e}$

$Qhlt \times 1.25$

$Qhlt$ = 하루손실, BTU's
Q_s = 하루가용태양에너지 BTU's/sq. ft.
e = 시스템 효율
A_c = 수집기 면적 sq. ft.

직접습득시스템은 고강에 최대 열량을 공급한다. 적당한 저장과 단열을 가진 이런 시스템타입은 최소한의 수집면적을 요구할 것이다. 여전히 하루의 열량을 수집한다는 아이디어가 중요하다. 과도한 열은 환기에 의해 제거 될 수 있다.

COLLECTION AREA   수집 면적

DIRECT gain is allowing the sunlight to enter into a space before being intercepted. Greenhouses, solar floor/wall systems, & skylights are examples. Many people cannot tolerate direct sunlight for long — when designing, it is necessary to provide some shaded areas that allow relief from direct radiant energy. Some direct gain lends bright, sunny, green, fresh, & warm space to any building. Direct gain facilitates equal heat distribution throughout the thermal envelope.

INDIRECT gain is the interception of the sun's energy before it enters the space. Solar masonry walls, water walls, collectors, Skytherm* roofs, etc. are all indirect gain systems. Allowance might be required to assure balanced distribution throughout the interior.

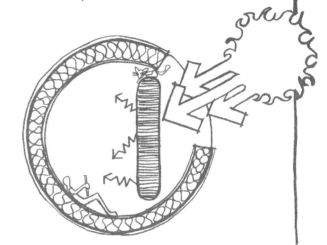

직접 흡수는 햇빛이 뭔가에 의해 가로막히지 않고 공간 안으로 들어오도록 하는 것이다. 온실, 솔라 바닥, 벽 시스템과 채광창이 그 예다. 많은 사람들은 직사광선을 오랜 시간 동안 견뎌내지 못한다.

설계할 때, 직사광선을 피하게끔 약간의 그림자 부분이 필요하다.

약간의 직접 흡수는 어떤 건물이라도 밝고, 환하고, 상쾌하고 따스한 공간을 선사한다. 직접 흡수는 열 봉투를 통하여 평등한 열 기여를 하게 한다.

간접 흡수는 공간에 태양 에너지가 들어오기 전에 뭔가에 의해 가로막히는 것이다. 석조 벽, 수벽, 집열기, 스카이덤 지붕 등 모두가 간접 획득 시스템이다. 내부 전반에 걸쳐 균형 분배를 보장하기 위해 허용량이 필요할 수 있다.

DIRECT & INDIRECT 직접과 간접

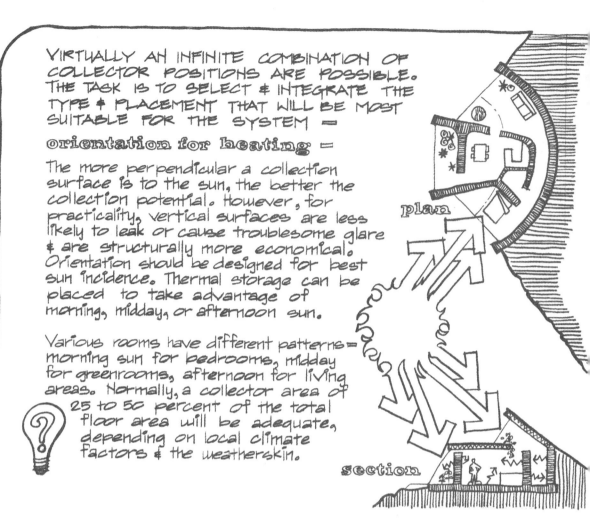

VIRTUALLY AN INFINITE COMBINATION OF COLLECTOR POSITIONS ARE POSSIBLE. THE TASK IS TO SELECT & INTEGRATE THE TYPE & PLACEMENT THAT WILL BE MOST SUITABLE FOR THE SYSTEM =

orientation for heating =

The more perpendicular a collection surface is to the sun, the better the collection potential. However, for practicality, vertical surfaces are less likely to leak or cause troublesome glare & are structurally more economical. Orientation should be designed for best sun incidence. Thermal storage can be placed to take advantage of morning, midday, or afternoon sun.

Various rooms have different patterns = morning sun for bedrooms, midday for greenrooms, afternoon for living areas. Normally, a collector area of 25 to 50 percent of the total floor area will be adequate, depending on local climate factors & the weatherskin.

plan

section

사실상 수집기 위치의 무한한 조합이 가능하다. 목표는 성격에 가장 적합한 타입 및 배치를 선택하고 통합하는 것이다. — 난방을 위한 향.

수집 면이 태양에 더 직각일수록 수집 역량은 더 좋아진다.

하지만 현실적으로 수직면은 덜 새는 것 같고, 번거로운 눈부심 일으키지만 구조적으로 더 경제적이다. 향은 가장 좋은 햇빛 투사를 위해 디자인되어야 한다. 열 저장고는 아침, 한낮 또는 오후 햇살의 이점을 취할 수 있도록 놓여질 수 있다.

여러 방들은 서로 다른 패턴을 갖는다. — 침실은 아침 해, 온실에는 한 낮, 거실에는 오후 해. 보통 지역적 기후요소들과 외피에 따라 수집기 면적은 전 바닥 면적의 25-50%가 적당할 것이다.

POSITIONING.   위 치

히팅패널 기울기 ─

위도에 15도를 더한 각도는 일반적으로 흡열판 히팅에 가장 좋다.

이것은 수집을 최적화하고, 반사를 최소화한다.

이 이상적인 각도 상하 20° 넘는 편차는 일사량을 10%정도 적게 할 것이다.

국내의 연간 온수난방을 위해선 경사각과 위도가 같은 것이 이상적이다. 만약 겨울이 너무 혹독하다면, 겨울의 태양 위치를 좀 더 가파른 태양 각도로 향하게 하면 도움을 줄 수 있다. 엄지손법칙은 뜨거운 물 용량 갤런 당 수집기 면적 ¾~1½ ft²[0.02~0.04 m²]이다. 열 교환기 사용 시 수집기 면적은 25% 정도로 증가될 것이다. 하루 일인당 75L의 뜨거운 물이 합리적인 소비율이다.

동일한 위치 각도들이 태양 창이나 어떤 태양열 수집에 적용될 수 있다.

tilt for heating ─

An angle of latitude plus 15 degrees is generally best for space heating. This optimizes collection & minimizes reflection. A deviation of up to 20 degrees above or below this ideal angle will reduce insolation by less than 10 percent.

For domestic year-round water heating, a tilt angle equal to the latitude is generally ideal. If winters are severe, aiming more toward the winter sun position with a steeper sun angle can be helpful. A rule of thumb is about ¾-1½ sq. ft. of collector per gallon of hot water capacity [or 0.02-0.04 sq.m. per liter]. Use of a heat exchanger will increase the collector area by about 25 percent. Twenty gallons (75 L) of hot water per person per day is a reasonable consumption rate.

The same positioning angles apply to a solar window or any solar collection surface.

latitude +up to 15°

The integration of a GREENHOUSE or greenroom in an existing or new structure is a delightful solution to passive solar design. Freshened air, fragrant odors, & humidity, as well as heat gain, are all products of a well-designed space for planting, playing, & enjoying. As a solar collector, a large portion of the collected heat energy can be transferred to the living space. A heat storage mass between the living/green areas can effectively store heat if insulated by movable panels during sunless periods. It is important to use radiant space blanket* type shades for winter insulation & summer shading if required. High vents can exhaust hot summer air.

현존하거나 새로운 구조의 온실이나 휴게실의 통합은 패시브 솔라 디자인의 기분 좋은 해결책이다. 열 습득과 마찬가지로 산뜻한 공기, 좋은 향기와 습도는 이 모든 것은 잘 설계된 놀이, 정원 공간의 산물이다.

태양 집열기처럼 수집된 열에너지의 대부분은 삶의 공간으로 이동될 수 있다.

거실/온실면적은 만일 해가 없는 동안 이동식 판넬로 단열된다면 효과적으로 열을 저장할 수 있다. 필요한 경우 겨울 단열 및 여름철 채양으로 복사 공간 담요 유형의 음영을 사용하는 것이 중요하다.

높은 통풍구는 뜨거운 여름 공기를 없애줄 수 있다.

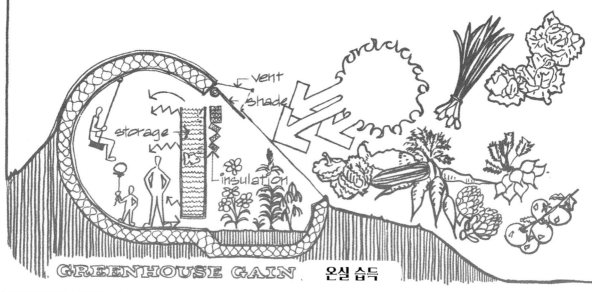

GREENHOUSE GAIN   온실 습득

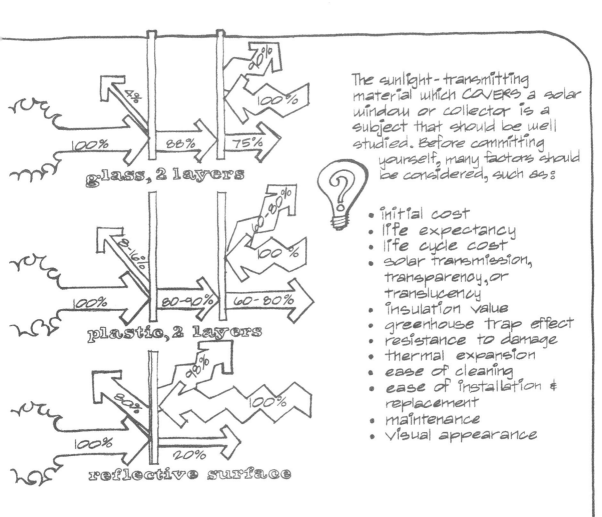

The sunlight-transmitting material which COVERS a solar window or collector is a subject that should be well studied. Before committing yourself, many factors should be considered, such as:

- initial cost
- life expectancy
- life cycle cost
- solar transmission, transparency, or translucency
- insulation value
- greenhouse trap effect
- resistance to damage
- thermal expansion
- ease of cleaning
- ease of installation & replacement
- maintenance
- visual appearance

glass, 2 layers — 100%, 4%, 88%, 75%, 100%, 100%

plastic, 2 layers — 100%, 8-16%, 80-90%, 60-80%, 100%

reflective surface — 100%, 80%, 20%, 100%

태양창이나 집열기를 덮는 햇빛 전달 재료는 깊이 공부해야 하는 주제다. 당신이 저지르기 전에, 다음과 같은 많은 요소들이 고려되어야 한다.:

- 초기 비용
- 예상 수명
- 생애주기비용
- 햇빛 전달, 투과성
- 단열 값
- 온실 트랩 효과
- 손상에 대한 저항성
- 열 팽창
- 청소의 용이함
- 설치와 교체의 용이함
- 관리
- 외관

COLLECTION COVERS   집열기 덮개

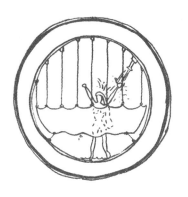

A multitude of coverings exist. The basic materials are glass or plastics, with the following general categories & qualities:

glass - permanent, transparent, ageless, breaks; generally a good choice.

plastic film - ages, weather damage, inexpensive, temporary.

plastic sheet - ages, expands, expensive, scratches, break resistant.

fiberglass - ages, expands, flexible, translucent, economical.

transparent foam - ages, opaque, insulative, lower solar transmission.

다중 피복재가 있다. 기본재료는 일반적으로 다음 카테고리와 품질을 가진 유리나 플라스틱이다.

유리 - 영구적이고, 투명하며, 수명은 길고, 깨지기 쉽다. 일반적인 좋은 선택이다.

플라스틱 필름 - 수명이 있고, 기후에 손상되며, 값싼 일회용이다.

플라스틱 시트 - 수명이 있고, 팽창하며, 값이 싸다. 긁히지만 깨지지 않는다.

섬유유리(상품명) - 수명이 있고, 팽창하며, 유연하고 반투명이며 경제적이다.

투명한 폼 - 수명이 있고 불투명하며, 단열이 되며 낮은 태양열 전도성을 가졌다.

TIPS:

- Double coverings should be used in most climates, except where temperature differences between inside & outside are modest. In severe climates, triple coverings may be cost effective. An air space of approximately 1/2-inch [1.3 cm] between each layer will prevent convection & reduce heat loss.
- Caulking is important to reduce heat loss by infiltration.
- Most plastics do not trap long-wave radiation as well as glass — only ultraviolet resistant types have any permanence. High temperatures as reached by flat-plate collector surfaces can damage plastics. Some special greenhouse/solar fiberglass has optical properties nearly equal to glass.
- Low iron-content glass is preferred for solar transmission. It is relatively expensive & thus not cost effective. Reinforced or tempered glass is best for sloping or horizontal surfaces.
- Wood frames & mullions are preferable, as they lose much less heat by conduction than metal.
- The space between homemade double glazing should be vented to prevent condensation.

여러 가지 팁 :

- 이중 커버는 내 외부 온도차가 아주 온화한 곳 이외의 대부분 기후에서 사용되어야 한다. 극한 기후에선 삼중 커버가 비용 효과적일 수 있다. 레이어당 약 1/2in(1.3cm) 정도의 공기층은 대류를 막고 열 손실을 줄일 것이다.

- 코킹도 침투로 인한 열 손실을 줄이는데 중요하다.

- 대부분의 플라스틱들은 유리와 마찬가지로 장파의 전도열을 가두지 못한다. – 오직 초음파 저항 타입만이 어느 정도 영구성이 있다.

- 평판 집열기 표면에 전달되는 것 같은 고온은 플라스틱을 손상시킬 수 있다. 몇몇 특수한 온실용/ 태양광 섬유유리는 거의 유리와 동등한 광학 특성을 가지고 있다.

- 낮은 철 함유 유리가 태양 광 전송에 바람직하다. 그것은 상대적으로 비싸 비용면에 효과적이 아니다. 강화유리 또는 단련된 유리가 기울어진 수평적인 면에 가장 좋다.

- 목재 틀이나 목재 멀리 온이 바람직하다. 이것들은 금속보다 훨씬 더 적은 열을 손실한다.

- 수제 이중 유리창 사이의 공간은 응축수를 막기 위해 통기되어야 한다.

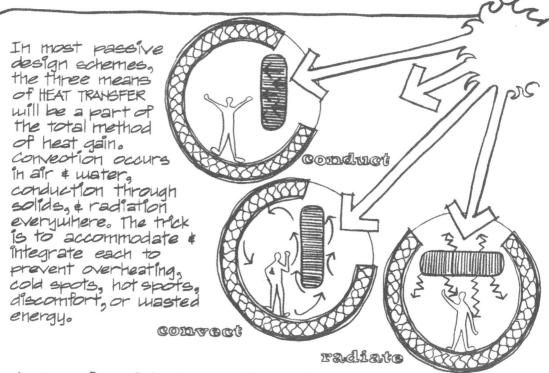

In most passive design schemes, the three means of HEAT TRANSFER will be a part of the total method of heat gain. Convection occurs in air & water, conduction through solids, & radiation everywhere. The trick is to accommodate & integrate each to prevent overheating, cold spots, hot spots, discomfort, or wasted energy.

conduct

convect

radiate

The transfer of heat normally requires some energy when moving or changing state. The least amount of exchange or transfer of solar heat gain is the most efficient, though possibly not the most suitable or comfortable.

대부분의 패시브 디자인 계획에서 열전달의 3가지 방법은 도처에서 공기나 수중 복사가 일어나며, 고체를 통한 전도와 방사가 일어난다.

과열, 냉점, 열 점 차단 또는 에너지낭비를 각각 막을 수 있도록 두께가 적용되고 조합된다.

열전도는 보통 상을 변화시키거나 움직일 때 약간의 에너지가 필요하다.

GAIN TRANSFER   습득 전달

Heat STRATIFICATION is the layering of temperature in a liquid, or gaseous volume; heat rises & causes higher temperatures at the top & cooler temperatures at the bottom. The tendency for heat to stratify can be nicely integrated into many passive designs. Indirect heating can be affected by allowing heat energy to flow by conduction, convection, & radiation to spaces not struck by sunlight. This type of thermal gradient can be easily controlled by ventilation & is particularly suited to heat low activity or night use areas, such as living & sleeping rooms.

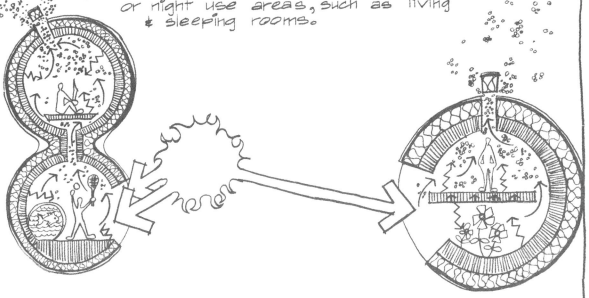

열 층상화는 액체에서 또는 가스 볼륨에서 온도의 층이다.: 즉 온도는 올라갈 때 높은 곳에 더 높은 온도가 생기며 바닥에는 더 낮은 온도가 나타난다. 열이 층상화 되는 이런 경향은 많은 패시브 디자인에서 근사하게 이루어진다. 간접 가열은 햇볕이 뜨겁게 부딪치는 공간에서 열에너지가 전도, 대류, 복사에 의해 흘러 영향을 받는 것이다.

이와 같은 온도 요소의 타입은 특별히 거실이나 침실 같은 활동이 적은 야간 사용 면적을 가열하는 데에 적합하다.

STRATIFICATION   층상화

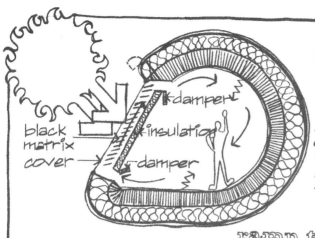

An open CONVECTION collector LOOP system allows a dark surface, plate, or matrix to heat up & transfer heat to the surrounding air. The heated air rises up the collector & enters into a space, providing immediate space conditioning & heat distribution throughout the interior.

black matrix cover → damper insulation damper

ramp type

With the mass wall type, the heated masonry mass will radiate heat when the sun no longer shines. It is important to integrate flow control devices in order to prevent reverse action at night & to allow control of the heat gain. These systems are suitable for day use facilities. The solar masonry wall mass also works well in distributing heat over 24 hours & is ideal in cold climates with dependable sun.

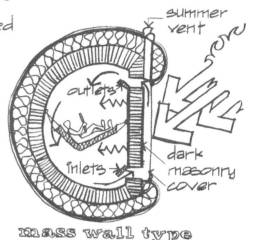

summer vent
outlets
inlets
dark masonry cover

mass wall type

경사로 타입

개방 대류 수집기 루프시스템은 주변 대기에 열 상승과 열전달을 위해 짙은 표면, 플래이트 또는 매트릭스 재료가 쓰인다. 가열된 공기는 내부를 관통해 즉각적인 공간조건을 만들며 열분산을 시키며 수집기를 올라가서 대기로 빠진다.

매스 벽 타입

매스 벽체 타입에서 가열된 벽돌 매스는 햇볕이 더 이상 없을 때 열을 방사할 것이다. 열 흐름 조절 장치들은 밤중에 역으로 작용할 수 있고 습득열을 조절하는데 매우 중요하다. 이런 시스템은 낮 동안 사용 설비로 적합하다. 태양열 적립조적벽체는 또한 24시간 열 분산에 잘 작용하며 태양에 의존하는 추운기후에 이상적이다.

AIR CONVECTION LOOP **공기 대류 루프**

An insulated solar trough with a transparent cover & a metal-mesh matrix will permit air to rise by convection, picking up heat as it tumbles up the ramp to exit at the top. The heated air then flows through a low friction storage mass of water containers or rock, where it transfers its heat & falls as it cools to return to the bottom of the collector.

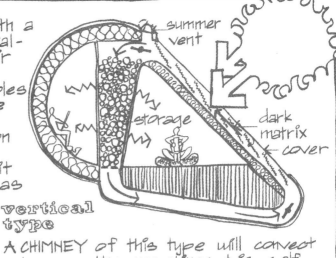

vertical type

A CHIMNEY of this type will convect whenever the sun shines & is self-balancing, going faster or slower as the intensity of the sun varies. It is important to prevent reverse action at night by control dampers & to cover or vent the chimney during summer. Proper proportioning of collector cross-section & area to storage position & volume can be determined by scale-model trial & error.

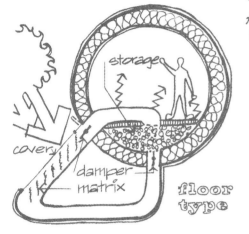

floor type

수직형 타입

투명 커버와 철망 메쉬를 통해 차단된 태양은 공기가 대류에 의해 올라가도록 허용할 것이며 그때 꼭대기로 빠져나가기 위해 램프로 회전해 올라갈 때 열을 채취할 것이다. 그다음 가열된 공기는 물통이나 바위로 된 낮은 저항매체를 통해 흐른다. 거기서 공기는 그 열을 전달하고 내려와 차가워져 수집기 바닥으로 돌아온다.

바닥 타입

이 타입의 연도는 해가 비출 때는 언제나 전도할 것이며, 태양의 강도가 변하면서 더 빠르게 또는 더 천천히 진행하며 스스로 균형을 이룬다. 중요한 것은 조절 댐퍼에 의해 밤에는 역작용을 막는 것이다. 그리고 여름에는 연도를 덮거나 통기 시킨다. 수집기의 저장위치와 용적대 단면적의 적절한 비율은 스케일-모델의 시험과 오차로 결정될 수 있다.

AIR CHIMNEY LOOP 공기 연도 루프

CONVECTION DIRECTION can be controlled throughout a structure by ducting, damper controls, & air flow passages. Another control idea is to allow the thermal properties of different heat-storage masses to regulate convective flow to various spaces.

By placing storage mass (such as water-filled, black steel drums) with greater specific heat, conduction, absorption, or mixing values in one space & a material with lower values (such as brick masonry) in another, heated air will first seek out the best absorbing mass when free convective flow is allowed. When the water achieves a uniformly higher temperature than the masonry, the heat will then flow to the mass with the next lowest temperature.

The proper use & placement of phase-change materials, super-conductors, or heat pipes could dramatically influence convection direction & heat storage distribution.

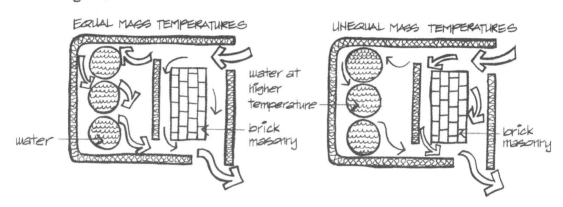

EQUAL MASS TEMPERATURES

UNEQUAL MASS TEMPERATURES

water

water at higher temperature

brick masonry

brick masonry

대류 방향은 닥트 설치, 댐퍼 컨트롤, 공기 흐름 통로에 의한 구조물을 통해 조정될 수 있다. 또 다른 컨트롤 아이디어는 다양한 공간으로 대류 흐름을 억제하는 다른 열 저장 매체의 열적 특성이 조절되는 것이다.

한 공간 또는 더 낮은 값(벽돌벽 등)을 가진 재료 안에 더 큰 비열, 전도, 흡수 또는 혼합 값을 가진 저장매체(물채움, 검은색 철 드럼통 등)를 배치함으로써, 가열된 공기는 자유로운 대류가 허용 될 때 가장 좋은 흡수매체를 먼저 찾는다.
물이 벽돌보다 균일하게 더 높은 온도에 도달할 때, 그 열은 가장 낮은 다음 매체로 흐를 것이다.

상 변화 물질, 초전도체 또는 히트 파이프의 적절한 사용과 배치는 대류 방향과 열 저장 분포에 큰 영향을 줄 수 있을 것이다.

DIRECTING CONVECTION 직접적인 대류

GRAVITY CONVECTION is a handy term for describing the rising of heated air & the falling of cooled air in a heat-transfer loop. It can be visualized in a system which distributes heat to isolated thermal-storage mass or to rooms that do not have direct solar or conductive-heat gain.

Every structure experiences gravity convection in some way. The trick is to allow the associated heat motion to naturally distribute incoming heat where it is needed.

중력 대류는 가열된 공기의 상승 및 열전달 루프에서의 냉각된 공기의 하강을 묘사하는 편리한 용어이다.

직접 태양열이나 대류열 습득은 격리된 열매체나 방에 열이 분산되는 시스템은 시각화될 수 있다. 모든 구조물은 어떤 면에서 중력 대류를 경험한다. 그 트릭은 필요한 곳에 들어오는 열을 자연적으로 분배하기 위해 관련된 열의 움직임을 허용한 것이다.

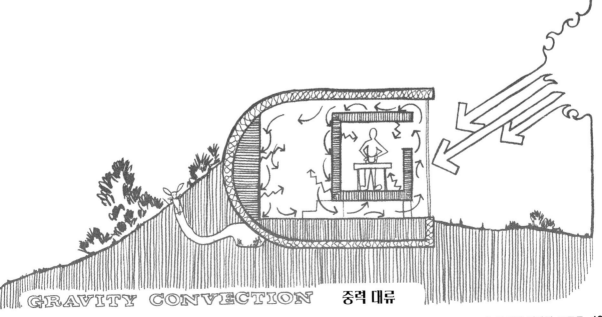

GRAVITY CONVECTION 중력 대류

Flat-plate LIQUID collectors, as
in water heating systems, can
THERMOSIPHON (convect) naturally.
By placing a storage tank inside
a space or running a large
diameter tubing grid in a floor
mass, such as sand, earth, or
concrete, the fluid heated in the
collector will rise & circulate
through the storage mass. It
loses heat to the mass as it
travels, cooling & falling to
return to the bottom of the
collector.

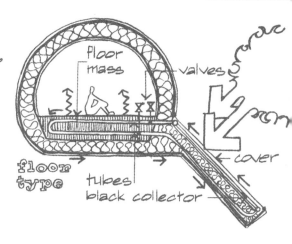

floor type
floor mass
valves
cover
tubes
black collector

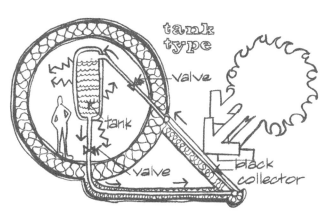

tank type
valve
tank
valve
black collector

Tubing sizes must be large to
minimize friction loss, thus
encouraging convection. Check
or control valves may be
required to prevent reverse
siphon at night. Collectors
should be covered or drained
& vented in summer to prevent
self-destruction. In cold
climates an antifreeze solution
must be used.

물가열 시스템처럼 평판 액체 수집기는 자연적으로 열사이폰(대류)이 된다. 공간
내 저장탱크를 놓거나 모래, 흙 또는 콘크리트와 같은 바닥 공간 안에 저장 탱크
를 배치하거나 큰 지름의 관을 배치함으로써 수집기내 가열 된 액체는 저장매체
내에서 상승하고 순환할 것이다. 액체는 순환할 때 매체에 열을 잃고, 냉각, 하강
되어 바닥으로 돌아온다.

마찰 손실을 최소화해서 대류를 촉진할 수 있도록 배관 크기가 커야 한다. 체크밸
브와 조절밸브는 밤에 역방향 사이펀을 방지하기 위해 필요할 수 있다. 수집기는
여름에 자체파손 방지를 위해 커버를 하거나, 물을 빼고 통기 되어야 한다. 추운
기후에서는 동파 방지책이 반드시 필요하다.

LIQUID THERMOSIPHON 액체 열 사이폰

one-way valve

control damper

one-way flapper

Loss of collected solar energy can happen by reverse convection or BACK SIPHONAGE. Natural convection liquid or air collectors can reverse their normal flow direction at night & actually lose more energy to the outside than they collect. One way of preventing this is by proper elevation of the heat storage mass above the collector. Sometimes it is difficult to predict if reverse flow will occur without experimentation. Also, the greater the temperature differential between storage mass & outdoor air, the greater the potential for the heat to migrate out.

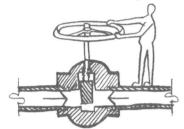

Another way to prevent reverse action is to install one-way valves or dampers on the hot flow line into storage. These can be either automatic or manual. One-way flow valves & lightweight gravity dampers will operate without power — one less thing to remember or maintain. If these controls are closed during solar collection time, bypass loops or venting should be incorporated to prevent collector self-destruction.

수집된 태양 에너지의 손실은 역대류 또는 역사이펀에 의해 발생할 수 있다. 자연적 대류 액체 또는 공기 수집기는 야간 정상 흐름 방향이 역류될 수 있으며 실 수집 열보다 외부로 더 많은 열을 손실한다. 이를 방지하는 한 가지 방법은 집열기 위의 열 저장 매체를 적절히 높이는 것이다. 때로 역류가 실험 없이 발생하는지를 예측하는 것이 어렵다. 또한 저장 매체와 외기 간 온도차가 클수록 열의 이동 가능성이 더 커진다.

역 작용을 방지하는 또 다른 방법은 저장고 내 열 흐름 라인에 단방향 밸브 또는 댐퍼를 설치하는 것이다. 이것은 자동 또는 수동일 수 있다. 단방향 흐름 밸브와 경량 중력 댐퍼는 전원 없이 작동한다. — 기억하거나 유지할 일이 적다. 이러한 제어가 태양열 수집 시간 동안 닫힌다면, 수집기 파괴를 방지하기 위해 바이 패스 루프 또는 배출 장치를 통합시켜야 한다.

BACK SIPHON　　역 사이폰

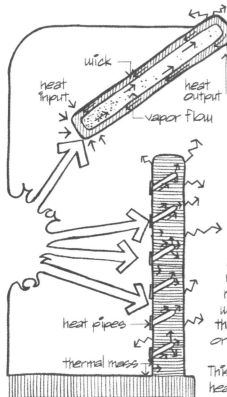

The HEAT PIPE is a sophisticated passive device for transferring heat from one point to another. It consists of a sealed tube which is evacuated & partially filled with a working fluid, such as Freon*. When heat is applied to one end of the tube some of the fluid evaporates & expands, flowing to the unheated end where it releases latent heat by condensing. The condensed fluid returns to the point of heat gain via a wick in a constant flow, heat-transfer loop.

The heat pipe is self-balancing; the more heat applied the faster it works. Since gravity is necessary for fluid flow-back, a slight tilt is required; otherwise, if leveled or tilted the wrong way, the fluid will not flow back for more heat. Thus, the process is uni-directional & will not reverse or lose stored heat.

This tool can be used effectively to conduct & bury heat deep inside a thermal mass where it needs to be stored, quickly removing incoming heat from a space. Getting heat into storage can prevent overheating & greatly increase heat distribution.

There are many potential uses for heat pipes in passive systems.

열 파이프는 한 지점에서 다른 지점으로 열을 전달하기 위한 정교한 패시브 장치이다. 이것은 진공 처리된 튜브나 부분적으로 후레온 같은 작동 액체로 채워진 밀폐 된 튜브로 구성되어 있다. 튜브의 한쪽 끝에 열이 가해질 때 유체의 일부가 증발 및 팽창하여 응축에 의해 잠열을 방출하는 비 가열 단부로 흐른다. 응축된 유체는 일정한 흐름의 열전달 루프에서 심지를 통해 열 이득 지점으로 되돌아간다.

열 파이프는 자체 균형을 유지한다.; 더 많은 열을 가하면 더 빨리 작동한다. 유체의 역류에는 중력이 필요하기 때문에 약간의 기울기가 필요로 한다.
그렇지 않고 평평하거나 틀린 방향으로 기울이면 유체가 더 많은 열을 위해 뒤쪽으로 흐르지 않는다. 따라서 이 과정은 단방향이며 저장 열을 거꾸로 하거나 잃지 않는다.

이 도구는 저장해야하는 열매체 내부의 열을 효율적으로 전도 및 보급하고 공간에서 유입되는 열을 신속하게 제거하는 데 효과적으로 사용될 수 있다. 저장고에 열을 가하면 과열을 방지하고 열 분배를 크게 증가시킬 수 있다.

패시브 시스템에서 열 파이프는 많은 잠재적인 용도를 가지고 있다.

HEAT PIPES 열 파이프

태양 에너지를 수집하고 분배하기 위해 자연적 물리적 특성에 의존하는 또 다른 장치는 열 다이오드(Thermic Diode) 쏠라 패널이다. 각 패널은 태양열 집열을 위한 얇은 외부 층과 두꺼운 내부 저장 층으로 구성되며, 둘 다 물로 채워지고 단열재로 분리된다. 외부 집수 표면이 가열됨에 따라 물이 상승하여 독특한 단일 방향 흐름 밸브를 통해 축열 층으로 흐르게 된다. 이 오일 및 물로 채워진 밸브는 패널 디자인의 주요 특징이다. 언제든 에너지가 이용 가능하고 축열 층이 수집기 표면보다 차가울 때마다 열전달이 일어난다. 그러나 에너지를 수집할 수 없는 경우 밸브는 가열 저장 장치 역류 방지 및 외부로의 열 손실을 방지한다.

내부에서 외부로 방향 흐름을 변경함으로써 열 다이오드 쏠라 패널을 냉각에 사용할 수 있다. 이 장치는 또한 광범위한 응용 분야에 큰 잠재력을 제공한다.

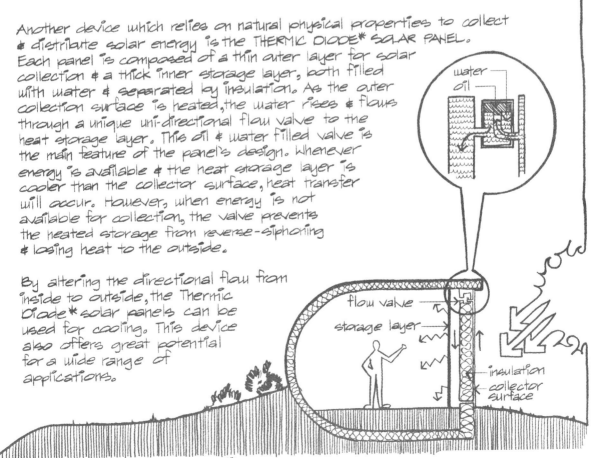

Another device which relies on natural physical properties to collect & distribute solar energy is the THERMIC DIODE* SOLAR PANEL. Each panel is composed of a thin outer layer for solar collection & a thick inner storage layer, both filled with water & separated by insulation. As the outer collection surface is heated, the water rises & flows through a unique uni-directional flow valve to the heat storage layer. This oil & water filled valve is the main feature of the panel's design. Whenever energy is available & the heat storage layer is cooler than the collector surface, heat transfer will occur. However, when energy is not available for collection, the valve prevents the heated storage from reverse-siphoning & losing heat to the outside.

By altering the directional flow from inside to outside, the Thermic Diode* solar panels can be used for cooling. This device also offers great potential for a wide range of applications.

water
oil

flow valve
storage layer
insulation
collector surface

THERMIC DIODE* SOLAR PANELS 열 다이오드 쏠라 패널

REFLECTION of solar energy onto collection surfaces can boost the amount of incident radiation on a fixed area. A surface with high reflectivity, such as polished aluminum or white crushed rocks, can reflect approximately 80 percent of the incident radiation. A white roof or light-colored slab in front of a collection surface can also reflect a significant quantity of radiant energy. This approach can effectively reduce collection area by increasing the energy striking the collection surface.

When reflectors act as exterior insulating or shading devices, cost reduction & increased flexibility is possible. A reflector that is adjustable can adapt to various sun angles & seasonal demands.

집열 표면에 태양 에너지를 반사하면 고정된 면적의 입사 방사선 양을 증가시킬 수 있다. 유광의 알루미늄 또는 백색의 부서진 암석과 같이 반사율이 높은 표면은 입사 방사선의 약 80%를 반사할 수 있다. 집 지붕 표면의 흰색 지붕이나 밝은 색 슬래브는 상당량의 방사 에너지를 반사시킬 수 있다.

이 접근법은 수집 표면을 부딪치는 에너지를 증가시킴으로써 수집 면적을 효과적으로 줄일 수 있다.

반사기가 외부 절연 또는 음영 장치로 작동할 때, 비용 절감 및 유연성이 증가될 수 있다. 조절 가능한 반사기는 다양한 태양 각과 계절적 요구에 적응할 수 있다.

REFLECTION   반 사

Collection surfaces exposed to direct sunlight should absorb a maximum amount of energy. Various COLORS will absorb different amounts of light. Black will not reflect any colors & will absorb nearly all light (90-98%). Conversely, white will reflect nearly all wavelengths, absorbing little (15-40%). All other colors are somewhere in between, in proportion to their shade, darkness, pigment, value, or tone.

Facetted or finned surfaces are desirable for the transfer of heat to or from a transport fluid, as in a heat exchanger, air collector, or solar masonry wall. Perforated or folded surfaces, such as metal mesh or corrugated metal, permit a maximum of surface area for a minimum of collector area. Once sunlight has been absorbed & is reradiated as long waves, it is blind to color; white will absorb as readily as black.

Darkened metallic surfaces generally conduct incoming solar energy most effectively, getting heat away from the surface & into the transfer fluid. The cooler the collection surface, the better the efficiency for absorbing incident solar heat.

color absorption of solar radiation

white 15-40, yellow 50-70, red 65-80, black 85-98

직사광선에 노출된 집광 표면은 최대한의 에너지를 흡수해야 한다. 다양한 색상은 서로 다른 양의 빛을 흡수한다. 검은색은 어떤 색의 빛도 반사하지 않고 거의 모든 빛을 흡수한다(90~98%). 반대로 흰색은 거의 모든 파장을 반사하여 거의 흡수하지 않는다(15~40%). 다른 모든 색상은 음영, 어두움, 색소, 가치 또는 색조에 비례해 중간쯤에 있다.

다듬은 면이 잔 표면은 열 교환기, 공기 수집기 또는 태양열 벽과 같이 열교환 유체와의 열전달에 바람직하다. 메탈 메쉬나 골강판과 같이 천공되거나 접힌 표면은 최소 수집기 면적을 위한 최대 표면적을 허용한다. 일단 햇빛이 흡수되어 장파로 재사용되면 색에는 무관하다.: 즉 흰색도 검은 색만큼 쉽게 흡수될 것이다.

어두운 금속 표면은 일반적으로 들어오는 태양 에너지를 가장 효율적으로 전도하여 열을 표면에서 이동 유체로 이동시킨다. 수집 표면이 차가울수록 입사되는 태양열 흡수 효율은 더 높아진다.

SURFACE COLOR & TEXTURE 표면 색채와 질감

방열판은 열에너지가 버려지거나 저장되는 장소에 대한 공학 전문 용어이다. 태양에너지 공동체는 이 용어를 사용하여 수집된 태양열이 필요할 때까지 어디에 저장되는지 나타낸다.

열 스펀지, 태양 전지 및 보온 장치는 다른 설명적인 단어이다. 패시브 디자인에 가장 적합한 용어는 열 저장고 또는 열 매체이다.
당신이 그것을 무어라 불러도 모든 솔라시스템은 태양열이 흡수되고 또 필요할 때까지 설치장소가 필요하다.

저장 용량과 비용 효율성을 고려하여 열 저장량을 선택해야 한다.
그것은 빌딩의 구조적 또는 비 구조적 부분일 수 있다. 어떤 경우에도, 열 저장은 열 손실을 이용하기 위해 구조조직 또는 구조물 내부나 그 밑에 내포되어야 한다. 일단 선택되고, 크기와 설치가 완료되면 이상적 저장은 테스트될 때까지 가변적이어야 한다. 지나치게 적거나 너무 많은 열 매체는 건물이 너무 빨리 데워지거나 완전히 데워지지 않는 등, 건물이 고르지 않게 작동할 수 있다.

열 저장

HEAT SINK is engineering jargon for a place where heat energy is dumped or stored. The solar energy community uses this term to denote where collected sun heat is stored until needed.

HEAT SPONGE, SOLAR BATTERY,* & HEAT RESERVOIR are other descriptive words. The terms most fitting for passive design are HEAT STORAGE or THERMAL MASS. Whatever you call it, every solar system needs a place where the sun's heat can be absorbed & held until needed.

HEAT STORAGE MASS should be selected for its storage capacity & cost effectiveness. It can be either a structural or nonstructural part of the building. In any case, thermal storage should be contained within the fabric of the structure, or below it, in order to make use of lost heat. Once selected, sized, & installed, ideally the storage should remain variable until tested. Too little or too much thermal mass can cause a building to perform unevenly, by heating too quickly or never heating completely.

too much heat storage can be too much of a good thing.

THERMAL MASS 열 매체

heat storage

열 관성은 재료나 구조물의 열작용으로 생각할 수 있다. 역학에서의 플라이휠 효과는 매체/속도의 상호 작용 공리로 묘사한다. "움직이는 물체는 계속 움직이는 경향이 있다." 뭔가에 부딪치기 전에는! 무거운 플라이휠은 그 타성으로 기계의 속도를 동일하게 하는 경향이 있다.

열 저장 장치는 열적 플라이휠의 역할을 할 수 있다. 큰 열 매체 있는 단열된 구조물이 70°F에서 10,000,000BTU를 가지고 있다면, 수십만 BTU의 추가나 손실로 인해 내부 온도가 지나치게 많이 변하지는 않는다. 이 개념은 가열 및 냉각 모두에 대해 가능하다.

전통적인 진흙 벽돌 구조는 외부 단열 없이도 벽을 통한 열 손실과 습득을 동일하게 하는데 이 효과를 이용한다. 진흙벽돌은 장기간에 걸쳐 외부의 덥고 찬 작용을 분산시킴으로써 내부의 극단적 온도를 완화시킨다.

THERMAL INERTIA can be thought of as the heat action of a material or a structure. A flywheel effect in mechanics is the mass/velocity interaction that illustrates the axiom, "an object in motion tends to stay in motion," until it hits something! A heavy flywheel by its momentum tends to equalize the speed of machinery.

Heat storage can act as a thermal flywheel. If an insulated structure with a large thermal mass contains 10,000,000 BTU's [2,519,900,000 cal] at 70°F [21°C], the addition or loss of a few hundred thousand BTU's will not vary the inside temperature too much. This concept has a potential for both heating & cooling.

Traditional adobe structures utilize this effect, even without exterior insulation, to equalize heat loss & gain through a wall. By spreading the action of exterior hot & cold over a long period of time the adobe reduces interior temperature extremes.

THERMAL INERTIA

열 관성

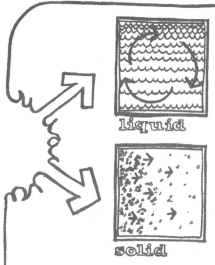

liquid

solid

MATERIAL	CONDUCTIVITY (K) BTU-IN/HR/FT²/°F
adobe	4.0
brick	5.0
concrete	12.0
earth	6.0
sand	2.3
steel	310.0
stone	10.8
water	4.1
wood	0.8

The way in which a storage material absorbs heat & distributes it throughout its mass is important. Concrete can hold a lot of heat. However, because it CONDUCTS energy, it takes a relatively high or sustained temperature differential to penetrate throughout. Water, on the other hand, will absorb & MIX heat more effectively because it conducts & convects. As sunlight strikes a water container, the molecules at the surface are heated; they then rise & are replaced by cooler molecules. The net effect is distribution of heat throughout the container. But heat stratification can cause temperatures to vary up to 50°F [28°C] from top to bottom.

The higher the conductivity of a material, the greater its ability to absorb heat & distribute it throughout its mass. A material of high conductivity, which may be good for thermal storage, is a poor insulator — heat storage mass alone should not be considered as insulation.

저장 재료가 열을 흡수하고 그 매체 전체로 분산시키는 방법은 중요한다. 콘크리트는 많은 열을 견딜 수 있다. 그러나 그것은 에너지를 전달하기 때문에, 상대적으로 높거나 지속된 온도차가 필요하다. 반면에 물은 전도되고 대류 되기 때문에 열을 효과적으로 흡수하고 혼합한다. 햇빛이 물 컨테이너에 닿으면 표면의 분자가 가열된다.; 그다음 그들은 상승하고 더 차가운 분자로 대체된다. 그 순 효과는 컨테이너 전체의 열 분포이다. 그러나 열 층상화로 인해 온도가 상부에서 바닥까지 50°F°(28℃)까지 변할 수 있다.

재료	전도성(K) BTU-IN/HR/FT²/°F
흙벽돌	4.0
벽돌	5.0
콘크리트	12.0
지반	6.0
모래	2.3
철	310.0
돌	10.8
물	4.1
나무	0.8

재료의 전도도가 높을수록 열을 흡수하고 매체를 통해 분포시키는 능력이 커진다. 열 저장에 좋을 수도 있는 전도성이 높은 재료는 빈약한 단열체이다. — 열 저장매체만이 단열 처리되어서는 안 된다.

CONDUCTIVITY & MIXING 대류와 혼합

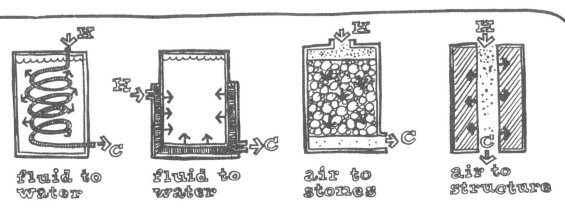

fluid to water   **fluid to water**   **air to stones**   **air to structure**

Where direct gain into a conditioned space is impractical or in colder climates where water freezes, solar heat must be transferred from one place or material to another by HEAT EXCHANGE. A heat exchanger can transfer energy from a nonfreezing fluid (antifreeze, air) to a storage material (water, stone, concrete, etc.). An exchange surface should have adequate exposure area of the heated transfer fluid to allow a maximum heat flow. With liquid exchangers a low corrosive piping, such as copper or plastic, should be used. Air collectors do not require expensive piping & can effectively exchange heat to rocks, sand, earth, water, & structural mass. In all natural convection systems, the heated transfer fluid must enter the exchanger at the highest point & exit low.

공조 공간에 직접 습득은 비실용적이고 또는 물이 어는 더 추운 기후 지역에서는 태양열이 열교환에 의해 한 장소나 재료에서 다른 곳으로 옮겨져야 한다. 열교환기는 부동 유체(부동액, 공기)에서 저장고 재료(물, 석재, 콘크리트 등)로 에너지를 전달할 수 있다. 교환 표면은 최대 열 흐름을 허용하기 위해 가열된 이송액의 적절한 노출 영역을 가져야 한다. 액체 교환기에는 구리 또는 플라스틱과 같은 부식성이 낮은 배관을 사용해야 한다. 공기 수집기는 값비싼 배관을 필요로 하지 않고 효과적으로 암석, 모래, 흙, 물 및 구조 매체에 열을 교환할 수 있다. 모든 자연 대류 시스템에서 가열 된 전달 유체는 가장 높은 고온에서 교환기에 들어가 낮은 저온에서 나와야 한다.

HEAT EXCHANGE   열 교환

Thermal storage mass can be used two ways = STRUCTURALLY & NONSTRUCTURALLY. Structural mass, which helps to hold a building up, can act as heat storage. This approach is appealing for new construction; the double investment of both building fabric & heat storage can take advantage of gracefully integrating two functions at once. Massive structural elements, such as stone, concrete, brick, & adobe, when thoughtfully placed & properly insulated, can successfully fulfill heat storage in passive solar design.

Nonstructural thermal storage is useful for refitting existing buildings, increasing or decreasing thermal capacity of any building, or permitting seasonal flexibility. Nonstructural elements, such as barrels of water or fiberglass water tubes, should not be installed where they are likely to be subjected to snow, earthquake, wind, or structural loading. Any heavy mass should always be adequately supported at the top & bottom.

열 저장 매체는 두 가지 방법으로 사용할 수 있다. — 구조적 및 비구조적으로. 건물을 지탱하는 데 도움이 되는 구조 매체는 열저장 장치로 작용할 수 있다. 이러한 접근 방식은 새로운 건설로 호소력이 있다.; 건물 구체와 열 저장고의 이중 투자는 두 기능을 한 번에 원활하게 통합할 수 있다. 돌, 콘크리트, 벽돌 및 흙 벽돌로 된 대형 구조 요소는 철저히 배치되고 적절히 단열될 때 패시브 솔라 디자인에서 열 저장을 성공적으로 만족시킬 수 있다.

비 구조식 열 저장고는 기존 건물을 재구성하거나 건물의 열용량의 증감 시 또는 계절적 유연성을 허용하는데 유용하다. 눈이나 지진, 바람 또는 구조적 하중을 받을 가능성이 있는 곳에 물 또는 유리 섬유 수관과 같은 비 구조물 요소를 설치하면 안 된다. 무거운 매체는 항상 상단과 하단에 적절히 지지되어야 한다.

supports building   supports itself

STRUCTURAL & NONSTRUCTURAL   구조적과 비구조적

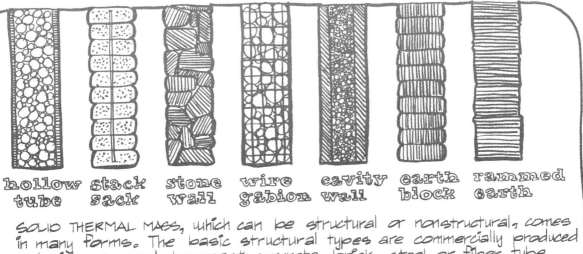

hollow tube   stack sack   stone wall   wire gabion wall   cavity wall   earth block   rammed earth

SOLID THERMAL MASS, which can be structural or nonstructural, comes in many forms. The basic structural types are commercially produced materials — poured & precast concrete, brick, steel or fiber tube containers, adobe blocks, concrete masonry units, etc. Noncommercial materials, such as sand, earth, gravel, clay, stone, etc., can be stacked in plastic & fiber sacks, compacted, used to fill wall cavities contained in wire gabions, or laid to make a wall. They provide low-cost, energy-efficient storage. Perforated or porous stone walls, tubes with rocks, & rock-filled gabions can act as thermal wicks by convecting warm air through the voids & across all surfaces, distributing heat throughout the mass.

low energy is good energy!

구조적 또는 비구조적일 수 있는 고체 열매체는 여러 형태가 있다.

기본 구조 유형은 상업적으로 생산되는 재료로 — 주조 및 프리 캐스트 콘크리트, 벽돌, 철 또는 섬유 튜브 용기, 흙 블록, 콘크리트 벽돌 등.

모래, 흙, 자갈, 점토, 석재 등과 같은 비상업적인 재료는 플라스틱 및 섬유 자루에 쌓아 넣거나 압축하여 철사 망에 넣어 빈 벽을 채우거나 벽을 만들기 위해 사용할 수 있으며, 저비용, 에너지 효율적인 저장 공간을 제공한다. 천공된 또는 다공성의 돌담, 바위 내 튜브 및 암석으로 채워진 돌망태는 공극을 통해 또 모든 표면에서 따듯한 공기를 대류 시킴으로 공간 전체에 열을 분산시켜 열적 약점으로 작용할 수 있다.

SOLID THERMAL STORAGE   **고체 열저장**

액체–열 저장 용기는 특별한 배려가 필요하다. 무한히 다양한 용기에 담아 보관할 수 있는 물, 염수 및 기타 액체는 새 건물과 기존 건물 모두에 저렴하고 유연하며 효율적인 대량 열 저장 가능성을 제공한다. 상업적으로 생산되고, 회수되는, 주문형 컨테이너가 사용될 수 있다. 용적 대 비용 비, 장점, 내구성, 수명, 구조적 능력, 배수 및 채우기 용이성, 수리 및 교체 비용을 고려해야 한다.

드럼, 탱크, 파이프, 캔, 배수관과 같은 금속용기는 전해 작용을 방지하기 위해 균질하거나 호환 가능한 물질이어야 한다. 녹스는 것을 방지하기 위해 부식 억제제를 금속제 물 용기에 첨가해야 한다. 소금물 및 기타 부식성이 높은 액체는 부식 방지 용기에 넣는다. 어떤 용기라도 손실과 증발을 막기 위해 공기가 밀폐 봉인되어야 한다.
건축물 내부의 열 저장 물질로 가연성, 유독성 유체를 사용하지 말라.

유리 및 플라스틱 단지, 용기 및 병은 수시로 수집하여 버린 후 폐열 용기로 재활용할 수 있다. 쓰레기통, 벽, 칸막이, 밑바닥에 두거나, 열이 도달할 수 있는 곳에 놓길 바란다.

LIQUID-THERMAL STORAGE vessels deserve special consideration. Water, brine, & other liquids that can be held in an infinite variety of containers offer cheap, flexible, & efficient mass heat storage possibilities for both new & existing buildings. Commercially produced, salvaged, & custom-built containers can be used. One should consider cost-to-volume ratio, attractiveness, durability, lifetime, structural ability, ease of draining & filling, patching & replacement.

Metal containers, such as drums, tanks, pipes, cans, culverts, etc., should be of homogeneous or compatible materials to prevent electrolytic action. Corrosive inhibitors should be added to metal water vessels to prevent rusting out. Salt brine & other highly corrosive liquids belong in corrosion-proof containers. Any vessel should be sealed airtight to prevent loss by evaporation. Avoid using flammable & highly toxic fluids as heat storage inside a building.

The glass & plastic jars, jugs, & bottles that you've been collecting from time to time & then throwing away can be recycled as heat sink containers. Place them in bins, walls, partitions, under floors, or anywhere heat can get to them.

LIQUID-THERMAL STORAGE

액체–열 저장

플라스틱 멤브레인은 대부분 어떤 구조적 빈 공간을 채우기 위해 방수 백으로 만들 수 있다. 수명이 긴 플라스틱을 선택하고 햇빛에 장기간 노출을 피하라. 자외선은 대부분의 플라스틱을 분해한다. 내부 튜브, 물침대, 날씨 풍선 및 물병과 같은 유연한 공기주머니는 목재나 지형으로 지지될 수 있다.

유리 섬유 탱크와 튜브는 회반죽으로 잘 정리되고 칠해지며 커버되고, 근사한 표면으로 가려질 수 있다.

파이프, 우물 통, 배수관, 탱크 등과 같은 많은 방수 용기는 용적당 합리적 가격으로 구입될 수 있다. 온수 히터, 프로판 탱크 등은 때때로 주문이 자유롭다.; 즉 당신이 그 용도를 찾을 때까지 집으로 가져가 당신 마당에 흩트려 놓아라. 당신의 상상력이 유일한 한계이다.

Plastic membrane can be made into water-tight bags to line most any structural cavity. Select long-life plastics, & avoid prolonged exposure to sunlight, as ultraviolet degrades most plastics. Flexible bladders, such as inner tubes, waterbeds, weather ballons, & hot-water bottles can be supported by wood or earth forms.

Fiberglass tanks & tubes can be nicely arranged, painted, covered with plaster, or screened to create attractive surfaces.

Many waterproof containers, such as pipe, well casing, culverts, tanks, etc., can be purchased at reasonable cost per volume. Salvaged pressure & shipping vessels, such as water heaters, propane tanks, etc., are sometimes free for the asking; take them home & clutter up your yard until you find a use for them. Remember, your imagination is the only limit.

When materials change from a solid to a liquid state and vice versa, they change phase. The best known PHASE-CHANGE material is water, which becomes ice at 32°F [0°C]. Phase change involves the absorption or release of large quantities of heat energy. For instance, to change 1 lb. [or 1 g] of water from 36 to 35°F [or 1°C], only 1 BTU [or 1 cal] of energy is released. But to go from water to ice or from 33 to 32°F [or from 1 to 0°C], 143 BTU's [or 79.8 cal] are necessary. Thus, a large quantity of latent heat is absorbed or released within the narrow temperature range of phase change.

Eutectic salts change from solid to liquid at various specific temperatures. Salts store a large quantity of heat by volume, around 90 BTU/lb. [50 cal./g.] at phase change, but are usually toxic, corrosive, & have a limited life cycle ability. Thermocrete* & other structural materials containing Glauber's salts offer a tremendous potential for storing heat in the fabric of a building.

물질들은 고체에서 액체 상태로 또는 그 반대로 바뀌면 변화된다. 가장 잘 알려진 상 변화 물질은 물이며 32°F°(0°C)에서 얼음이 된다. 상 변화는 다량의 열 에너지의 흡수 또는 방출을 수반한다. 예를 들어 1g의 물을 36°F°에서 35°F로 변경하려면 단 1BTU[1cal]의 에너지만 방출된다. 그러나 물에서 얼음으로 또는 33에서 32°F[1°C에서 0°C]로 이동하려면 143BTU's[79.8cal]가 필요하다.

$$32°F + Q(143 \text{ BTU}) = 33°F$$

따라서, 큰 양의 잠열은 상 변화의 좁은 온도 범위 내에서 흡수되거나 방출된다.

공용염은 다양한 특정 온도에 고체에서 액체로 변한다. 소금은 상 변화 시 용적당 많은 양의 열, 약 90BTU/ib[50cal/g]를 저장 하지만, 일반적으로 독성, 부식성이며, 생애주기 능력이 제한적이다. Glauber의 소금을 함유한 열 분해재 및 기타 구조재는 건물구체에 열을 저장할 수 있는 엄청난 잠재력을 제공한다.

PHASE CHANGE 상의 변화

Paraffin, which absorbs about 75 BTU/lb.[42cal./g.] upon melting, is a phase-change material. It corrodes, burns, evaporates, changes volume significantly, & should be held in glass containers. All phase-change materials should be tightly sealed to prevent evaporation, with allowance for expansion. Flammable materials should not be installed within habitable structures unless approved by local officials.

MATERIAL	MELTING POINT °F	HEAT OF FUSION BTU/LB.	DENSITY LB./FT.³	HEAT CAPACITY BTU/FT.³
water (ice)	32°	143	62.5	8940
paraffin	35-115°	65-90	48-56	3200-4600
salt hydrates	55-120°	70-110	90-115	7200-9900

Other materials, such as honey, sugars, pitch, tars, etc., might be combined with binders, such as cellulose, sand, metal, or conductive fibers, to change temperature ranges, cycle life, & heat-to-volume ratios. The use of phase-change materials for permanent heat storage is still experimental, & considerable development can be expected. Who knows? Maybe reversible metallized Jello* is the answer!

용융 시 약 75 BTU/lb[42cal]을 흡수하는 파라핀은 상 변화 물질이다. 부식, 화상, 증발, 체적 변화가 심하며 유리 용기에 보관해야 한다. 모든 상 변화 재료는 팽창을 허용하는 증발을 방지하기 위해 단단히 밀봉되어야 한다. 가연성 물질은 지역 공무원이 승인하지 않는 한 거주 가능한 구조물 안에 설치해서는 안된다.

재료	용융점 °F	융합열 BTU/LB.	밀도 LB./FT.³	열용량 BTU/FT.³
물(얼음)	32°	143	62.5	8940
파라핀	35-115°	65-90	48-56	3200-4600
소금수화물	55-120°	70-110	90-115	7200-9900

꿀, 설탕, 피치, 타르 등과 같은 기타 재료는 셀룰로오스, 모래, 금속 또는 전도성 섬유와 같은 결합제와 결합하여 온도 범위, 생애주기 및 용적 대 열처리 비율을 변경할 수 있다. 영구 열저장을 위한 상 변화 물질의 사용은 여전히 실험적이며, 상당한 발전이 기대될 수 있다. 누가 아는가? 어쩌면 뒤집을 수 있는 금속화 된 젤리가 그 답일지도 모른다.

계절 및 매일 열 매체의 격리/노출은 패시브 난방 및 냉방을 위한 필수 기능이다. 난방을 위해 저장 매체는 겨울 태양을 흡수하도록 노출되어야 한다.; 그러나 밤이나 햇볕이 없는 시간에는 외부 열 손실 표면과 격리되어야 한다. 냉각은 더운 여름 태양에서 그 매체를 격리한 다음 밤에 공간 깊이 방사를 위해 외부의 하늘에 노출시킴으로써 역으로 작동한다.

열저장의 격리는 다양한 방법으로 달성할 수 있다.; 단열장치 개폐, 계절적 및 일일 태양 각의 이점을 취하기 위한 매체의 위치, 유연한 차광 장치 및 이동식 폐열 장치들이 포함된다.

제어 장치의 충실한 작동으로 모든 계절에 걸쳐 열저장을 유지할 수 있다.

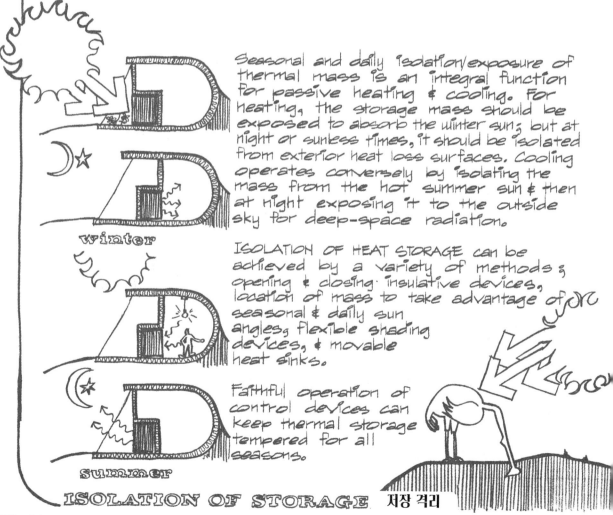

Seasonal and daily isolation/exposure of thermal mass is an integral function for passive heating & cooling. For heating, the storage mass should be exposed to absorb the winter sun; but at night or sunless times, it should be isolated from exterior heat loss surfaces. Cooling operates conversely by isolating the mass from the hot summer sun & then at night exposing it to the outside sky for deep-space radiation.

winter

ISOLATION OF HEAT STORAGE can be achieved by a variety of methods; opening & closing: insulative devices, location of mass to take advantage of seasonal & daily sun angles, flexible shading devices, & movable heat sinks.

Faithful operation of control devices can keep thermal storage tempered for all seasons.

summer

ISOLATION OF STORAGE 저장 격리

Certain areas in a building require different heat demands for functional comfort. Kitchens generate heat all year & can be ~~self-heated~~ in winter, perhaps requiring ventilation in summer. Bedrooms need not be heated above 60°F [15°C] for sleeping comfort. High-activity areas require less heat STORAGE than areas WHERE more passive activities take place. Living rooms NEED heat during the evenings & holidays. Pantries, root cellars, & storage areas should be isolated to subsurface ground temperature. Greenhouses need to be maintained between 50-75°F [10-24°C] for optimum plant growth.

In planning room locations for a building it is prudent to evaluate the heating & cooling needs of each area before attempting functional organization. Heat storage should be located appropriately.

건물의 특정 지역은 기능적 쾌적함에 필요한 열 수요가 다르다.

부엌은 일 년 내내 열을 발생시키며 겨울에는 자체 가열될 수 있다. 아마도 여름에 통풍을 필요로 한다.

침실은 편안한 수면을 위해 60°F[15°C] 이상으로 가열할 필요가 없다. 활동이 많은 지역은 수동적인 활동과 휴식이 있는 곳보다 열저장이 덜 요구된다.

식품 저장실, 지하골방과 저장 구역은 지표 대지 온도와 격리되어야 한다. 최적의 식물 성장을 위해 온실은 50~75°F[10-24°C] 사이로 유지할 필요가 있다.

빌딩의 방 위치를 계획할 때, 기능적 배치를 시도하기 전에 각 지역의 냉난방 요구를 평가하는 것이 현명하다. 열 저장고는 적절하게 위치해야 한다.

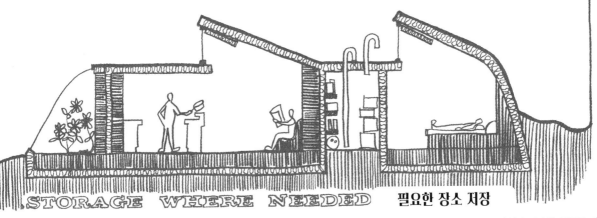

STORAGE WHERE NEEDED 필요한 장소 저장

Thermal mass, as affected by ambient air temperature, can work anywhere within a building for passive heating & cooling. However, ideal location can maximize performance. For heating, a storage mass, regardless of its conductivity, will be most effective when exposed directly to winter sunlight. Interior walls or upper floors are probably the best for heat retention & distribution, as all radiated heat will pass through a living space rather than being lost through an exterior surface or to the ground. Other PLACEMENTS may absorb heat better, hold up the building, or enclose it from the out-of-doors. Ceiling storage can take advantage of thermal stratification, absorbing heat from the air during the day, & radiating it downward at night. Floor storage is nice to the feet.

주변 대기 온도의 영향을 받는 열 매체는 패시브 난방 및 냉방을 위해 건물 내 어디에서나 작동할 수 있다. 그러나 이상적인 위치는 난방성능을 극대화할 수 있다. 난방으로 인해 전도성에 관계없이 저장 매체는 겨울 햇빛에 직접 노출될 때 가장 효과적이다.

내부 벽이나 상부 바닥들의 층은 열 보유 및 분배에 가장 적합하다. 모든 복사열은 외부 표면이나 지면을 통해 손실되지 않고 생활공간을 통과하기 때문이다.

다른 배치가 열을 더 잘 흡수할 수 있거나, 건물을 들어 올리거나, 야외로부터 그것을 둘러쌀 수 있다. 천장 저장고는 열 층상화를 활용하여 낮에는 공기에서 열을 흡수하고 밤에는 아래로 방출한다.

바닥 저장고는 발밑이 좋다.

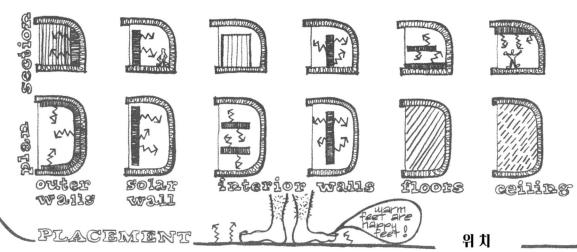

plan section

outer walls · solar wall · interior walls · floors · ceiling

PLACEMENT

warm feet are happy feet!

위치

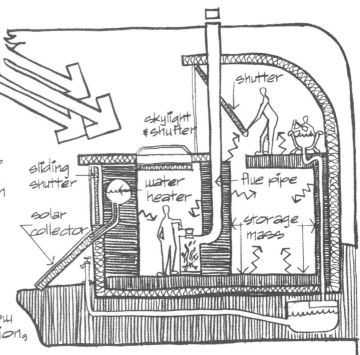

There are several ways of heating interior mass. Direct winter sun, natural convection, stratification, or collectors will all work. Generally, solar absorption surfaces should be dark in color & have sunlight fall on them directly. Heating or emission surfaces can be any color.

For any design, different combinations of thermal mass placements will allow variation in space, function, & heating requirements.

The location of heat generation devices, in or adjacent to thermal storage mass, will help to capture heat that may otherwise be lost. It can equalize the intensity of heat generated, during cooking or backup, by storing some for later. Try to incorporate fireplaces, stoves, water heaters, & hot-water supply & waste lines near or into storage mass.

내부 매체를 가열하는 몇 가지 방법이 있다.

직접적 겨울 태양, 자연 대류, 층상화, 또는 수집기가 모두 작동한다.

일반적으로 태양열 흡수 표면은 색상이 어둡고 햇빛이 직접 닿아야 한다. 난방 또는 방출 표면은 어떤 색상이든 가능하다.

임의의 설계에 대해, 열 매체 배치의 서로 다른 조합은 공간, 기능 및 난방 요구의 변화를 허용할 것이다.

내부나 인접한 열 발생 장치의 위치는 열저장 매체는 그렇지 않으면 손실할 수도 있는 열 손실을 포착하는 데 도움이 될 것이다. 그것은 조리나 백업 도중 생성된 열의 강도를 나중 저장된 열로 균등하게 유지할 수 있다.

벽난로, 스토브, 온수히터, 온수 공급 및 소모는 저장매체 근처나 내부에 할당하라.

winter heating   summer cooling

Thermal ROOF STORAGE mass offers a unique solution to passive heating & cooling. The Skytherm* approach of installing water bags above or below a metal or concrete roof structure takes advantage of a little used exterior surface. By covering & uncovering the thermal mass with movable insulation, buildings in many climates can be totally heated & cooled. This thermal flywheel system distributes heat evenly throughout buildings. It can be manually or automatically controlled & requires little maintenance. Structural loading & the potential of freezing or leaking detract somewhat from the water bag idea. However, water tubes, concrete, or even earth roofs with enough mass & insulation can act in much the same way. Many existing types of structures throughout the world can take advantage of roof mass & movable insulation.

지붕 열저장 매체 패시브 난방 및 냉방에 독특한 해법을 제공한다.

금속 또는 콘크리트 지붕구조 위나 아래에 물 백을 설치하는 스카이덤 접근법은 외부 표면을 약간 사용하는 이점이 있다.

이동식 단열재로 열 매체를 덮고 벗김으로 대부분 기후에서 빌딩을 완전히 가열하고 냉각시킬 수 있다.

이 열 플라이휠 시스템은 빌딩 전체에 고르게 열을 분산시킨다.

그것은 수동 또는 자동으로 제어되며 유지 보수가 거의 필요 없다.

구조적 하중 및 동결 또는 누출의 가능성으로 물 주머니 아이디어는 다소 손해가 된다.

그러나 충분한 매체와 단열된 물 튜브, 콘크리트 지붕 또는 흙 지붕은 거의 같은 방식으로 작용할 수 있다. 세계 도처에 현존하는 구조물 타입들에서 지붕 매체와 이동식 단열 이점을 택할 수 있다.

ROOF STORAGE 지붕 저장

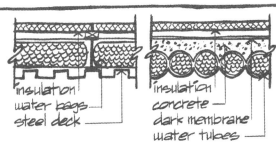
insulation
water bags
steel deck

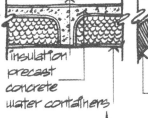
insulation
concrete
dark membrane
water tubes

insulation
precast
concrete
water containers

insulation
dark surface
earth block
vault

An appropriate roof storage system can be devised for most any climate — freezing, rainy, snowy, desert, tropical, etc. Low-cost applications can utilize solid thermal mass, such as sand, earth, or concrete, in combination with manually operated, movable insulation. For more sophisticated applications, automated, movable insulation with salt brine, phase change, or highly conductive storage has infinite possibilities.

For many locations flat roofs are suitable, but in cold northern climates south-facing, sloped roofs will take better advantage of the winter sun & encourage snow slide-off. Placing water tubes on the ceiling under a conductive solid helps conduct radiation to the inside & provides a tough exterior.

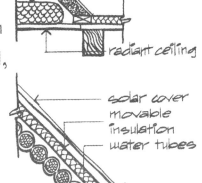
solar cover
movable
insulation
water bags
radiant ceiling

solar cover
movable
insulation
water tubes

적절한 지붕 보관 시스템은 대부분 어떠한 기후에도 고안될 수 있다. — 동결, 강우, 강설, 사막, 열대지역 등.

저렴한 적용 비용으로 모래, 흙 또는 콘크리트와 같은 고체 열 매체가 수동으로 작동하는, 이동식 단열재와 조합으로 이용될 수 있다.

보다 정교한 적용으로, 소금 염수, 상 변화 또는 고전도 저장고로 자동화된 이동식 단열은 무한한 가능성을 가지고 있다.

많은 장소에서 평평한 지붕이 적합하지만 차가운 북부 기후의 남향 경사 지붕은 겨울 태양을 보다 잘 활용하고 눈이 미끄러 내려 권장된다.

전도성 고체 하부 천장에 물 튜브를 두면 내부로 방사 전도에 도움이 되나, 외관이 거칠어진다.

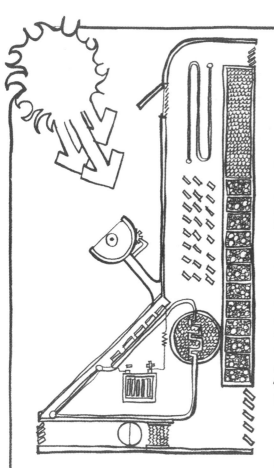

SOLAR FACADES, south facing with winter sun exposure, are popular for their unique ability to take advantage of seasonal solar angles. The mass incorporated behind the solar transmission surface (glass, fiberglass, plastics, one-way materials, collectors, etc.) is in an optimum position for intercepting the sun's energy before it enters the habitation space. Consequently, the mass controls excess light, glare, & heat loss/gain to the interior.

The potential use for solar walls is tremendous. Solar cells, thermal storage, collectors, thermal chimneys, glazing, & many other devices can take advantage of this handy vertical surface. Storage mass, such as solar water walls, solar mass walls, solar battery* tubes, phase-change mass, etc., should be suited to the functional & climatic demands of each structure. It is wise to reserve some surface for future development & ideas.

겨울 햇빛에 노출된 태양 남쪽 정면은 계절적 태양 각도의 장점을 취할 수 있는 우수한 성능으로 인기가 있다.

태양광 전송 표면(유리, 섬유 유리, 플라스틱, 일 방향 재료, 수집기 등) 뒤에 통합된 매체는 주거 공간에 입사 전 태양 에너지를 가로채기 위한 최적의 위치에 있다. 결과적으로 매체는 실내의 과도한 빛, 눈부심, 열 손실/습득을 제어한다.

태양축 벽면에 대한 사용 가능성은 엄청나다. 태양 전지, 열매체, 집열기, 열 통로, 유리 끼우기 및 기타 여러 장치가 이 수직면을 편리하게 활용할 수 있다.

태양 물 벽, 태양 벽 매체, 태양 전지 튜브, 상 변화 매체 등과 같은 저장 매체는 각 구조물의 기능적 및 기후적 요구에 적합해야 한다. 그러나 미래의 개발과 아이디어를 위해 약간의 표면을 남겨놓는 것이 현명하다.

SOLAR FACADES **솔라 파사드**

휴대용 열 저장의 아이디어는 흥미로운 개념이다. 선박은 일조 시간 동안 이상적인 수집 위치에 위치할 수 있으며 공조가 필요해질 때 다양한 실내 공간 쪽으로 향해질 수 있다. 이 과정은 냉각을 위해 되돌릴 수 있다.

대용량 저장 장치를 가장 적합한 곳에 두는 이 방법은 고정 수집기 및 열 저장 장치를 생략할 수도 있어, 건축물 설계를 자유롭게 할 수 있다. 어쩌면 열 저장 장치는 옮길 수도 있고 작동시킬 수 있으며, 심지어는 이웃에게 빌려 줄 수도 있다.

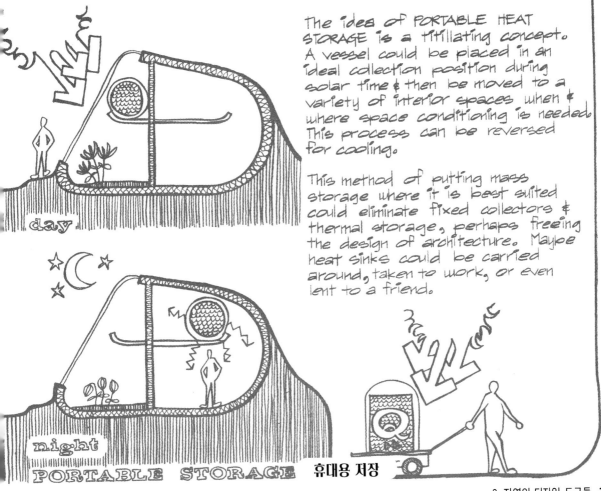

The idea of PORTABLE HEAT STORAGE is a titillating concept. A vessel could be placed in an ideal collection position during solar time & then be moved to a variety of interior spaces when & where space conditioning is needed. This process can be reversed for cooling.

This method of putting mass storage where it is best suited could eliminate fixed collectors & thermal storage, perhaps freeing the design of architecture. Maybe heat sinks could be carried around, taken to work, or even lent to a friend.

day

night

PORTABLE STORAGE

휴대용 저장

The HEAT STORAGE CAPACITY (Qst) is a function of specific heat (c), density (d), & mass per unit volume. When selecting a storage mass, the objective is usually to contain as much heat as possible per unit volume. However, cost, performance, & practicality must be considered. Water, with a specific heat of 1.00, is generally a good choice because it has a high heat-capacity-to-volume ratio (q). Its problem is containment.

MATERIAL	c BTU/lb·°F	d lb/ft³	q BTU/ft³/°F
adobe	0.22	90	20
brick	0.20	120	24
concrete	0.23	150	34.5
earth	0.21	95	20
sand	0.20	110	22
steel	0.12	490	59
stone	0.21	165	34.6
water	1.00	62.5	62.5
wood	0.33	32	10.6

Another material—concrete—is structural; thus, it is attractive, despite a lower heat-capacity-to-volume ratio & high energy cost required for manufacture. Earth, adobe, stone, & sand are excellent choices because they can be structural, don't leak, require little fuel energy to produce, & are dirt cheap!

$$Q_{st} = V \times d \times C \times \Delta t$$

Q_{st} = total heat storage, BTUs
V = volume, ft³
d = density, lb/ft³
C = specific heat constant
Δt = temperature differential, °F

If 10 cubic feet of water rises 8°F during a day, it will have absorbed:

$$Q_{st} = 10 ft.^3 \times 62.5 lb/ft^3 \times 1 \times 8°F = 5,000 \ BTUs$$

열 저장 용량(Qst)은 비열(c), 밀도(d) 및 단위 부피당 매체의 함수이다. 저장 매체를 선택할 때, 그 물체는 보통 단위 부피 당 가능한 많은 열을 품을 수 있는 것이다. 그러나 비용, 성능 및 실용성을 고려되어야 한다. 1.0의 비열을 가진 물은 일반적으로 높은 열용량 대 용적 비율(9)을 가지므로 좋은 선택이다. 문제는 봉쇄이다. 다른 재료—콘크리트—구조적이다.: 따라서, 열 용량 대 부피 비율이 낮고 제조에 필요한 높은 에너지 비용에도 불구하고 매력적이다.

재료	c BTU/lb·°F	d lb/ft³	q BTU/ft³/°F
흙벽돌	0.22	90	20
벽돌	0.20	120	24
콘크리트	0.23	150	34.5
땅	0.21	95	20
모래	0.20	110	22
철	0.12	490	59
석재	0.21	165	34.6
물	1.00	62.5	62.5
목재	0.33	32	10.6

땅, 흙벽돌, 석재 및 모래는 구조적일 수 있고, 누출되지 않으며, 생산에 연료가 거의 들지 않으며, 매우 싸기 때문에 탁월한 선택이다.

$$Q_{st} = V \times d \times C \times \Delta t$$

하루에 10 입방ft³의 물이 8°F 상승하면, 그것은 다음 열량이 흡수되었을 것이다.:

Q_{st} = 열저장 합계, BTUs
V = 용적, ft³
d = 밀도, lb/ft³
C = 비열 상수
Δt = 온도차, °F

$$Q_{st} = 10 ft.^3 \times 62.5 lb/ft^3 \times 1 \times 8°F = 5,000 \ BTUs$$

HEAT CAPACITY 열 용량

구조물에 필요한 열 저장매체량의 크기를 정하는 것은 원하는 성능에 따라 다르다. 패시브 디자인에서 목적은 정상 기상 조건에서 과도 또는 부족한 난방을 최소화하기 위해 적절한 열 매체를 결합하는 것이다. 부적절한 용량으로 한 빌딩이 흡수할 수 있는 것보다 더 많은 열을 얻는다.; 그 효과는 태양 기간 동안은 과난방 되고 태양 없는 기간 동안은 보조난방에 대해 의존해 버리는 것이다. 너무 큰 용량의 구조물은 태양열 충전에 며칠이 걸릴 것이고 막상 필요할 때는 보조난방으로 열을 흡수해야 할지도 모른다.

$$Q_{st} = Q_{hl} \times D$$

Q_{st} = **열저장 합계**, BTU's
Q_{hl} = **하루 열 손실**, BTU's
D = **저장 일수**

적절한 디자인 비율은 일정한 기후에서 태양이 없는 정상적 기간 동안 주어진 일일 열 손실(Q_{hl})을 빌딩으로 운반하기에 충분한 매체이다. 예를 들어, 폭풍이 일반적으로 평균 3일 분다면, 85°F(29°C)까지 충전하면 3일 동안 65°F(18°C) 미만으로 온도가 떨어지지 않도록 충분히 저장하라. 자연에서 종종 더 긴 폭풍이 불어, 3일 후에는 보조난방이 필요할 수 있다. 그러나 대부분의 기후에서 70~90%의 장기간 패시브 솔라 난방이 가능하다.

SIZING the amount of heat STORAGE mass required for a structure varies with the performance desired. In passive design the objective is to incorporate adequate thermal mass to minimize over or under heating during normal weather conditions. With inadequate capacity a building will gain more heat than it can absorb; the effect is overheating during solar periods & over dependency on auxiliary heating during nonsolar periods. With too much capacity a structure will take days to charge-up by solar & may suck up the auxiliary heating when it's most needed.

$$Q_{st} = Q_{hl} \times D$$

Q_{st} = total heat storage, BTU's
Q_{hl} = daily heat loss, BTU's
D = days of storage

An adequate design ratio is enough mass to carry a building, with a given daily heat loss (Q_{hl}), in a given climate, for the normal duration of sunless days. For instance, if storms generally average three days, allow enough storage so that when charged to 85°F [29°C], the temperature will not drop under 65°F [18°C] over the three day period. Nature often schedules longer storms, &, after three days, auxiliary heating may be needed. But in most climates, 70 to 90% long-run, passive solar heating can be achieved.

SIZING STORAGE   저장크기결정

When designing a solar house or system, it is of value to determine the PERCENTAGE OF SOLAR HEATING anticipated. This process is helpful when comparing different systems for cost effectiveness & suitability in various locations.

All calculations should be based on standard engineering data for local conditions. The following information is required for equivalent comparisons:

climatic

- degree days of heating, (annual)
- altitude, feet
- percentage of possible sunshine, %
- latitude, degrees outside design
- temperature, °F
- available insolation, BTU/day

building

- shading factors, % floor area of
- building, sq. ft.
- volume of building, cubic feet
- heat loss of building, BTU's

system

- area of collector, sq. ft.
- angle of collector, degrees
- collector orientation, degrees
- inside design temperature, °F

태양열 주택 또는 시스템을 디자인 할 때, 예상되는 쏠라 비율을 결정하는 것이 중요하다. 이 프로세스는 여러 위치에서 비용 효율성과 적합성에 비하여 여러 시스템을 비교할 때 유용하다.

모든 계산은 지역 조건에 대한 표준 엔지니어링 데이터를 기반으로 해야 한다. 동등한 비교를 위해 다음 정보가 필요하다.

기 후

- 난방 온도 일수, 년
- 고 도, ft
- 가능한 햇볕 %
- 위도, 외부 디자인 온도
- 온 도, F°
- 쓸수있는 단열재, BTU/일

빌 딩

- 음영 요소, 바닥면적의 %
- 빌 딩, ft²
- 빌딩 용적, ft³
- 빌딩 열손실, BTU's

시스템

- 집열기 면적, ft²
- 집열기 각, 각도
- 집열기 향, 각도
- 실내디자인 온도, F°

PERCENT OF POSSIBLE SOLAR   가능한 쏠라 비율

태양열 난방(%s)을 결정하기 위해, 난방 계절 동안 각 달 표준일에 대한 디자인 온도(to)의 평균 90%에 대한 빌딩의 전체 열손실(Qhl)을 먼저 계산하라. 그다음 각각 해당 월별 가능한 맑은 날(%p) 퍼센트를 찾고 가능한 태양에너지의 수집량과 월별(Qss) 저장량을 계산하라.; 스크린 또는 창틀, 수집기 커버의 투명도, 시스템의 효율(e), 하늘 안개(hf), 지면 반사(gr) 등과 같은 것들의 그늘짐을 고려한다.

이제 매일 수집되고, 저장되어 사용 가능(Qss) 태양에너지의 일별 양을 고려한 달의 표준일에 대한 전열 손실(Qss)로 나누라. 이것은 그 달에 대한 전형적인 표준일 난방 %(%s)를 알려준다. 난방 계절 각 달에 대해 이 과정을 반복하고, 이와 같은 %를 합산하며, 이와 같은 %에 대한 과정을 반복하고 개월 수(mo)로 나누면, 당신은 평균 연간 태양열 난방 %(%Sa)가 결정될 수 있다.

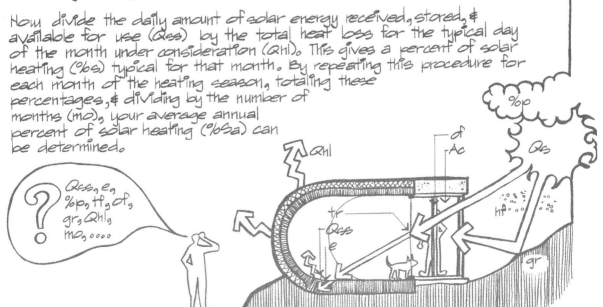

To determine the percentage of solar heating (%s), first calculate the total building heat loss (Qhl) for the average 90 percent design temperature (to) for a typical day of each month during your heating season. Then find the percent of possible sunshine (% p) for each respective month & calculate the amount of possible solar energy collected & stored (Qss) for each month; taking into account mitigating conditions, such as occlusion (of) by shading, screens or mullions, collector cover transparency (tf), system efficiency (e), sky haze (hf), & ground reflectance (gr).

Now divide the daily amount of solar energy received, stored, & available for use (Qss) by the total heat loss for the typical day of the month under consideration (Qhl). This gives a percent of solar heating (%s) typical for that month. By repeating this procedure for each month of the heating season, totaling these percentages, & dividing by the number of months (mo), your average annual percent of solar heating (%Sa) can be determined.

To help unscramble the verbal analysis let's look at some equations which will set the story straight.

The amount of solar energy available & collected for a typical day is:

$$Q_{ss} = A_c \times of \times tf \times Q_s \times \%p \times e \times hf \times gr$$

where:

Q_{ss} = solar energy collected, BTU/day
A_c = collector area, sq. ft.
of = occlusion factor
tf = collector cover transmittence
Q_s = incident daily insolation, BTU/sq. ft.

$\%p$ = percent of possible sunshine, monthly average
e = system efficiency
hf = sky haze factor
gr = ground reflectance

To determine monthly & seasonal averages:

$$\%S_{mo} = 100(Q_{ss}/Q_{hl})$$

$\%S_{mo}$ = percent solar heated for month
Q_{hl} = heat loss, BTU/day
mo = number of months of heating season
$\%S_a$ = percent annual solar heated

$$\%S_a = \frac{\%S_{nov} + \%S_{dec} + \dots \%S_x}{mo}$$

용어 해석의 이해를 돕기 위해 내용을 바로바로 알 수 있는 방정식을 살펴보겠다. 하루 표준 사용 가능한 그리고 수집되는 태양 에너지의 양은 다음과 같다.

$$Q_{ss} = A_c \times of \times tf \times Q_s \times \%p \times e \times hf \times gr$$

Q_{ss} = 태양 에너지 수집량 , BTU/일
A_c = 수집기 면적, 평방 피트
of = 폐쇄 계수
tf = 수집기 커버 투과율
Q_s = 있을수 있는 일일 일사량 , BTU/sq. ft.

$\%p$ = 가능한 일사 %, 월평균
e = 시스템 효율
hf = 하늘 흐림 계수
gr = 지표반사율

월별 및 계절별 평균을 결정하는 방법은 다음과 같다.

$$\%S_{mo} = 100(Q_{ss}/Q_{hl})$$

$\%S_{mo}$ = 월 태양가열 %

Q_{hl} = 열 손실 , BTU/일
mo = 월 난방 계절 개월 수
$\%S_a$ = 연간 태양 난방 비율

$$\%S_a = \frac{\%S_{nov} + \%S_{dec} + \dots \%S_x}{mo}$$

EXAMPLE: Assume a building located in Colorado (elevation 7000 feet) at 40°N latitude, has a floor area of 1,250 square feet & an interior volume of 10,000 cubic feet. Because of its tight construction & efficient volume, the building loses only 14 BTU's per hour, per square foot of floor area, during a typical December day. Due to the greenhouse effect, thermal storage absorption, interior surfaces, & movable insulation, system efficiency is 80 percent. The vertical collector, double glazed, totals 500 sq.ft., 15 percent of which is mullions & framing. So —

A_c = 500 sq.ft.   %p = .65 (typ. Dec.)   hf = 1.05 (winter condition)
of = 0.85 (mullions, etc.)   e = 0.80   gr = 1.30 (snow)
tf = 0.76 (dbl. glass) Q_s = 1,646 BTU/day/sq.ft.
Q_{hl}= 14 BTU/hr. sq. ft. × 1,250 sq.ft. × 24 hours/day = 420,000 BTU/day

Q_{ss}= A_c × of × tf × Q_s × %p × e × hf × gr
     = 500 × 0.85 × 0.76 × 1,646 × 0.65 × 0.80 × 1.05 × 1.30
     = 377,370 BTU's/typical December day

%S_{dec}= 100 (Q_{ss}/Q_{hl})
      = 100 (377,370/420,000)
      = 89 percent solar heated
         for December

Now repeat the process for each month of the heating season sum these up, dividing by the number of months, & you have the seasonal average!!

예 : 40N 위도의 콜로라도(고도 7000ft)에 위치한 1,250ft²의 바닥 면적과 내부 10,000ft³ 용적 빌딩이 있다고 가정하자, 밀폐된 구조 및 효율적인 용적 때문에, 빌딩은 12월 하루 표준 바닥면적 ft²당 14BTU/시간만 잃는다. 온실 효과, 열 흡수 저장, 내부 표면 및 이동식 단열로 인해 시스템 효율은 80%이다. 수직 집열기, 이중 유리, 합계 500ft²이며, 그 면적의 15%는 멀리언과 틀이다. 그래서 —

A_c= 500 sq.ft.   %p = .65 (**12월 표준**)   hf = 1.05 (**겨울 조건**)
of = 0.85 (**멀리언 등**)   e = 0.80   gr = 1.30 (**적설**)
tf = 0.76 (dbl. **유리**) Q_s = 1,646 BTU/ **일** / ft²
Q_{hl}= 14 BTU/ft² × 1,250 ft² × 24 **시간** / **일** = 420,000 BTU/ **일**

Q_{ss}= A_c × of × tf × Q_s × %p × e × hf × gr
     = 500 × 0.85 × 0.76 × 1,646 × 0.65 × 0.80 × 1.05 × 1.30
     = 377,370 BTU's/ **표준 12월 하루**

%S_{dec}= 100 (Q_{ss}/Q_{hl})
      = 100 (377,370/420,000)
      = 89%, **12월 태양가열**

이제 난방 시즌의 매달에 이 과정을 반복하라.; 이들을 월수로 나누어 합산하면 계절별 평균을 얻는다.

그늘 짓기

패시브 기법을 통해 거의 모든 기후에서 쾌적함을 유지할 수 있다. 하루 중 여러 번, 계절 또는 심지어 일 년 내내 냉각이 필요한 경우에는 적절한 방법에 대해 고려해야 한다. 덥고 건조한, 덥고 습한, 바람 많고 건조한, 그리고 다른 지배적인 조건들이 사용될 접근방법을 지시한다. 가끔 계절적 또는 일일 변화를 만족시키기 위해 그늘 짓기, 냉방 및 환기의 조합으로 통합되어야 한다.

구조물의 외부, 내부 및 주변 지역을 그늘지게 하는 것은 주변 공기 또는 태양 발생으로 형성된 온도를 낮추기 위한 첫 번째 작업선이다. 빌딩의 열매체에 형성되는 열량을 제한함으로써 냉방 작업은 줄어든다. 기후에 맞게 적절히 설계된 구조물은 대부분의 경우 쾌적함을 제공하였던 기존 장비를 거의 필요로 하지 않을 것이다.

경우에 따라 조명, 기계, 장비 또는 점유 하중으로 인해 열이 발생하는 더 시원한 기후지역의 건물에서 난방 대신 계절 전반에 냉각 또는 통풍이 필요할 것이다.

Comfort can be maintained in almost any climate through passive measures. Where cooling is desired at various times of the day, seasons, or even throughout the year, consideration must be given as to the appropriate method. Hot dry, hot humid, windy dry, windy humid, & other prevailing conditions dictate the approach to be used. Often a combination of shading, cooling, & ventilation should be integrated to satisfy seasonal or daily variations.

SHADING the exterior, interior, & surrounding areas of a structure is the first line of action to reduce the temperature buildup due to ambient air or solar incidence. By limiting the amount of heat buildup in the thermal mass of a building, the job of cooling is reduced. A structure that is properly designed for its climate will need little, if any, conventional equipment to achieve comfort for most uses.

In some cases, buildings in cooler climates that generate heat from lighting, machinery, equipment, or occupancy loads will require cooling or ventilation throughout the seasons, instead of heating.

shading

The PLANTING of trees, bushes, or vines in appropriate places can adequately shade structures in many climates. When attempting to cut solar gain into a building, it is important to interrupt the sun's energy before it strikes the glass or walls. Once the heat has penetrated the envelope of a structure, it must be removed from the interior, which may require additional unnecessary steps.

Evergreen trees planted to the north of buildings act as buffers, helping to block winter storms, wind, & snow. Further, they can act as evaporative coolers, lowering the temperature of air passing through the branches & needles. They also shade the ground around buildings, preventing heat buildup in the earth & thus modifying the microclimate. Glades & oases illustrate this effect in hot climates.

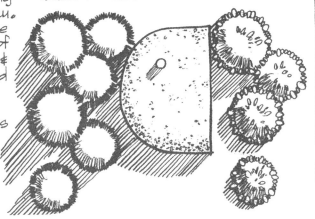

적절한 장소에 나무, 관목 또는 덩굴을 심는 것은 많은 기후에서 구조물을 적절하게 그늘지게 할 수 있다. 건물 내 태양열 습득 차단을 기도할 때 태양빛이 유리창이나 벽에 부딪치기 전에 태양에너지를 차단하는 것이 중요하다. 일단 열이 구조물의 외피를 관통한 후에는 내부에서 제거되어야 하므로 추가로 불필요한 조치가 필요할 수 있다.

빌딩들 북쪽에 심어진 사철나무가 완충대 역할을 하여 겨울 폭설, 바람 및 눈을 차단한다. 또한 증발 냉각기 역할을 하여 바늘잎을 통과하는 공기의 온도를 낮춘다. 그들은 또한 빌딩 주변 대지를 그늘지게 하여 대지에 형성되는 열을 막아 미세 기후를 조정한다. 숲과 오아시스는 뜨거운 기후에서 이 효과를 실제로 보여준다.

PLANTING   식재

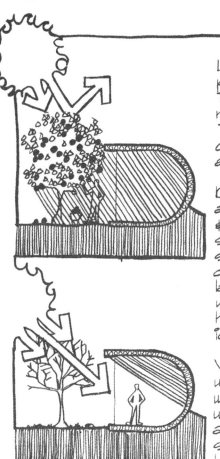

Low shrubs, bushes, & grasses are advantageously planted around buildings where a view is desired. They reduce reflection of solar energy from roadways, walks, patios, sand, or bodies of water. These shrubs, when watered in the morning, will cool air passing by, evaporatively cooling the area around a structure & reducing secondary heating effects.

Deciduous trees, such as fruit & ornamental types, are particularly suitable to PLANTING on the south, east, & west sides or in courtyards of buildings. Their spring, summer, & fall foliage interrupts the flow of solar energy before it strikes the GROUND, window, or wall surfaces. These species defoliate in the late fall, & the loss of leaves allows the sun's heat to warm collection surfaces, as well as the ground, heating the earth around structures, melting snow & ice, & evaporating surface water.

Vines & climbers can be planted to shade east, west, & south facades. Planter boxes on roofs & walls create hanging screens of foliage, shading windows & walls. A lattice or trellis will accommodate climbing plants to form a similar screen, blocking the sun, yet allowing cooling breezes to flow through.

낮은 관목들 그리고 잔디는 전망이 필요한 건물 주위에 잘 심어진다. 그들은 도로, 보도, 안뜰, 모래 또는 수면에서 태양 에너지 반사를 줄인다. 아침에 관목에 물을 뿌리면 공기가 시원해지고 구조물 주변에서 증발되어 2차 열효율을 감소시킨다.

과일과 장식용과 같은 낙엽수는 남쪽, 동쪽, 서쪽 또는 건물 안뜰에 심기에 특히 적합하다. 봄, 여름, 가을의 잎이 지기 전까지 태양 에너지가 창 또는 벽면에 부딪치기 전에 태양 에너지의 흐름을 방해한다. 이 종은 늦가을 수확기에 나뭇잎이 떨어져 없어지면 태양열 수집 표면뿐만 아니라 땅을 따뜻하게 하여 구조물 주변의 대지를 덥히고, 눈과 얼음이 녹으며 지표수를 증발시킨다.

포도넝쿨과 담쟁이는 동, 서, 남측 외벽 그늘을 위해 심어질 수 있다. 지붕과 담벼락 위 식재 박스는 창문과 벽을 가리는 잎으로 창문과 벽에 그늘 스크린을 만든다. 격자 창살 또는 격자 울타리는 담쟁이 식물이 자라 태양을 차단하는 스크린 같은 것을 만들고 그사이로 시원한 바람이 흐르도록 한다.

GROUND PLANTING   대지 식재

Sod roofs or rooftop vines are valuable in many climates. A properly constructed roof, when covered with earth & planted, may never wear out. The earth prevents the injurious effects of sunlight, wind, freeze/thaw, & wet/dry cycles on the moisture membrane.

In dry climates irrigation of ROOF PLANTING will do much to cool a structure through evaporation. A moist roof will lose the heat it absorbs during the day to the night sky. Roof planting should be well-irrigated to prevent the shallow roots from drying out & to prevent fire danger.

Fruits, flowers, grasses, & leafy things make life a bit more beautiful. We should encourage their growth in & about our habitats, particularly where they help to maintain comfortable temperatures. For the most part, plants are nice to look at, have pleasant odors, freshen
& moisturize the air; & some are good to eat ▪
Let's be friends with them; invite some into
your home. Take a flower out to lunch
this week!

잔디 지붕이나 옥상 포도넝쿨은 여러 기후에서 쓰여질 가치가 있다. 제대로 지어진 지붕은 흙으로 덮고 식재될 때, 결코 시들어 죽지 않을 수 있다. 그 흙은 햇빛, 바람, 동결/해동 및 습기/건조 사이클의 유해한 영향을 막아준다.

건조한 기후에서 지붕 식재 관수로는 증발을 통해 구조물을 훨씬 더 시원하게 할 것이다. 습한 지붕은 낮에 흡수한 열을 밤하늘로 잃는다. 지붕 식재는 얕은 뿌리가 말라버리지 않게 배수가 잘 되고 화재 위험을 막을 수 있어야 한다.

과일, 꽃, 풀, 잎과 같은 것들은 삶을 좀 더 아름답게 한다. 우리는 특히 보금자리가 안락한 온도를 유지하는 데 도움이 되는 곳에 그들이 자라도록 해야 한다. 대부분 식물은 보기에 좋고, 냄새가 좋으며 공기를 기분 좋게 습하게 만든다. 몇몇 식물들은 먹기도 좋은 편이다. ― 그들과 친구가 되자.; 집에도 꽃을 좀 놓아보자.
이번 주에 점심 식사에 꽃을 가져가자.

ROOF PLANTING. 지붕 식재

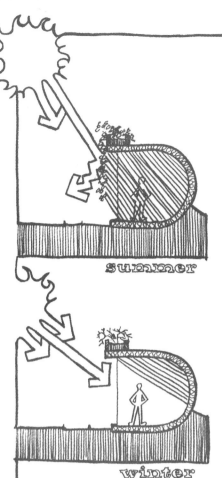

summer

winter

In many temperate climates simply interrupting solar gain is sufficient to prevent overheating. A solar facade that is used to collect winter sun for heating can be shaded by a roof overhang in the summer. Depending on the latitude & climate features, this overhang might need to be adjustable; either removable or retractable in winter & spring to receive maximum sun.

Louvers, roof overhangs, vertical shades, & other such sunscreens can be designed to accommodate various SEASONAL SHADING configurations.

East & west facades, which experience direct morning & afternoon sun, might require shading. Usually, vertical shades, which can pivot, roll, or fold up, are desired to achieve view, openness, & ventilation when they are not needed to block the sun. Seldom is a fixed or permanent sun shade satisfactory throughout all the seasons.

여러 온도 기후에서 과열을 막기에 단순히 태양열 획득을 차단하는 것만으로 충분하다. 난방을 위해 겨울 햇볕을 수집하기 위해 사용되는 햇볕 면 외벽은 여름에 돌출 차양 지붕으로 그늘지게 할 수 있다. 위도와 기후 특성에 따라 이 돌출부를 조정할 수 있어야 한다.; 즉 최대 태양을 받기 위해 겨울과 봄에 탈부착할 수 있도록.

루버, 지붕 돌출, 수직 형 그늘 및 기타 썬스크린 등은 다양한 계절별 음영 구성을 수용하도록 디자인될 수 있다.

직접적으로 아침 및 오후 햇빛을 맞는 동 및 서양 파사드는 그늘이 필요할 수 있다. 일반적으로 햇빛 차단이 필요 없는 경우, 회전할 수 있거나 말거나 접어 올릴 수 있는 수직 그늘막이 햇볕을 막을 필요가 없을 때 전망과 개방감 달성하기 위해 바람직하다.

계절 전반을 거쳐 햇빛 막이 고정되거나 영구적인 경우는 거의 드물다.

이 나라가 필요로 하는 것은 모든 계절의 그늘입니다.

What this country needs is a shade for all seasons.

SEASONAL & DAILY SHADING   계절과 하루의 그늘짓기

Different spaces in a building will have various shading requirements. A bedroom with southern exposure may need only ventilation during the day. Offices, kitchens, & other rooms might have to be shaded all day long, while other spaces may need to be shaded only in the morning or during the afternoon.

In most climates the western or afternoon sun is the hottest. Thus, extra shading on the west side of a building may make best sense. On the east, less shading may be desired to allow morning sun to take away the chill of the night & wake up the household.

Depending on interior function & exterior orientation, the method, frequency, & type of shading should be appropriately adapted & designed to meet the daily & seasonal demands.

빌딩 내 여러 공간에는 다양한 그늘이 요구될 것이다. 남향에 노출된 침실은 낮에는 환기가 필요할 수 있다. 사무실, 주방 및 기타 객실은 하루 종일 그늘져야 하지만 다른 공간은 아침이나 오후에만 그늘이 필요할 수도 있다.

대부분의 기후에서는 서쪽 또는 오후의 태양이 가장 뜨겁다. 따라서 빌딩 서쪽 면은 추가로 그늘지게 하는 것이 가장 적합할 수 있다. 동쪽에서 아침 햇빛이 밤의 냉기를 없애고, 가족들을 깨우려면 그늘이 덜 필요할 수 있다.

내부 기능과 외부 향방 따라 그늘을 주는 방법, 빈도 및 유형을 적절히 채택하고 일별 및 계절별 요구에 맞도록 디자인해야 한다.

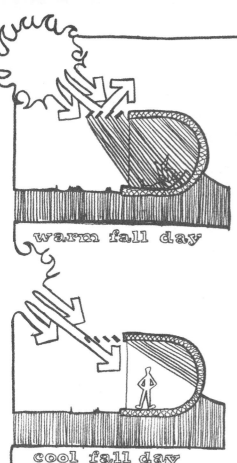

warm fall day

cool fall day

The weather varies from year to year & week to week. It is wise to design shading devices that are ADJUSTABLE. Fixed overhangs, louvers, or sunscreens should only be installed at positions of permanent advantage & augmented with adjustable devices to suit the changable conditions.

Vertical & horizontal louvers can be opened to take best advantage of any part of the day or season. Automatic controls, such as Skylid * devices or heat drivers, can be adapted to permit the louvers to track & block out the sun all day long, thus accommodating both view & shading at any given hour.

Next time you see a baseball game notice the players caps — the shape & angle of the bill may indicate the player's position with relation to the sun.

날씨는 매해, 매주 다르다. 조절 가능한 그늘 장치를 디자인하는 것이 현명하다. 고정 돌출차양, 루버 또는 선스크린은 영구적 이용 위치에 설치되어야 하고 변하는 조건에 맞게 조정 가능한 장치로 보강되어야 한다.

수직 및 수평 루버는 하루 중 계절 중 어느 때나 가장 잘 쓸 수 있도록 개방될 수 있다. 하늘 가리개 장치 또는 열 드라이버와 같은 자동 제어 장치를 사용하여 루버는 하루 종일 태양을 추적, 차단하여 주어진 시간에 전망과 그늘을 모두 만들 수 있다.

다음번 야구 경기를 볼 때 선수들의 모자에 주목하라. — 모자챙 모양과 각도가 선수의 포지션을 태양과의 관계로 나타낼 수 있다.

ADJUSTABLE SHADING   **조절되는 그늘**

A shading device which is an extension of the Roof plane of a structure is a simple way of blocking the sun. However, some drawbacks of adding exterior shading devices are that they are susceptible to the elements & that the risk of looking added-on, tacky, or too busy, might affect the building's appearance.

Generally, in the northern hemisphere OVERHANGS on the northern exposure are not practical, except in very warm climates, where the roof acts like an umbrella, shading the walls & ground around a building.

South shading is usually the most effective way of preventing summer heat gain, &, of course, east & west shading may be required to satisfy local conditions.

Certain minimal fixed overhangs are practical, & when supplemented by adjustable panels that slide or fold out as needed, the roof & its extension can be the first line of defense against intense summer solar gain.

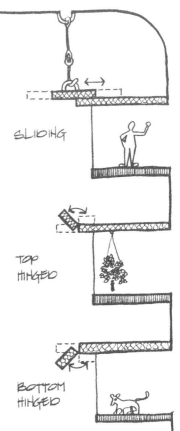

SLIDING

TOP HINGED

BOTTOM HINGED

구조물 지붕면 확장인 차광장치는 태양광을 차단하는 간단한 방법이다. 그러나 외부 그늘 장치를 추가하는 데에는 그 요소가 민감하고, 복잡하고, 엉성해 보여 건물 외관에 영향을 줄 수 있다는 단점이 있다.

일반적으로, 북반구에서 지붕이 벽들과 빌딩 주변 대지에 우산처럼 작용하는 북향 노출 돌출차양은 매우 따뜻한 기후를 제외하고는 실용적이 아니니다.

남향 그늘은 보통 여름 열 습득을 막는 가장 효과적인 방법이다. 물론 동쪽과 서쪽의 그늘은 지역 조건을 충족시켜야 할 수도 있다.

최소의 확실한 고정 돌출차양은 실용적이며 필요에 따라 미끄러지거나 접힐 수 있는 조절식 패널로 보충되면, 지붕과 그 연장은 강한 여름 태양열 습득을 차단하는 첫 번째 방어선이 될 수 있다.

ROOF OVERHANGS 돌출 지붕

shade poles
roof poles

adobe
bearing poles

The Pueblo Indians often extend the logs which support the earth roofs of their homes out beyond the exterior wall. During winter the unobstructed sunlight flows on & into the south wall, storing warmth for the night.

In summer, when the sun is high in the sky, a variety of things can be laid across or hung from these projecting BEAMS to shade south walls & openings, thus preventing excessive buildup of heat stored in the walls. Branches, blankets, poles, drying fruit & vegetables, or any number of things can easily be installed or removed as needed on this solar control system.

Certain vines on south trellis OVERHANGS are almost perfect seasonal shading devices. They lose their leaves regularly when the heating season begins — & in the spring the leaves pop out with the warmth.

푸에블로 인디언들은 종종 외벽을 넘어 집 밖까지 흙 지붕을 지지하는 통나무를 확장한다.

겨울에는 장애물이 없는 햇빛이 남쪽 벽으로 흘러들어가서 밤을 위해 따뜻함을 지킨다.

여름에는 태양이 하늘 높을 때, 여러 가지 물건들이 이 돌출된 빔에 가로질러 놓이거나 매달아서 남쪽 벽과 개구부를 그늘지게 하여, 벽에 저장된 열의 과도한 축적을 방지한다. 이 태양열 시스템에 필요에 따라 나뭇가지, 담요, 막대기, 과일과 및 채소 말리기, 또는 여러 가지 물건을 쉽게 설치하거나 제거할 수 있다.

남쪽 격자 틀 돌출차양 위 특정 포도넝쿨은 거의 완벽한 4계절 그늘 장치이다. 그들은 봄철 난방 시즌이 시작될 때 정기적으로 나뭇잎을 떨어뜨린다. 봄엔 잎들이 따뜻함과 함께 피어오른다.

BEAM OVERHANGS   돌출 보

LOUVERS, or light-control slats, can be arranged in a multitude of configurations to handle almost any situation.
FIXED LOUVERS can be installed where the need for view & sunlight control is continual. Louvers allow breezes to pass, while limiting solar gain & glare.
REMOVABLE or ADJUSTABLE LOUVERS are used where seasonal or daily solar control is needed. The adjustable type lend themselves well to shutting out or accepting the sun, breeze, or view. For exterior installation, metal or treated wood is recommended to withstand wind, ultraviolet, rain, drying out, & snow.
VERTICAL LOUVERS work well for admitting breezes, allowing view & blocking the sun for certain periods of the day. To act as a sunscreen all day, they must be adjusted occasionally. They work best on east & west exposures when fixed.
HORIZONTAL LOUVERS can shade all day in summer while facilitating view & air motion. They work best on southern exposures. They can be set at any pitch, from vertical to flat.
INSULATED LOUVERS, which can be either horizontal or vertical, help to prevent heat loss from buildings when closed.

루버 또는 빛 제어 슬레이트는 거의 모든 상태에 대처해 다양한 구성으로 배치될 수 있다.

고정 루버는 전망이 필요한 곳과 햇빛의 제어가 계속 필요한 곳에 설치될 수 있다. 루버는 산들바람을 허용하면서 태양광의 습득과 눈부심을 제한한다.

이동식 또는 조절식 루버는 계절별 또는 일일 태양빛 제어가 필요한 곳에서 사용된다. 조절 타입은 태양, 바람 또는 시야를 차단하거나 수용하는데 적합하다. 외부 설치의 경우 바람이나 자외선, 비, 건조 및 눈에 견딜 수 있도록 처리된 목재나 금속을 사용하는 것을 추천한다.

수직 루버는 산들바람을 허용하기에 좋으며, 전망을 허용하고, 하루 중 특정 시간에 햇빛을 차단할 수 있다. 하루 종일 썬스크린 역할을 하려면 가끔 조정해야 한다. 그것이 고정될 때는 동서 방향의 노출이 가장 효과적이다.

수평 루버는 여름 내내 하루 종일 그늘을 드리우며 시야와 공기의 움직임을 원활하게 해준다. 그들은 남쪽 노출에 가장 효과적이다. 수직에서 수평으로 어떤 피치로도 설정할 수 있다.

수평 또는 수직 단열 루버는 닫힐 때 빌딩의 열손실 방지에 도움이 된다.

vertical

horizontal

LOUVERS 루버

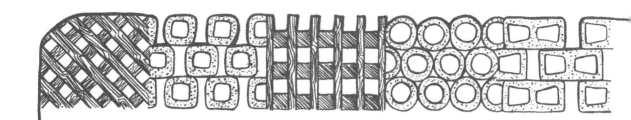

나무껍질, 금속 띠, 콘크리트 블록, 점토 타일 등으로 만들어진 칸막이는 한 표면이나 지역에 도달하는 태양열의 양을 줄이는데 효과적이다. 그들은 물론 내후성 재료로 만들어져야 한다.

수직, 수평 또는 경사로 설치할 때, 칸막이는 매트릭스 재료의 크기, 간격 또는 각도를 정확하게 함으로써 태양열 습득을 감소시킬 수 있다.

칸막이는 태양열 습득을 막는 이점뿐 아니라 눈부심을 줄이고, 바람이 통하며, 빛을 거르고, 제한된 시야를 허용하며, 계속적으로 변화하는 복잡하고 재미있는 그림자 패턴을 만들 수 있다.

계절용으로 편한 곳에 많은 스크린을 쉽게 제거, 저장할 수 있다.

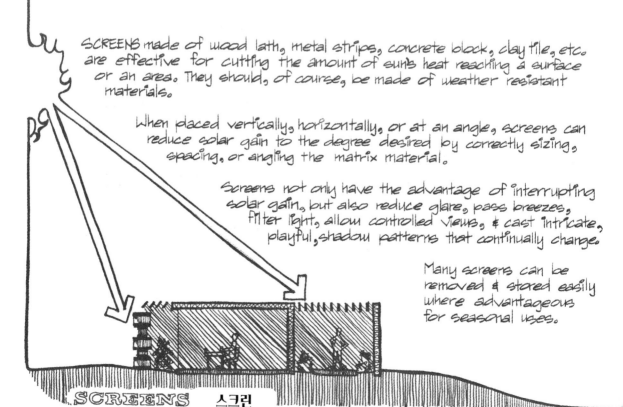

SCREENS made of wood lath, metal strips, concrete block, clay tile, etc. are effective for cutting the amount of sun's heat reaching a surface or an area. They should, of course, be made of weather resistant materials.

When placed vertically, horizontally, or at an angle, screens can reduce solar gain to the degree desired by correctly sizing, spacing, or angling the matrix material.

Screens not only have the advantage of interrupting solar gain, but also reduce glare, pass breezes, filter light, allow controlled views, & cast intricate, playful, shadow patterns that continually change.

Many screens can be removed & stored easily where advantageous for seasonal uses.

SCREENS   스크린

전자 제어 모터 또는 프레온과 상 변화 구동 유체를 사용하는 자동화된 루버 시스템은 구조로의 태양열 획득 제어에 매우 효과적일 수 있다. 대형 상업용 건물에서도 냉난방 부하를 아주 적은 비용으로 상당히 줄일 수 있다. 벽 표면을 노출, 그늘지게 하거나, 단열시키는 루버(louvers)의 구성을 신중하게 디자인하면 공조 장비의 필요성을 최소화할 수 있다. 외부 수직 안정판, 패널, 루버 등의 전산화된 제어장치는 자동으로 열의 습득과 손실을, 창문 별, 방 별 및 벽 별로 벽을 조절하여 기능상의 요구, 점용 용도 및 온도 변화에 대한 구역 제어를 달성할 수 있다. 이것은 복잡한 구조 전반에 전체적 유연성을 허용한다. ― 필요한 때 열을 받아들이고 환기시키며, 태양열 습득, 소음, 바람, 열손실, 눈부심 등을 막는다.

이 수단에 의한 구조물과 공간의 냉난방은 냉난방 장비의 작동 시간을 크게 단축시킬 수 있으며 건물의 에너지 요구량을 낮출 수 있다.

공조에 이런 접근방식은 보다 효율적이고, 자연적인 건축물을 만들어낸다. ― 즉 자연법칙에 적절히 반응하는 활력을 창조한다.

AUTOMATED LOUVER SYSTEMS, using electronic-controlled motors or phase-change driving fluids, such as freon, can be very effective for controlling solar gain into & on a structure. Even in large commercial buildings, heating & cooling loads can be decreased considerably with very little expenditure. Thoughtfully designed configurations of louvers to expose, shade, or insulate wall surfaces could minimize space-conditioning equipment need. A computerized control of exterior fins, panels, louvers, etc. could automatically adjust heat gain or loss, window by window, room by room, & wall by wall, to achieve zone control for functional needs, occupancy use, & temperature variation. This would allow total flexibility throughout a complex structure = admitting heat when needed, ventilating when neccessary, & closing off solar gain, noise, wind, heat loss, glare, etc. when required.

Heating & cooling structures & spaces by this means can substantially reduce the operation time of heating & cooling equipment & can lower the buildings energy requirements.

This approach to space conditioning creates a more efficient & natural architecture = its liveliness gracefully responding to natural laws.

AUTOMATED SOLAR FACADES 자동화 된 솔라 파사드

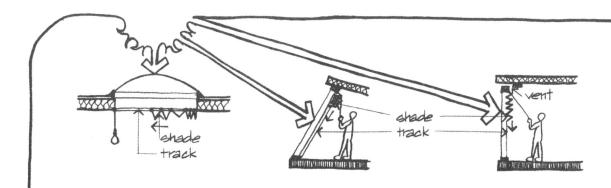

INTERIOR SHADES, drapes, panels, or louvers may be desirable in many cases. Interior shading devices are not affected by the wind or weather. Further, they can be effective as insulation to heat loss if appropriate materials are used, such as reflective membranes & flexible insulations, & if they are tightly fitted.

The disadvantage of interior shades is that summer sunlight penetrates the glazing surface, changing wavelength upon striking the shade & trapping heat that must be either utilized or evacuated. Normally, high vents, windows, or skylights can be used to exhaust this heated air.

Sunlight is a strong & subtle force; bright colors will fade with ultraviolet exposure & plastics degrade over a period of time. Even interior shades, which are used for solar control, should be made with ultraviolet resistant colors & materials. Sail track of the type used on small sailboats is handy for mounting shades on horizontal or sloping surfaces.

실내 차광, 커튼, 패널 또는 루버 등은 많은 경우에 바람직할 수 있다. 실내 차광 장치는 바람이나 날씨의 영향을 받지 않는다. 또한, 반사막 및 연성 단열재와 같은 적절한 재료가 사용되는 경우 그리고 단단히 고정된 경우 열손실에 대한 단열재로 효과적일 수 있다.

실내 차광의 단점은 여름 햇빛이 유리표면으로 침투하여 그늘에 부딪혀 파장이 변하고, 이용이나 회피되어야 하는 열을 포착한다는 것이다. 정상적으로 높은 통풍구, 창문 또는 채광창을 사용하여 이 가열된 공기를 배출할 수 있다.

햇빛은 강하고 미묘한 힘이다. 밝은 색상은 자외선 노출로 사라지고 플라스틱은 일정 기간 지나 열화 된다. 태양광 제어에 사용되는 실내 차양조차도 자외선에 강한 색상과 재질로 만들어야 한다. 작은 범선에 사용되는 돛 트랙 타입은 수평 또는 경사면에 그늘을 만드는데 편리하다.

INTERIOR SHADES 실내차광

Light, flexible EXTERIOR SHADES are another way to block excessive sunlight. Many materials that can be rolled or folded, such as canvas, bamboo, wood slats, snow fencing, etc., can be mounted under roof overhangs, on projected beams, outriggers, or freestanding supports. The advantages of exterior shades are their light weight, flexibility, & economy. They can be adjusted to desired shading height & easily removed & stored or neatly closed up against the roof overhang.

The wide variety of colors, textures, & materials available can be used to create many different patterns & effects to complement any building design.

Exterior shades are at the mercy of the elements, & in many areas tie downs & frames may be needed to prevent flapping & tearing loose.

roof

snow fencing

glass

Snow fencing or bamboo shades, a flexible matrix of slats wired or tied together, can roll nicely down sloped glass surfaces to screen & filter sunlight.

가볍고 유연한 외부 차광은 과도한 햇빛을 차단하는 또 다른 방법이다. 캔버스, 대나무, 나무판, 눈 막이 펜스 등과 같이 말거나 접을 수 있는 여러 가지 재료들은 지붕 돌출부, 내민 보, 테두리 보 또는 독립형 지지대 아래에 장착할 수 있다. 외부 차광의 장점은 경량, 융통성 및 경제성이다. 그들은 원하는 차광 높이로 조정할 수 있으며 쉽게 제거, 보관하거나 돌출 지붕과 달리 깔끔히 닫아 올릴 수 있다.

다양한 색상, 질감과 가용 재료들은 어떠한 빌딩 디자인 보완에 다양한 패턴과 효과를 만드는 데 사용될 수 있다.

외견상의 색조는 요소의 자비에 달려있으며 많은 영역에서 타이다운과 프레임이 펄럭거리거나 찢어지는 것을 방지하기 위해 필요할 수 있다.

스노우 펜싱 또는 대나무 쉐이드, 유선형 또는 연계된 슬랫의 유연한 매트릭스는 기울어진 유리 표면을 멋지게 굴려서 햇빛을 차단하고 필터링할 수 있다.

EXTERIOR SHADES   외부차광

side folding

side sliding

INTERIOR PANELS, which make excellent winter insulation, can also double as summer shading. As with shades, panels used for shading should be resistant to the effects of sunlight, be easy to operate, & allow adequate ventilation above to permit solar-heated air to rise & vent off. If the heated air can be made to accomplish another task while exiting, such as drying fruit, drying laundry, or cooking dinner, the true spirit of passive solar energy is achieved.

우수한 단열을 이루는 내부 패널은 여름 차양으로서도 갑절의 힘이 될 수 있다. 그늘을 가짐으로써 차양으로 사용되는 패널은 햇빛 영향에 강하고 조작하기 쉬우며 햇빛 가열된 공기가 올라와 배출되도록 적당한 환기를 허용해야 한다. 만일 가열된 공기가 배출되는 동안 과일 건조, 세탁 건조 또는 저녁 요리 등 어떤 역할을 할 수 있도록 만들어질 수 있다면, 패시브 에너지의 진정한 정신이 실현되는 것이다.

overhead hinged

overhead folding

INTERIOR PANELS   내부패널

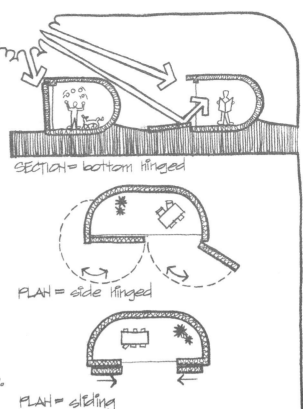

Panels on the outside can serve a variety of needs. EXTERIOR shading PANELS, adjustable to seasonal sun angle change, can also serve as insulation in the winter or as reflectors to bounce sunlight to a number of places.

Panels should be firmly attached & designed not to rattle, thump, or creak when the wind blows. They should be easy to operate, perhaps from inside, so that inhabitants are encouraged to use them. Sheet metal & plywood make lightweight, yet strong, panels, capable of enclosing rigid or loose fill insulation. Piano or continuous hinges assure strong, smooth, even swinging. Overhead barn door hardware is durable & easy to slide.

SECTION = bottom hinged

PLAN = side hinged

PLAN = sliding

외부 패널은 다양한 요구를 충족시킬 수 있다. 계절적 태양 각도 변화에 따라 조정 가능한 외장 차광 패널은 겨울에는 단열재로 사용될 수 있고 반사체로서 햇빛을 여러 곳으로 반사시킬 수 있다.

패널은 단단히 부착되어야 하며 바람 불 때 덜거덕, 쾅쾅, 삐걱거리지 않도록 디자인되어야 한다. 주민들에게 그것들을 사용토록 권장할 수 있도록 내부에서 작동하기 쉬워야만 한다. 금속판과 합판은 내부에 단단하게 또는 느슨하게 보온재를 감쌀 수 있는 패널을 가볍고 강하게 만든다. 피아노 힌지 또는 연속 힌지는 강하고 매끄럽고 흔들림을 보장한다. 곳간 상부 하드웨어는 내구적이며 슬라이딩하기 쉽다.

EXTERIOR PANELS   외부 패널

외 표면에 투명한 금속 코팅의 얇은 필름이 있는 햇빛 제어 반사 유리는 태양열 습득 제어를 위한 색소 유리보다 효과적이다.

단파 형태의 태양 광선의 대부분은 유리 물질에 들어가기 전에 외 표면에서 튀어나온다. 이것은 유리 몸체에 열의 형성을 줄여 주고, 따라서 단일층으로 내부로 오는 빛과 열 습득을 제어하는데 효과적이다.

다양한 범위의 투명성과 반사율은 다양한 응용 분야에서 사용 가능하다. 반사 유리 표면의 외부 눈부심은 인접한 건물, 도로 또는 보행자가 영향을 받는 대형 유리가 있는 경우 문제가 될 수 있다.

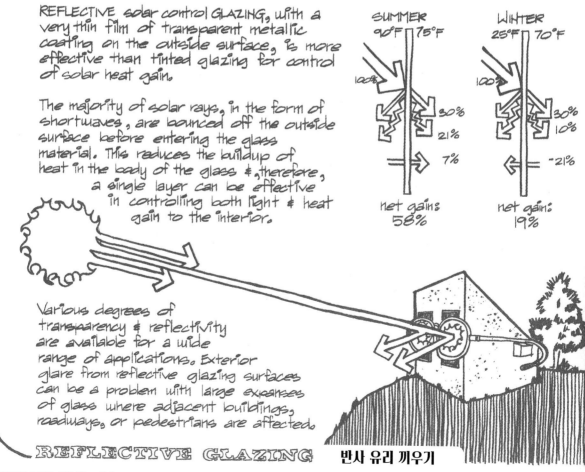

REFLECTIVE solar control GLAZING, with a very thin film of transparent metallic coating on the outside surface, is more effective than tinted glazing for control of solar heat gain.

The majority of solar rays, in the form of shortwaves, are bounced off the outside surface before entering the glass material. This reduces the buildup of heat in the body of the glass &, therefore, a single layer can be effective in controlling both light & heat gain to the interior.

Various degrees of transparency & reflectivity are available for a wide range of applications. Exterior glare from reflective glazing surfaces can be a problem with large expanses of glass where adjacent buildings, roadways, or pedestrians are affected.

SUMMER
90°F   75°F
100%
30%
21%
7%
net gain: 58%

WINTER
25°F   70°F
100%
30%
10%
-21%
net gain: 19%

REFLECTIVE GLAZING

반사 유리 끼우기

A more exotic way of shading by control glazing is the use of glass with VARIABLE light TRANSMISSION quality. In the same manner as sunglasses that change color & transmission of light on demand, glazing can adapt to the degree of light striking the surface. This can be accomplished by a matrix of polarization, which filters light according to the positioning of linear grids, reducing light transmission when moved from parallel to crossed positions. Chemical color density change, as caused by heat or light intensity, is another method of varying light transmission.

With present technology, these types of control glazings are expensive & are not suitable where heat gain is desirable in certain seasons. However, the concept of variable-transmission glazing is a useful tool for the designer's imagination.

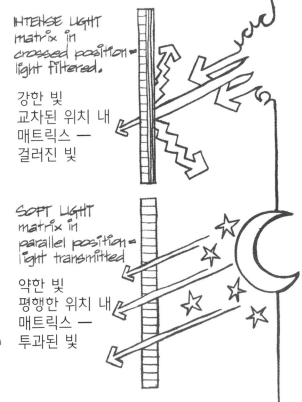

INTENSE LIGHT matrix in crossed position= light filtered.

강한 빛
교차된 위치 내
매트릭스 —
걸러진 빛

SOFT LIGHT matrix in parallel position= light transmitted

약한 빛
평행한 위치 내
매트릭스 —
투과된 빛

유리 끼우기 조절에 의한 더 색다른 음영 방법은 가변적 광전송 품질의 유리를 사용하는 것이다. 요구에 따라 빛의 색과 투과율을 변경하는 선글라스와 같은 방식으로, 유리는 표면에 닿는 빛의 정도에 적응할 수 있다. 이것은 선형 격자의 위치에 따라 빛을 필터링하여 평행선에서 교차점으로 이동할 때 빛의 투과율을 감소시키는 편광 매트릭스에 의해 달성될 수 있다. 열 또는 광도에 의해 야기되는 화학적 색 농도 변화는 광투과율을 변화시키는 또 다른 방법이다.

현재의 기술로, 이러한 유형의 제어 유리는 비싸고, 특정 계절에 열 습득이 요구되는 곳에서는 적합하지 않다. 그러나 가변 투과 유리의 개념은 디자이너의 상상력을 위해 유용한 도구다.

VARIABLE-TRANSMISSION GLAZING   **가변 전도 유리**

Solar control glazing, such as TINTED GLASS, is useful in reducing solar heat & light gain — a very subtle form of shading. Depending on the degree of tint, the amount of solar gain can be reduced up to 75% over clear glazing, with some degree of transparency remaining. Of course, this type of control should not be used unless it can be removed when solar gain is desired for winter heating. For example, a storm window of clear glass for winter gain could be replaced by tinted glass for summer shading.

Tinted glass comes in a variety of colors = blue, green, yellow, bronze, silver, etc. These different colors limit & admit differing wavelengths of light, which we perceive as color. The glass is heated when absorbing the wavelength of light, & this heat should be released to the outside. In most cases double glazing with tinted glass on the exterior & clear glass on the interior is effective. Tinted glass is helpful on west facades for controlling the afternoon sun or where glare from water, snow, sand, parking lots, or adjacent structures is a problem.

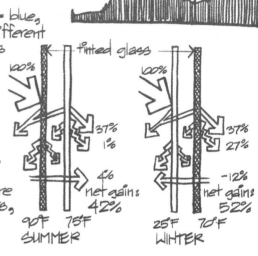

착색유리와 같은 태양광 제어 유리는 태양열과 빛의 습득을 줄이는 데 유용하다. ― 하나의 매우 섬세한 형태의 그늘이다. 착색도에 따라 태양열 습득 양은 투명 유리에 비해 75%까지 줄일 수 있으며 약간의 투명도는 유지된다. 물론 이러한 유형의 제어는 겨울철 난방을 위해 태양광 발전이 필요할 때 제거될 수 없다면 사용해서는 안된다. 예를 들어, 겨울철 열 습득을 위한 맑은 유리 폭풍 창이 여름 그늘을 위해 착색유리로 대체될 수도 있다.

착색유리는 청색, 녹색, 황색, 청동, 은색 등 다양한 색상이 있다. 이러한 다양한 색상은 우리가 색상으로 인식하는 다른 빛의 파장을 제한하고 받아들인다. 유리는 빛의 파장을 흡수할 때 가열되며 이 열은 외부로 방출되어야 한다. 대부분의 경우 외부에 착색유리 내부에 투명 유리로 한 이중 유리가 효과적이다. 착색유리는 오후의 햇빛을 제어하거나 물, 눈, 모래, 주차장 또는 인접한 구조물의 눈부심이 문제가 되는 건물의 서쪽 면에 유용하다.

TINTED GLAZING 착색 유리

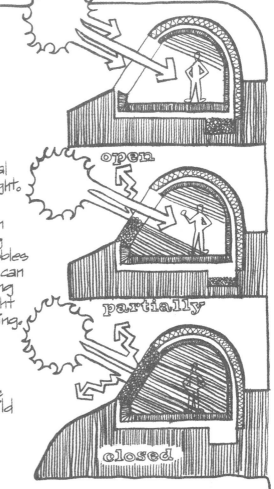

Double glass or plastic, spaced apart so that it can be filled with insulative BEADS or BUBBLES for nighttime insulation, can also double for summer shading. Partial filling permits adjustable shading from the bottom up. Plastic foam beads that are normally used for insulation are subject to degrading from ultraviolet rays. A more opaque solar resistant or reflective material might be more desirable for blocking sunlight.

Removable translucent bubbles overhead in a greenhouse can be effective for subduing excessive summer solar gain. Beads or bubbles with various color & transmission qualities can solve a variety of shading needs admitting suitable wavelengths & intensities of sunlight for photosynthesis, lighting, or space heating. Reusable, soaplike bubbles could be dissolved when transparency is desired.

POPCORN = an organic substitute for plastic beads ?? Be the first on your block to build a solar popcorn heater.

밤 시간 단열을 위한 단열 구슬이나 거품으로 채워질 수 있도록 간격이 있는 이중 유리나 플라스틱은 여름 차광에 값 절의 효과가 있다. 부분 채우기는 아래에서 위로 조절 가능한 차광을 허용한다. 단열을 위해 보통 사용되는 플라스틱 형태 구슬은 자외선으로 인해 퇴화된다. 더 불투명한 태양광 저항 또는 반사하는 물질이 햇빛 차단에 더 바람직할 수 있다.

온실 내 상부에 제거 가능한 투명 거품은 과도한 여름 태양열 흡수를 억제하는데 효과적일 수 있다. 다양한 색과 투과 능력을 지닌 구슬 또는 거품은 광합성, 조명 또는 공간 난방을 위해 햇빛의 적당한 파장과 강도를 허용하며 다양한 차광 요구를 해결할 수 있다. 투명성이 요구될 때 재사용이 가능한 비누같이 거품이 해소될 수 있다.

팝콘 ― 플라스틱 구슬의 유기적 대체품?? 태양열 팝콘 히터를 만들기 위해 당신의 블록에서 첫 번째가 되기를

BEAD & BUBBLE WALLS 구슬과 거품내장 벽

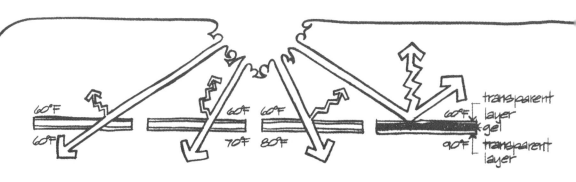

CLOUD GEL* is a potentially cost-effective device for controlling solar gain. Greenhouses & direct gain structures, which may tend to overheat & require shading to maintain comfort, usually necessitate either manual or automated shades, blinds, & vents to regulate interior thermal buildup. CLOUD GEL* is simply a material that is sandwiched between transparent layers of plastic or glass. It has the property of clouding or becoming opaque when heated to a certain temperature, thus blocking further solar gain. By selecting a membrane with an appropriate clouding-point temperature, a control range can be established for various applications, so that when the interior temperature reaches a maximum, preset level, the gel clouds & prevents further heat buildup due to solar gain.

This elegant, useful material is an excellent example of simplicity through technology.

클라우드 겔은 태양열 습득을 제어하기 위한 하나의 가능한 비용 절감 장치이다. 과열되는 경향이 있고 편안함을 유지하기 위해 차광이 필요한 온실과 직접 열을 습득하는 구조물은 보통 내부 열 형성을 억제하기 위해 수동 또는 자동 차광, 블라인드 및 통풍구가 필요하다.

클라우드 겔은 플라스틱 또는 유리의 투명한 층 사이에 끼어있는 단순한 물질이다. 특정 온도로 가열될 때 흐릿해지거나 불투명해져 태양열 습득을 증가를 차단한다. 적절한 흐림 점 온도를 가진 멤브레인을 선택함으로써, 내부 온도가 최대로, 미리 설정된 수준인 클라우드 겔에 도달하고 열 습득으로 더 이상 추가 열 형성이 방지할 수 있도록, 다양한 적용 제어 범위를 설정할 수 있다.

이 귀하고 쓸모 있는 재료는 기술을 통한 단순성의 훌륭한 사례이다.

CLOUD GEL* 클라우드 겔

태양광 변조기는 사용공간과 실바닥으로부터 햇빛의 방향을 전환하고 추적하는 차광 조정장치이다. ― 열저장 위치인 천정이나 조건이 맞는 경우 햇빛을 외부쪽 유출을 막는.

역 베네샨 블라인드와 마찬가지로 복잡한 단면 특성을 갖고 있는 태양광 변조기는 난방 시즌 매일 하루 동안 태양 각도의 넓은 범위를 허용한다. 각 루버의 한 쪽 면은 정반사를 위해 금속처리 되고 다른 면은 눈부심 방지를 위해 밝은 색의 무광택마무리로 코팅된다. 결과적으로, 거의 또는 전혀 계절 따라 조정 없이 모든 입사 에너지가 천장의 열 저장고로 이동할 수 있다. 약간의 조정으로 여전히 전망을 유지하면서 모든 직사광선이 외부로 거부할 수 있다. 좀 더 조정함으로 살을 완전히 닫는다. 이 불투명한 위치는 내부로 들어오는 모든 햇빛을 막고, 열손실과 습득을 막는 추가 단열 장치로서 작용할 수 있을 것이다.

이 장치는 단열된 전도표면의 다양한 타입과 결합될 때, 차광과 남향유리면의 직접 태양열 습득 요구를 달성하는데 확실한 보장이 된다.

The SOLAR MODULATOR* is an adjustable shading device which monitors sunlight, redirecting it away from the use space & the floor — either onto ceiling-located thermal storage or, when conditions warrant, rejecting it to the exterior.

Similar to an inverted venetian blind, the Solar Modulator*, with intricate cross-sectional characteristics accepts a wide range of sun angles throughout each day of a heating season. One side of each louver is metallized for specular reflection & the other side is coated with a light-colored matte finish for glare control. Consequently, with little or no seasonal adjustment, all incident energy can be directed to thermal storage located at the ceiling. Slight adjustment allows all direct sunlight to be rejected to the exterior, while still maintaining views. Further adjustment closes the blades completely. This totally opaque position prevents any sunlight from entering the interior & could act as an additional insulating device against heat loss or gain.

When combined with various types of insulative transmission surfaces, this device offers great promise in accomplishing the need for shading & direct solar gain on southern, vertical, glazed surfaces.

thermal storage
Solar Modulator*

S
W

SOLAR MODULATORS ❈ 쏠라 모듈

환 기

구조물 내 공기 교체는 여러 가지 이유로 필요하다.; 지저분한, 사용된 공기를 대체하고, 연기나 냄새를 제거하며, 원하지 않는 따뜻한 공기의 배출과, 쾌적함을 위한 공기의 이동 등. 단단히 밀봉되어 침투가 최소화 된 태양열 빌딩에서, 특히 지하 구조의 경우, 적절한 환기가 마련되어 야 한다.

환기는 냉방에 효과적으로 사용될 수 있지만 또한 난방 기간 중에도 필요 하다. 대부분 패시브 태양열 시스템은 복사열매체를 활용하기 때문에 약간의 공기의 움직임과 환은 역으로 난방 과정에 영향을 주지 않고 일어날 수 있다.

자연 환기는 여러 가지 방식으로 이루어질 수 있다. 모든 경우에 기억해야 할 중요한 것은 다양 계절적 요구에 적용하기 위해 빌딩 내 모든 공간에 환기공의 적절한 크기와 위치가 허용되는 것 다.

모든 환기구는 적절한 개구부와 잘 단열되고 닫힐 때는 밀봉되어야 한다.

공기는 제거될 때 공기는 대체된다.; 즉 들어오는 공기는 분배되기 전에 냉각되든 가열되든 온 하게 되어야 한다.

Air exchange in structures is required for a number of reasons: replacing stuffy, used air, eliminating smoke & odors, evacuating unwanted warm air, & air motion for comfort. In tightly sealed, solar-heated buildings, where infiltration is minimized, & particularily in subsurface structures, adequate ventilation must be provided.

VENTILATION can be used effectively for cooling, but it is also needed during heating periods. Since most passive solar-heating systems utilize radiant thermal mass, some air motion & exchange can occur without adversely affecting the heating process.

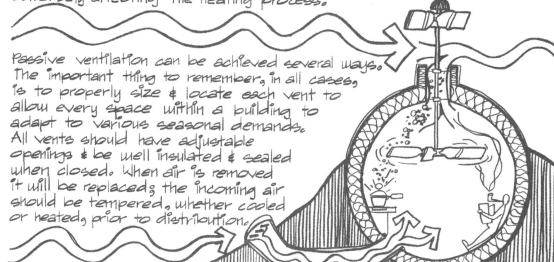

Passive ventilation can be achieved several ways. The important thing to remember, in all cases, is to properly size & locate each vent to allow every space within a building to adapt to various seasonal demands. All vents should have adjustable openings & be well insulated & sealed when closed. When air is removed it will be replaced; the incoming air should be tempered, whether cooled or heated, prior to distribution.

Direction & speed of air flow determine the cooling effect of natural ventilation. The dry-bulb, still-air temperature will be effectively lowered 5°F [3°C] if the air is moved at a velocity of 200 ft/minute [61 m/min]. Air speed can be adjusted to suit comfort needs by opening & closing a variety of properly placed windows.

To encourage ventilation there must be an inlet & outlet on opposite or adjacent sides of a space. Air flow into an opening on the windward side of a space is most EFFECTIVE when the wind direction is within 30 degrees of normal to the OPENING. Wind scoops, vegetation, & the type of window can be used to channel air into openings from any direction.

On the leeward or downwind side openings should be larger than on the incoming or windward side. This creates a maximum suction effect, facilitating free air movement through a space.

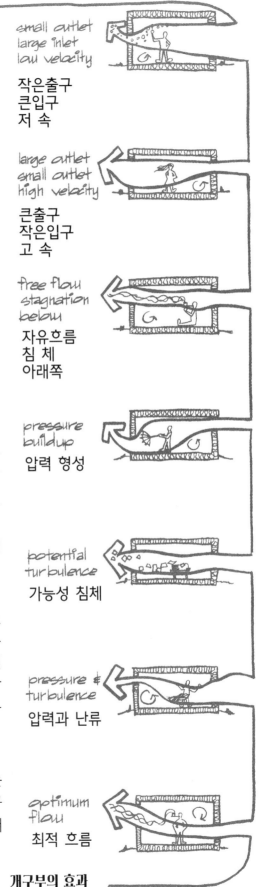

small outlet
large inlet
low velocity

작은출구
큰입구
저 속

large outlet
small outlet
high velocity

큰출구
작은입구
고 속

free flow
stagnation
below

자유흐름
침 체
아래쪽

pressure
buildup

압력 형성

potential
turbulence

가능성 침체

pressure &
turbulence

압력과 난류

optimum
flow

최적 흐름

공기 흐름의 방향과 속도는 자연환기의 냉각 효과를 결정한다. 건구식 정지 공기 온도는 공기가 2ft/분(61m/분)의 속도로 이동하는 경우 효과적으로 5°F(3℃)를 낮출 것이다. 공기 속도는 적절히 배치된 다양한 창문을 열고 닫음으로써 안락함 요구에 맞게 조절될 수 있다.

공간의 반대 측 또는 인접 측에 입구와 출구가 있어야 환기를 촉진할 수 있다. 공간의 창 측 개구부로 들어오는 공기 흐름은 개구부의 정 30도 이내인 경우에 가장 효과적이다. 바람개비, 식재 그리고 창문 유형은 어느 방향에서나 개구부로 들어오는 공기 통로로 사용될 수 있다.

나가는 쪽 또는 아래쪽 개구부는 바람이 들어오는 또는 불어오는 쪽보다는 더 커야 한다. 이것은 공간을 통해 자유로운 공기 이동을 촉진하는, 최대 흡입 효과를 만든다.

EFFECTS OF OPENINGS   개구부의 효과

Wind acting on a building causes higher pressure on the incident side & a vacuum on the opposite side, drawing air in openings on the windward face & sucking it out downwind.

awning

casement

Doors & windows are the natural means of ventilating houses. The placement, size, & type of openings govern the effectiveness of this FENESTRATION. By some building codes all habitable rooms of a dwelling must be provided with an operable exterior opening measuring not less than 1/20 of the floor area with a minimum of 5 sq.ft. [.465 sq.m.].

Windows can be oriented to catch or slow down prevailing breezes. The type of operating window should be suited to the task. Awning windows allow air to enter but keep out rain. Casement windows can open to catch or buffer wind. Louvered openings permit uninhibited air flow. Hopper windows allow free, upward motion. Since warm air rises & expands, outside air should be brought in low & exited high for ideal cooling.

louver

hopper

건물에 바람 작용은 입사 측에는 높은 압력 그러나 반대 측에는 진공을 일으킨다. 바람면의 개구부로 공기를 끌어들이고 아래쪽 바람을 흡입하면서.

문과 창문은 주택 환기의 자연적인 수단이다. 개구부의 위치, 크기 및 유형이 창호의 효용성을 결정한다. 몇몇 빌딩 규칙에서 모든 주거에 거주공간은 최소 5ft²(0.465m²)당 바닥면적의 1/20보다 적지 않은 크기의 개폐 가능 외측 개구부가 마련되어야 한다.

창은 산들바람을 들이거나 천천히 불게 하는 방향으로 설치될 수 있다. 작동하는 창문 유형은 이 목적에 적합해야 한다. 천막 창은 공기는 들이지만 비는 막는다. 여닫이 창은 바람을 잡거나 완화하기 위해 열 수 있다. 루버 개방은 자유로운 공기 흐름을 허용한다. 호퍼 창은 자유로운 상부 열림이 가능하다. 따뜻한 공기는 상승, 팽창하기 때문에 외부 공기는 이상적인 냉방을 위해 외부 공기는 낮게 들어오고 높게 빠져나가야 한다.

FENESTRATION 창 만들기

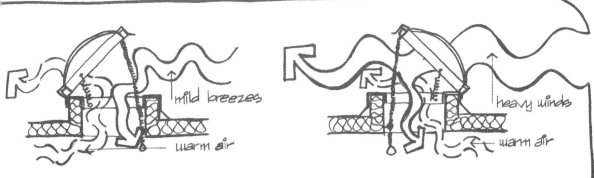

OPERABLE SKYLIGHTS make effective ventilators & also allow natural illumination. Good commercial units permit opening to the degree desired & seal well when closed, keeping moisture out & minimizing infiltration. Always use double-glazed types for increased insulation. Pressure-spring skylights open upward & restraining chains are used to adjust the opening & for closing. But crank-type skylights are generally superior.

Operable skylights have the advantage of always being exposed to the wind regardless of where it comes from. In areas of driving rains or heavy winds it is wise to orient the opening away from the storm direction. This type is a good choice for ventilating bathrooms & kitchens.

Air flow through ceiling vents varies with wind direction & speed, inside to outside pressure differential, & temperatures. At times, outside breezes will flow downward into the building; usually, warm air will rise up & out.

작동되는 채광창 효과적인 통풍기가 되고, 또한 자연조명을 허용한다. 고급 상업 유닛은 원하는 정도로 개방되고 닫힐 때는 수분이 침투하는 것을 최소화하도록 잘 밀봉된다. 항상 단열이 강화된 이중 유리 형식을 사용하라. 압력 스프링 채광창은 위쪽으로 열리고 억제 체인이 열림 정도를 맞추고, 닫기 위해 사용된다. 그러나 일반적으로 크랭크형 채광창이 가장 우수하다.

열수 있는 천창은 항상 바람 쪽으로 열수 있는 장점이 있다. 폭풍우나 바람이 많이 부는 지역에서는 폭풍 방향에서 먼 쪽으로 열리는 것이 현명하다. 이 유형은 욕실과 부엌 환기에 좋은 선택이다.

천장 통풍구를 통한 공기 흐름은 바람의 방향과 속도, 내 외부 압력의 차이와 온도에 따라 변한다. 때로는 외부의 산들바람은 건물 아래로 흐른다.; 보통 따뜻한 공기가 위로 올라가 나가게 된다.

OPERABLE SKYLIGHTS 작동되는 채광창

Vents located in joist & beam spaces or between studs under roof overhangs are an economical method of perimeter ventilation. Heated interior air will rise out or cooler outside air will dump down through, as pressure & temperature dictate.

A number of these weather-proofed vents at strategic locations permit zone ventilation at all perimeter walls. It's surprising how effectively these simple devices work.

Insulated wood or metal flaps with weather stripping, piano hinges, & touch-latch* hardware prevent heat loss & infiltration when closed. The EAVE overhang protects the vent in any weather.

FLOOR VENTS allow intake of cooler ground air & are a natural complement to eave vents, as they provide the inlet to a ventilation cycle.

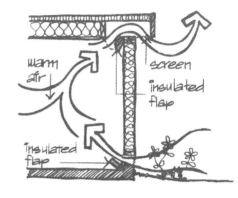

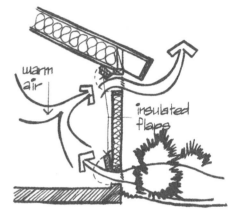

장선 및 빔 공간이나 돌출 지붕 아래 스터드 사이에 위치한 통풍구는 외주 환기의 경제적인 방법이다. 압력과 온도의 지시에 따라 따뜻한 실내 공기는 밖으로 상승할 것이고, 더 차가워진 공기는 아래를 통해 들어올 것이다.

필요한 위치에 있는 이러한 일련의 내후성 환기구는 모든 벽의 외주에서 구역 환기를 허용한다. 이런 간단한 장치가 얼마나 효과적으로 작용하는지는 놀라운 일이다.

단열된 목재 또는 틈 마개 된 금속 플랩, 피아노 경첩과, 터치-래치 금구 등은 닫혀 있을 때 열 손실과 침투를 방지한다. 돌출 처마는 어떤 날씨에도 환기구를 보호한다.

바닥의 환기구는 더 차가운 지상 공기 끌어들이고, 처마 환기구가 환기 사이클에 입구 역할을 하도록 자연스럽게 보완한다.

EAVE & FLOOR VENTS   처마와 바닥 통기공

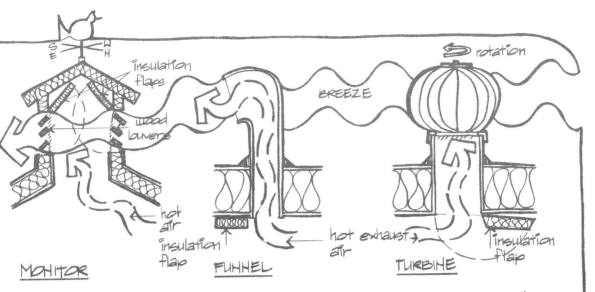

insulation flaps
wood louvers
hot air insulation flap
hot exhaust air
insulation flap
rotation
BREEZE

MONITOR   FUNNEL   TURBINE

Exhausting heated inside air by natural passive means is most easily accomplished at the high point of roofs or attics. This is where the heated interior air gathers & tries to get out. Let it !

The monitor, funnel, & turbine are tried & true devices for allowing breezes to aid in exhausting interior air to the outside. When combined with screening & an insulated closure flap on the inside, these roof vent methods are very effective ways to ventilate & keep the weather out.

It may be necessary to extend ROOF VENTS to a point above adjacent structures to catch the main wind currents.

자연적인 패시브 방식으로 가열된 내부 공기의 배출은 지붕이나 다락방의 높은 지점에서 가장 쉽게 이루어진다. 이곳이 가열된 실내 공기가 집결하고 나가려고 하는 곳이다. 그렇게 되게 하자!

모니터, 깔때기 및 터빈이 시도되고 있으며 실내 공기의 외부 배출을 돕기 위해, 산들바람이 불도록 허용하는 정확한 장치이다. 거르기와 내부의 열 폐쇄 플랩을 결합하면 이 지붕 환기 방법은 환기를 도우며 기후에 견디어 내는 매우 효과적인 방법이다.

바람의 주 흐름을 잡기 위해 인접 구조물 상부 위치까지 지붕 통풍구를 확장할 필요가 있다.

ROOF VENTS   지붕 환기구

잦은 바람에서 더 빠른 공기 움직임에 이르고 잡아내는 고정된 바람 스쿠프는 따뜻한 기후에 있는 건물에서 공기의 움직임을 제공하는 훌륭한 방법이다. 바람의 흐름은 일반적으로 지상 20~40피트(6~12m)에서 가장 강하다. 이 흐름은 아래로 깔때기처럼 좁아질 때, 환기되는 공기는 들어오는 바람의 속도와 빌딩을 통과하는 움직임에 따라 압력이 달라진다.

덕트와 조화되어 적당한 크기와 위치의 배출구는 구조 전반에 걸쳐 다양한 방에 공기의 고른 분배를 허용할 것이다. 어떤 공간으로 잡아들인 공기가 잘 유통하기 위해서는 빠져나갈 장소가 있어야 한다는 점을 기억하라.

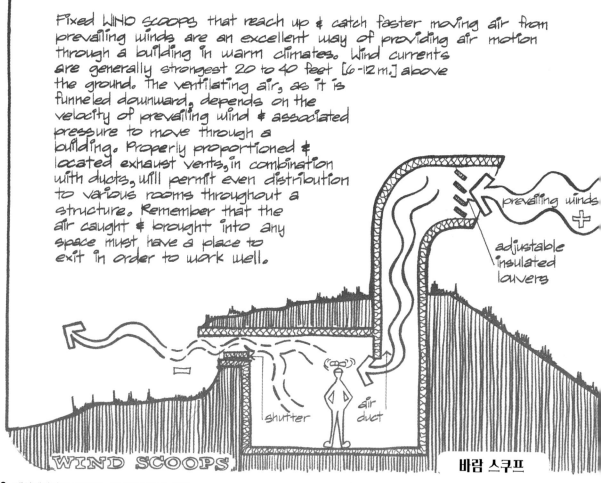

Fixed WIND SCOOPS that reach up & catch faster moving air from prevailing winds are an excellent way of providing air motion through a building in warm climates. Wind currents are generally strongest 20 to 40 feet [6-12 m.] above the ground. The ventilating air, as it is funneled downward, depends on the velocity of prevailing wind & associated pressure to move through a building. Properly proportioned & located exhaust vents, in combination with ducts, will permit even distribution to various rooms throughout a structure. Remember that the air caught & brought into any space must have a place to exit in order to work well.

prevailing winds

adjustable insulated louvers

shutter

air duct

WIND SCOOPS

바람 스쿠프

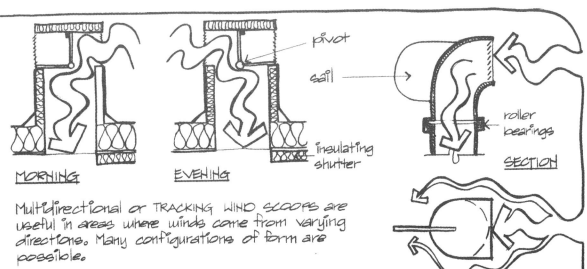

MORNING   EVENING

pivot

sail

roller bearings

SECTION

insulating shutter

PLAN

Multidirectional or TRACKING WIND SCOOPS are useful in areas where winds come from varying directions. Many configurations of form are possible.

Where winds blow from one direction in the morning & the opposite in the evening, a two-directional pivot scoop is simple to build & operate. Manually setting the position of the pivot blades allows a rate of flow from fully direct to indirect.

A 360 degree rotating scoop with a directional sail will react to subtle changes in wind direction, taking maximum advantage of wind force.

It is a good idea to install screens in all vents & to take steps to keep rain or snow out.

다방향 또는 바람 추적 스쿠프는 바람이 다양한 방향에서 오는 지역에서 유용하며, 많은 형태로 구성이 가능하다.

바람이 아침과 저녁에 반대 방향에서 불 경우, 양 방향 선회 공기 스쿠프를 설치 운영하는 것이 간편하다. 수동으로 피봇 블레이드의 위치를 설정하는 것은 직접에서 간접으로 완전히 흐름의 속도를 바꾼다.

방향 변이 있는 360도 회전하는 공기 스쿠프는 풍력을 최대로 이용하면서, 바람 방향의 세밀한 변화에 반응할 것이다.

모든 환기구에 스크린을 설치하고 눈과 비를 막는 조치를 취하는 것은 좋은 생각이다.

TRACKING SCOOPS   추적 스쿠프

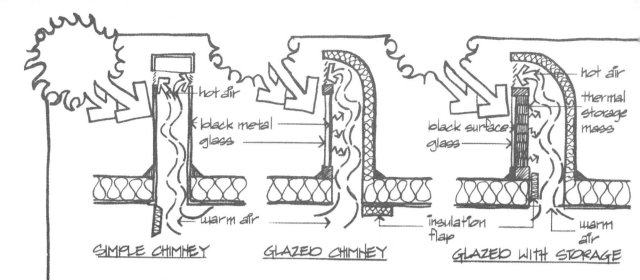

SIMPLE CHIMNEY   GLAZED CHIMNEY   GLAZED WITH STORAGE

SOLAR CHIMNEYS, plenums, or black boxes, located where the sun can warm them, use solar heat to reinforce natural air convection. As a black metal chimney gets hot during the day, the air inside heats, expands, & rises, in turn pulling interior air up & out. One advantage of the solar chimney is its ability to self-balance; the hotter the day, the hotter the chimney & the faster the air movement.

The shape, area, & height of the chimney should be experimented with to determine the proper air flow for various installations. West-facing, glazed chimney surfaces are suitable for venting during the hot afternoon part of the day. By integrating thermal storage mass behind the glazing the chimney will actually store daytime heat & continue to exhaust air after the sun has set, thus acting as a night ventilator.

태양이 따뜻하게 할 수 있는 곳에 설치된 태양 굴뚝, 강제환기, 또는 검정 상자는 자연 공기 대류를 강하게 하기 위해 태양열을 이용한다. 검은 금속 굴뚝은 낮에 열을 받아들여 내부의 공기는 데워지고 팽창하고 상승하여 순차적으로 내부 공기를 위로 올려 배출한다. 태양 굴뚝의 장점은 자체 균형능력이다. 날씨가 더울수록 굴뚝은 더 뜨거워지고 공기의 흐름은 더 빨라진다.

굴뚝의 모양, 영역, 그리고 높이는 다양한 설치를 위한 적절한 공기 흐름을 결정하기 위해 실험을 해야 한다. 서향에서는 굴뚝 유리 표면이 하루 중 뜨거운 오후에 배출하기에 적합하다. 유리 뒷면에 열저장 매체를 결합함으로써 굴뚝은 실제로 주간에 열을 저장하고 일몰 후에는 지속적으로 공기를 배출함으로써 야간 환기구 역할을 한다.

SOLAR CHIMNEY   쏠라 연도

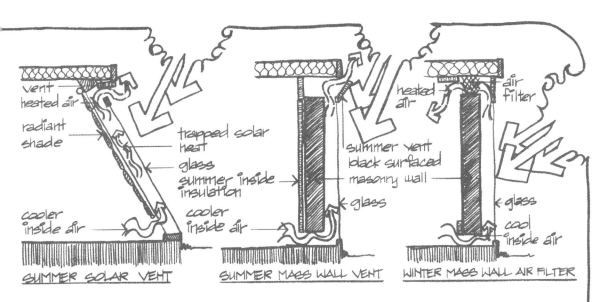

SUMMER SOLAR VENT

vent
heated air
radiant
shade
cooler
inside air
trapped solar
heat
glass
summer inside
insulation
cooler
inside air

SUMMER MASS WALL VENT

heated
air
summer vent
black surfaced
masonry wall
glass

WINTER MASS WALL AIR FILTER

air
filter
glass
cool
inside air

A solar air ramp, windows with radiant barrier curtains, or a solar mass wall can be used for INDUCTION VENTS. Where sunlight is trapped behind south or west glazing, air is heated & rises. If the heated air is allowed to vent outside at the top, interior air will be sucked up the solar heated space & exhausted. This exiting air should be replaced by outside air taken from a low, shaded spot, preferably on the north or east side.

During a heating season, an air filter placed in the heated-air return-duct of a a solar mass wall will filter out smoke, odors, & particles from reheated interior air. This eliminates much of the need to exhaust & replace used air by cold outside air.

태양열 램프, 복사 방지 커튼이 달린 창, 또는 태양 열매체 벽은 유도형 배기구로 사용될 수 있다. 햇빛이 남쪽이나 서쪽 유리면 뒤에 갇혀 있는 곳에서 공기가 가열 되고 상승한다. 가열된 공기가 꼭대기에서 밖으로 배출되도록 하면 실내 공기는 태 양 가열 공간에 흡입되고 사용된다. 이 빠져나가는 공기는 바람직하게는 북쪽이나 동쪽에, 낮고 그늘진 곳에서 취해진 외부 공기로 교체되어야 한다.

가열되는 계절, 태양열 매체 벽의 가열된 공기 리턴 덕트에 배치된 에어 필터는 연 기, 냄새, 그리고 재가열 실내 공기에서 입자를 걸러낸다. 이것은 사용된 공기를 배 출하고 차가운 외부 공기로 교체할 필요를 많이 줄여준다.

SOLAR INDUCTION VENTS 쏠라 인덕션 벤트

A BUILDING can act AS A FLUE for ventilating by the chimney effect. In some climates, where maximum ventilation is desired to exhaust heated air during the cooling season, or when special rooms require removal of smoke or odors, the building can be shaped to optimize natural convective ventilation. In all cases, steps should be taken to insulate & weatherproof during the heating season. Generally, even tightly sealed buildings will self-ventilate by infiltration at door & window edges & through the weatherskin. During winter months, this unavoidable air exchange can provide adequate air supply, eliminating the need for additional ventilation, except possibly for some smoke or odor removal.

The challenge with ventilation is to provide sufficient fresh air during extreme climate conditions = EFFECTIVELY & COMFORTABLY !!

건물은 굴뚝 효과에 의해 환기를 위한 통로로 역할할 수 있다. 어떤 기후에서는 냉각 시즌 동안 가열된 공기를 배출하기 위해 최대 환기가 필요한 곳이나, 또는 특별한 방이 연기나 냄새의 제거를 필요로 할 때, 건물은 자연 대류 환기를 최적화하는 형태로 만들어질 수 있다. 모든 경우에, 난방 계절 동안 단열과 비바람 막이를 위해 조치를 취해야 한다. 일반적으로, 심지어는 단단히 밀폐된 건물에서도 문 및 창 가장자리에 바람막이를 통한 침투로 자기-환기가 일어날 것이다. 겨울 개월 동안 이 불가피한 공기 교환은, 있을 수도 있는 연기나 냄새 제거 목적을 제외하고는 추가의 환기의 필요성을 제거함으로써, 적절한 공기 공급을 제공할 수 있다.

환기 문제는 효과적이고 편안하게 극단적인 기후 조건에서 충분하고 신선한 공기를 제공하는 것이다!

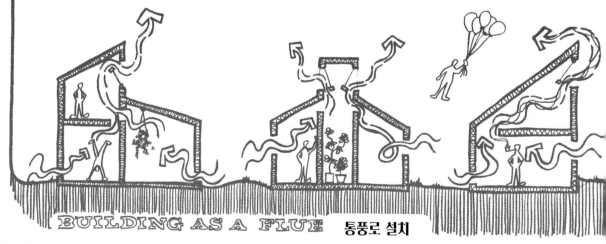

BUILDING AS A FLUE 통풍로 설치

still

still space

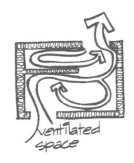

ventilated space

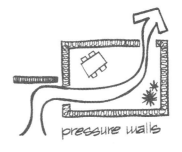

pressure walls

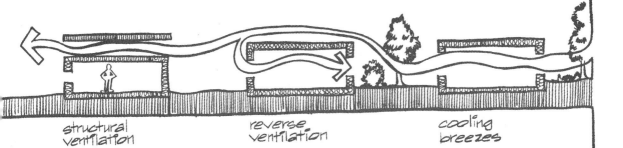

structural ventilation

reverse ventilation

cooling breezes

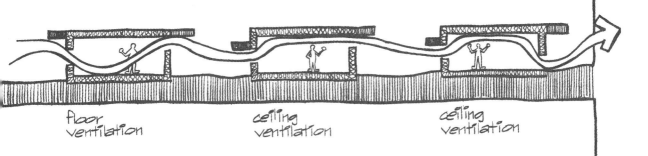

floor ventilation

ceiling ventilation

ceiling ventilation

Internal & external forms can affect air motion through & around buildings.

내부 및 외부 형태는 건물 내부 및 주변 공기의 움직임에 영향을 미친다.

BAFFLING VENTILATION. 통풍 방해

Usually, the emphasis placed on passive solar use is for heating. Cooling by passive means can be effective for controlling excessive heat in most climates. In some locations, air motion through ventilation may suffice to maintain comfort. In other climates, controlling the heat content of the radiant storage mass may be adequate. The method used may need to be supplemented by adding or removing moisture from the ambient air to achieve a proper humidity/temperature balance.

A heat storage mass used for heating in winter may be used for COOLING during summer. Many times control of the mean radiant temperature (MRT) of a structure will do the job of cooling in a simple nonmechanical way. In some climates augmentation by a small amount of conventional cooling may be required, just as some means of auxiliary heating is needed with many solar heating systems. The point is to design buildings that maximize the natural potential to heat or cool themselves, using as little expensive, inefficient fuel energy as possible to make our lives comfortable.

How that we're so hot for solar heating . . . let's cool it !!

냉 방

보통, 패시브 솔라 이용에 있어 강조는 난방이다. 패시브 방식에 의한 냉방은 대부분의 기후에서 과도한 열을 제어하는 효과가 있다. 일부 지역에서는 환기를 통한 공기 이동이 편안함을 유지하기에 충분할 수 있다. 다른 기후에서는 복사 저장 매체의 열량을 조절하는 것이 적합할 수 있다. 사용되는 방법은 적절한 습도/온도의 균형을 달성하기 위해 주변 공기로부터 수분을 추가 또는 제거되어 보충될 필요가 있다.

겨울에는 난방을 위해 사용된 축열 매체가 여름 동안에는 냉방에 사용될 수 있다. 한 구조의 평균 복사 온도(MRT) 조절은 대부분의 경우에 간단한 비 기계적 방식의 냉방 작업으로 될 것이다. 어떤 기후대에서는 다양한 태양열 난방 시스템에 몇 가지 보조난방 수단이 필요한 것처럼 종래의 냉난방량을 약간 증가시키는 것이 필요할 수도 있다. 요점은 우리의 삶을 편안하게 하기 위해 비싸고, 비효율적인 연료 에너지를 가능한 한 적게 사용하여 건물난방과 냉방에 자연의 잠재력을 극대화한 건물을 디자인하는 것이다.

이제 우리는 태양열로 너무 뜨겁다.
그것을 식히자!

cooling

The traditional method used to keep structures of massive construction cool is to close them up like a refrigerator during the heat of the day & open them up at NIGHT, allowing accumulated heat to escape. Thick-walled adobe & stoned structures in the southwestern United States maintain internal comfort during extremely hot weather by these means.

Insulated shutters, used in winter to prevent heat loss, can be utilized in summer to reduce heat gain. Shading all glass, plus south & west walls, helps to minimize direct heat gain from the sun. Insulating the outside of walls further prevents heat buildup in the mass of the building. Opening doors, windows, skylights, & vents at night to allow cool breezes to circulate & carry out heat from the interior mass lowers the mean radiant temperature of the space. Internal heat generated by cooking, lights, & motors should be vented outside in summer.

대규모 건설 구조를 시원하게 유지하는 데 사용되는 전통적인 방법은 주간에는 냉장고처럼 닫아놓고 야간에는 축적된 열이 빠져나갈 수 있도록 개방하는 것이다. 남서부 미국의 두꺼운 흙 벽돌 벽이나 석재 벽 구조는 이러한 방법으로 매우 더운 날씨 동안 내부의 편안함을 유지한다.

열 손실을 방지하기 위해 겨울철에 사용되는 절연 셔터는 여름철에는 열 이득을 감소시키기 위해 사용될 수 있다. 모든 유리창과 남향 및 서향 벽에 그늘을 만드는 것은 태양으로부터의 직접 열 취득을 최소화하는 데 도움이 될 수 있다. 벽 외부를 단열하는 것은 건물매체에 열이 쌓이는 것을 더욱 방지한다. 밤에 문, 창, 채광창, 그리고 통풍구를 열면 시원한 바람이 순환하고 내부 물체의 열을 밖으로 꺼내는 것을 가능하게 하여 공간의 평균 복사 온도를 낮춘다. 여름철에 조리, 실내등 빛, 모터에 의해 생성된 내부 열은 여름철에 외부로 배출되어야 한다.

NIGHT AIR COOLING   밤공기 냉각

NIGHT SKY or deep-space RADIATION is a reversal of the daytime insolation principle. Just as the sun constantly radiates energy through the void of space, heat energy travels, virtually unhindered, from the earth's surface back into this void.

On a clear night when the void of space is our earthly ceiling, the earth & any warm object can cool itself by radiating long-wave heat energy to the infinite cold depth of space. It is possible to cool a body of water or any solid mass to well below the ambient air temperature if its surface is aimed at the night sky & it is insulated from surrounding warm bodies. Glazing & other radiant barriers will inhibit this emission of heat energy.

Structures with movable insulation for preventing solar gain during the day can be designed to open at night, allowing surfaces within to release heat by radiation & convection. It is possible to achieve cooling comfort in many climates by this simple & elegant method.

밤하늘이나 심 우주 방사는 주간 일사량 원리의 역전이다. 태양이 우주 공간으로 끊임없이 에너지를 방출하는 것처럼, 열 에너지는 지구 표면에서 이 공간으로 되돌아간다.

우주의 공간이 우리 지구의 천정이 되는 맑은 밤하늘에 지구와 어떤 따뜻한 물체는 장파의 열에너지를 우주의 무한한 차가운 공간 깊이 방출함으로써 스스로를 식힐 수 있다. 수면 또는 어떤 고체의 표면이 밤하늘을 향해 있고 주변의 따뜻한 물체와 단열된다면 주변의 공기 온도보다 훨씬 낮은 온도로 몸체 또는 물체가 차가워질 수 있다. 유리창과 어떤 반사 벽은 열에너지의 손실을 억제할 것이다.

구조물들은 낮동안 태양열을 막는 이동형 단열장치의 구조물들은 밤에 오픈되게 디자인되어 복사와 전도에 의해 표면 열이 새지 않게 한다. 이와 같은 단순하고 훌륭한 방법으로 많은 기후 지역에서 안락한 냉방을 달성하는 것이 가능하다.

NIGHT-SKY RADIATION   밤하늘 방사

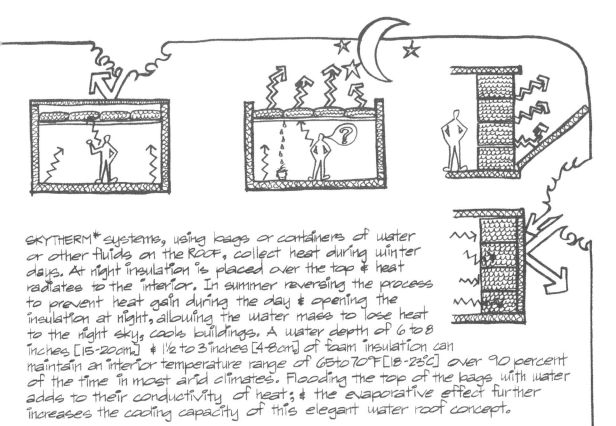

SKYTHERM* systems, using bags or containers of water or other fluids on the ROOF, collect heat during winter days. At night insulation is placed over the top & heat radiates to the interior. In summer reversing the process to prevent heat gain during the day & opening the insulation at night, allowing the water mass to lose heat to the night sky, cools buildings. A water depth of 6 to 8 inches [15-20cm] & 1½ to 3 inches [4-8cm] of foam insulation can maintain an interior temperature range of 65 to 70°F [18-23°C] over 90 percent of the time in most arid climates. Flooding the top of the bags with water adds to their conductivity of heat; & the evaporative effect further increases the cooling capacity of this elegant water roof concept.

Exterior WATER WALLS, drum walls, & mass walls that are insulated during the day & opened at night will function much the same as Skytherm*. Glass or transparent membranes used to trap winter sunlight should be removed to allow maximum emission of radiation.

지붕 위에 물 자루나 물 저장 용기를 사용하는 스카이덤 시스템들은 겨울철에 열을 수집한다. 밤에는 단열재로 상부를 덮고 그리고 열은 내부로 방사된다. 여름에는 낮동안 열을 받는 것을 막는 과정이 역으로 되며, 밤에는 단열 막을 열어 물이라는 매체가 밤 하늘에 열을 나가게 하여 빌딩을 시원하게 만든다. 물의 깊이는 6~8인치[15~20cm] 그리고 1.5~3인치[4~8cm]의 기포 단열재가 내부 온도의 범위를 65~70°F[18~23℃] 정도를 대부분의 건조한 기후에서 90%이상 시간 동안 유지시킨다.

물 자루 상부로 물이 넘치는 것은 물의 열 전도성을 더한다. 수분 증발 효과는 훨씬 더이 훌륭한 물 지붕 콘셉트의 냉방 효과를 증가시킨다.

낮시간 동안 단열, 밤에 개방되는 내부 물 벽, 드럼 벽과 매스 벽들은 스카이덤과 똑같은 기능을 할 것이다. 겨울철 햇볕을 가두는 유리와 투명 막들은 방사가 최대한 방출되지 않도록 하여야 한다.

SKYTHERM* ROOFS & WATER WALLS

스카이덤 지붕과 물 벽들

SHADE ROOFS help a great deal in hot or tropical climates to prevent daytime sun from getting directly to the mass of a structure. The space below an insulated shade roof allows breezes to circulate next to the lower roof, removing heat that may generate from inside.

In tropical climates structural mass should be minimized to avoid storing heat in the fabric of a building. A structure with little heat-retention ability will cool quickly when rains & breezes are about.

This type of umbrella roof might be adjustable by day or season. In some desert climates, with little or no cooling breezes, roofs which isolate the structure from the sun, but open at night to encourage deep space radiation, are advantageous.

Sprinkling or flooding the lower roof with water, at certain times when breezes prevail, will cool the structure even further.

그늘 지붕은 더운 열대 기후에서 낮시간 동안 구조물 매체에 직접 쏟아지는 햇볕을 막을 수 있도록 큰 역할을 한다.
단열된 그늘 지붕 아래의 공간은 바람이 내부에서 생성될 수 있는 열을 제거하면서 아래쪽 지붕으로 순환하도록 허용한다.

열대기후에서 구조물 매체는 빌딩의 구조 내에서 열 축척을 피할 수 있도록 최소화되어야 한다.

이와 같은 우산 지붕 타입은 일별 계절별 조정될 수 있다. 시원한 바람이 거의 없는 어떤 사막 기후에서는 햇볕으로부터 구조물을 격리시킨 지붕 그러나 밤에는 개방되어 깊은 우주공간으로 열을 방사시키는 그런 지붕들이 이로울 것이다.

간간히 바람이 부는 어떤 때에는 낮은 지붕에 물을 뿌리거나 흘려보내는 것이 구조물을 훨씬 더 시원하게 만들 것이다.

SHADE ROOF 그늘 지붕

Many cultures in arid climates have utilized the interior patio or COURTYARD for COOLING. This open & shaded space can be covered by lightweight shading lattice during the heat of the day to prevent sun intrusion & heat buildup in the interior walls.

Small exterior windows allow prevailing breezes to enter, while blocking the sun from the massive room interiors. Vegetation & fountains or ponds add evaporation to the cooling effect of the breezes passing in one side & out the other.

At night, by opening all doors & windows & removing the day shade, deep-space radiation, air, & evaporative cooling continually remove heat from the massive walls.

The courtyard environment is a cool, indoor/outdoor, private area suitable for many uses.

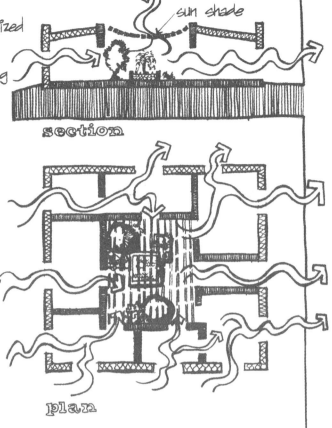

sun shade

section

plan

건조한 기후의 여러 주거 양식에서 시원하게 하기 위해 내부 패티오 또는 정원을 이용했다. 개방된 그늘진 공간은 낮의 열기 동안 가벼운 격자 막이로 내부 벽체에 햇볕의 침투와 열 축척을 막도록 그늘지게 커버될 수 있다.

작은 외부 창문은 넓은 방에서 태양을 차단하면서 미세한 산들바람이 들어오는 것을 허용한다.
식재와 분수 또는 연못들은 미풍이 한쪽에서 그리고 다른 쪽으로 통과하는 동안 수분 증발로 냉각 효과를 더해 준다.

밤에는 모든 문과 창문을 열고 낮의 그늘은 없어지고 깊은 공간으로 방사되며, 공기와 수분 증발식 냉각으로 방대한 벽에서 계속해서 열을 제거한다.

정원 환경은 서늘하여 내 외부 사적 공간에서 많이 사용된다.

COOL COURTYARDS   시원한 마당

지하 조건이 허락하는 좀 따뜻한 기후에서는 지구의 땅 속 냉기를 이용하는 것이 합리적이다. 대부분 위치에서 땅의 온도는 깊이 5~8ft[1.5~2.4m]에서 연평균 온도 단 몇 도 이내로 안정되어 있다. 만일 흙이 메마르다면, 5ft[1.5m] 깊이에서 땅의 온도는 보통 70°F[21℃]를 넘지 않을 것이다. 지상 대기의 온도가 100°F[38℃] 가까이 될 때에도.

지하 구조물들은 겨울에 덥히기 쉽다.; 즉 지중 구조는 겨울철에 쉽게 열을 얻을 수 있으며, 둘러싸인 흙의 단열성과 불침투성 때문에 침투된 열과 정상 상태 열 손실이 최소화된다.

적당한 저구부와 빛의 통로는 환기와 조명을 위해 준비되어야 한다.

In warmer climates, where subsurface conditions allow, it makes sense to BURROW into the coolth of the EARTH. In most locations, the temperature of the earth is stable to within a few degrees of the mean annual temperature at a depth of 5-8 ft. [1.5-2.4m], if the soil is dry. Thus, at a depth of 5ft. [1.5m], the earth's temperature will normally not exceed 70°F [21°C] when the air temperature above the ground is near 100°F [38°C].

Subsurface structures are easy to heat in the winter; infiltration & steady-state heat losses are minimal due to the insulation value & impermiability of the enveloping earth.

Adequate vents & light wells must be provided for air change & illumination.

natural light & ventilation

EARTH BURROWING 땅굴

In southern Tunisia, at the edge of the Sahara Desert, & in other harsh climates TROGLODYTE DWELLINGS provide even-temperature shelter in areas with severe dusty winds, extremely hot summers, & cold winters.

These underground houses, carved out of soft, yet stable, soil, open off a craterlike central court. Sun penetration is minimal at the bottom, & the rooms maintain a radiant temperature approximating the coolth of the deep earth. Vents to the surface allow air circulation.

Usually, a water cistern below the court captures water runoff in this dry region. The rooms & lower courtyard walls, ceiling, & floors are whitewashed to reflect light. Dining, cooking, & craftwork are done in the courtyard.

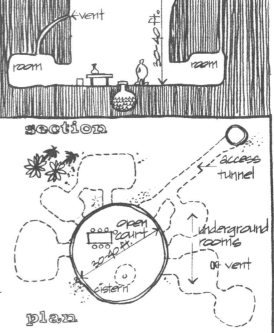

These structures are fine examples of native ingenuity in dealing with an extreme environment with minimal material resources.

When the family expands, carve another room!

남쪽 튜니지아 사하라 사막 끝에 그리고 다른 척박한 기후 지역에 고대 주거지들은 극심한 먼지바람으로 극도로 뜨거운 여름 지역에 차가운 겨울 지역과 똑같은 따뜻한 주거지들이 있다.

이와 같은 땅속 집들은 안정된 연약한 흙을 파서 만들었고, 중앙 위치는 분화구 같이 개방되어 있다. 바닥에 해가 거의 닫지 않고 방들은 깊은 땅속의 냉기와 비슷한 복사온도를 유지한다. 지표까지 통기구멍으로 환기가 된다.

보통 정원 아래 수조는 이 건조한 지역으로 빠지는 물을 가두어 놓는다. 방들과 더 아래 마당에 벽체와 천정 그리고 바닥들은 빛을 반사시킬 수 있도록 백색수성 도료로 칠해져 있다. 그리고 마당에는 식당과 주방 그리고 공예품들이 만들어져 있다.

이와 같은 구조물들은 토속 원주민들이 최소한의 재료자원으로 극심한 환경에 대처하는 좋은 사례들이다.

TROGLODYTE DWELLINGS 혈거인 주거지

기존의 미세기후를 응용함으로써 한 구조물을 차갑게 할 수 있다.

주의 깊게 살피면 주변의 나무와 관목들이 태양열의 축척을 막아준다. 식재와 구조적 형태는 건물 주변을 통해 시원한 바람이 통하게 하고 집중되게 한다.

연못의 물, 분수 또는 식물에 물 뿌리기, 맞바람 받는 건물 등은 빈공기층을 시원하게 할 것이며 구조물에 들어가기 전에 열 운반 능력을 증가시킨다.

때때로 건조한 기후에서 밀집한 식물은 밤하늘로 방사를 억제하고 따라서 냉방효과를 제한한다.

그러나 대부분의 기후에서 이와 같은 미세기후의 조합이 수정되고 잘 선택되며 기온을 주위 지역보다 낮게 잘 유지시킨다.

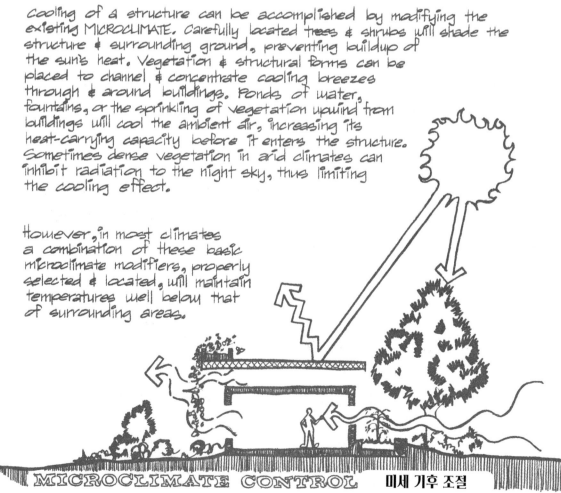

Cooling of a structure can be accomplished by modifying the existing MICROCLIMATE. Carefully located trees & shrubs will shade the structure & surrounding ground, preventing buildup of the sun's heat. Vegetation & structural forms can be placed to channel & concentrate cooling breezes through & around buildings. Ponds of water, fountains, or the sprinkling of vegetation upwind from buildings will cool the ambient air, increasing its heat-carrying capacity before it enters the structure. Sometimes dense vegetation in arid climates can inhibit radiation to the night sky, thus limiting the cooling effect.

However, in most climates a combination of these basic microclimate modifiers, properly selected & located, will maintain temperatures well below that of surrounding areas.

MICROCLIMATE CONTROL 미세 기후 조절

In areas with moderate humidity & an adequate water supply, EVAPORATION of water to the air will carry off excess heat. An old-fashioned camp cooler illustrates this principle well. The cooler consists of a series of shelves surrounded by an absorbent fabric, such as burlap or canvas, that acts as a wick. Water drips at a slow rate from above & spreads throughout the wick, keeping it moist. The moistened fabric is porous enough to allow the breeze to blow through the material, picking up moisture by evaporation. The heat-carrying capacity of the air is increased by its water content, &, as it moves through & out of the cooler, more heat is removed than enters. The rate of evaporation is greater as the air motion increases. If you can control the speed of the air, you can vary the temperature the cooler.

This is the same principle used in "swamp" coolers. Cooling can be regulated by varying the fan speed & water flow.

This idea can be used for passive cooling of structures in several ways.

water container with drip pan

55°F ±

moist warm air 80°F

dry warm air 85°F

moist fabric

적당한 습도 지역과 적당히 물 공급이 되는 지역 대기에서는 물의 증발이 과도한 열을 이동시킬 것이다. 한 구식 캠프 쿨러는 이 같은 원리를 잘 설명하고 있다. 이 쿨러는 심지처럼 작용하는 삼베나 캔버스와 같은 흡수성 직물에 의해 둘러싸인 일련의 선반으로 구성된다.

물은 위에서 천천히 떨어지고 심지를 통해 상부로 퍼지며 잘 유지된다. 습기가 있는 직물은 바람이 재료를 통해 지나갈 수 있도록 충분히 다공성이며 증발한 수분을 흡수한다. 공기의 열 운반능력은 수분 함량에 따라 증가된다. 그리고 그 공기가 쿨러를 통해 밖으로 움직일 때 들어올 때 보다 더 많은 열을 제거한다. 증발 비율이 더 클수록 공기의 움직임은 증가한다. 만일 당신이 공기의 속도를 조정하고 싶다면 쿨러 내의 온도를 변화시킬 수 있다.

이것은 '스왐프' 쿨러에서 사용된 것과 동일한 원리이다. 냉각은 팬 속도 및 물 흐름을 변경하여 조절할 수 있다.

이 아이디어는 여러 가지 방식으로 건물의 패시브 쿨링에 사용될 수 있다.

EVAPORATION   증발

스왐프 쿨러는 증발 공기 냉각 장치이다. 그것은 커다란 팬을 돌리고 물에 젖은 패드 또는 심지를 통해 공기를 유도한다. 햇볕으로 공기가 이동하여 빠져나가게 함으로써 똑같은 결과를 얻을 수 있다.

가열된 공기를 배출하는 지붕 벤트 또는 태양열 램프는 더 차가운 패드, 젖은 삼베 자루를 통해 또는 물 또는 습기가 많은 자갈층을 가로질러 외부 공기를 끌어올 수 있다. 만일 그 공기를 그늘진 외부 지대에서 습기 찬 심지를 통해 끌어 온다면 건물로 인입될 때 그 공기는 상당히 시원할 것이고 많은 열량을 흡수할 수 있는 열 흡수 용량을 가지고 있을 것이다.

습기 찬 공기가 건물을 통해 순환할 때 그 공기가 빨려 들어가기 전에 물체에서 열을 끌어당겨 태양열 대류가 발생한다.

햇볕의 강도가 높으면 높을수록 빌딩을 통해 차가운 공기를 당기는 능력은 더욱 커진다.

이와 같은 증발식 냉각은 과도한 습도가 있는 지역에서 효과적이다.

댐퍼가 공기 흐름의 양과 속도를 조절하는 데 사용되어야 한다.

Swamp coolers are EVAPORATIVE air cooling devices that use a large fan to pull or INDUCE air through a pad or wick saturated with water. The same result can be accomplished by using a solar vent to move air. A roof vent or solar air ramp that exhausts heated air can, in turn, pull outside air through a cooler pad, wet burlap sack, or across a pool of water or damp pebble bed. If the air is drawn from a shaded outside area & through the moisture wick, it will be quite cool upon entering the building & will have the thermal capacity for absorbing a significant amount of heat. As the moist air circulates through the building, it will attract heat from all objects before being sucked up & out by the solar-heated convection current. The higher the solar intensity, the greater the potential for pulling cool air through the building.

water reservoir

solar heated air

ambient air

cool, moist air

insulation

warmed air

This method of evaporative cooling is effective in areas where excessive humidity is not a problem.

Dampers should be used to control the volume & velocity of the air flow.

INDUCED EVAPORATION 유도 증발

Nomadic Bedouin people use tents woven of black goat hair as shelter from the hot, dusty, & dry environment of Arab countries.

The BLACK insulative surface of the TENTS has little thermal mass. Upon heating in the sun, convection is induced between the fibers & across the inner surface, causing air motion. The low conductivity of the fabric adds little radiative heat to the shaded interior. The hotter the day, the greater the surface rejection of external solar heat. This is due to the low heat capacity of the tent material & the convective current through it.

These portable & flexible tents can easily be adjusted to block hot-blowing, sandy wind & provide shade from the scorching sun. Relatively comfortable interior temperatures can be maintained where daytime temperatures reach 120-140°F [49-60°C].

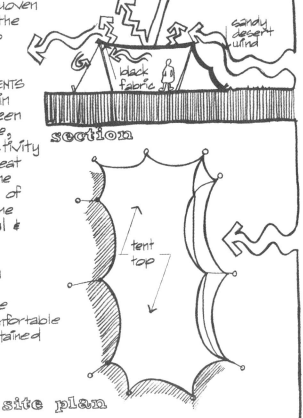

section

tent top

site plan

유목민 베두인 족은 검은 염소털 직물로 텐트를 치고 덥고 먼지 많고 건조한 아랍 지역 환경에서 처소로 사용한다.

텐트의 그 검정 단열 표면은 약한 단열 매체이다. 해가 뜨거워질 때 대류가 섬유 사이 및 내부 표면을 가로질러 유도되어 공기 운동을 일으킨다.

직물의 낮은 전도성은 그림자 내부에 복사열을 거의 추가하지 않는다. 날이 더 뜨거울수록 외부 태양열의 표면 반사는 더 커진다.

이것은 텐트 재료와 그것을 통과하는 전도 대류 열용량이 낮기 때문이다.

이와 같이 가지고 다닐 수 있는 융통성 텐트는 뜨거운 바람, 모래바람을 막고 뜨거운 태양으로부터 그늘지게 해주는데 쉽게 사용될 수 있다. 상대적으로 하루 낮 온도는 120~149°F [49~60℃]에 이르는 그곳에서 안락한 내부 온도가 유지될 수 있다.

BLACK TENTS 검은 텐트

지구를 열매체로 냉방에 사용하는 방법은 외부 공기가 환기구 또는 태양열 집열기로 유도 되게 긴 튜브를 지하로 관통하게 또는 땅바닥에 묻거나 연못 바닥에 설치하는 것이다. 안정된 땅 매체가 관을 통해 지나가는 공기로부터 열을 흡수하게 설치하는 이와 같은 냉방법은 역시 습기를 추가하거나 제거할 잠재력이 있다. 완만하게 아래쪽으로 경사진 튜브의 적당한 관경과 길이가 공기가 천천히 냉각되게 허용한다. 공기의 온도가 이슬점에 도달할 때 응축된 물이 흘러나올 것이다. 이와 같은 응축수는 튜브의 끝 바닥 가까운 위치에서 바람으로 외부에 빠져나가게 하여야 한다.

같은 위치에 물 심지 또는 패드는 가습이 필요하다면 습기를 추가할 수도 있을 것이다.

모든 튜브는 녹 쓸지 않는 금속이나 점토 타일로 만들어져야 한다. 유입구는 거름망이 있어야 하며 북쪽으로 위치하거나 항상 그늘진 쪽으로 위치하여야 한다. 튜브 상부는 관 주위 지각이 냉기를 유지하도록 단열이 필요할 수도 있다.

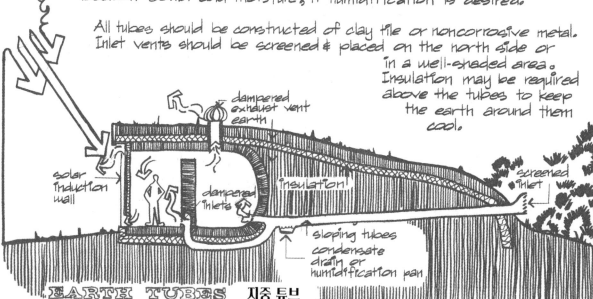

A method for using the earth's thermal mass for cooling is to conduct outside ambient air, induced by vents or solar collectors, through long TUBES, buried underground or in EARTH berms or laid in the bottom of ponds. This method of cooling, using the stable temperature of the earth's mass to absorb heat from air passing through the tubes, also has potential for adding or removing humidity. Gently downward-sloping tubes of the proper diameter & length allow cooling air to fall slowly. As the air temperature reaches the dew point of its moisture content, water will condense out. This condensate should be allowed to drain out of the airstream at a point near the bottom end of the tube. A water wick or pan at the same location could add moisture, if humidification is desired.

All tubes should be constructed of clay tile or noncorrosive metal. Inlet vents should be screened & placed on the north side or in a well-shaded area. Insulation may be required above the tubes to keep the earth around them cool.

dampered exhaust vent
earth

solar induction wall

dampered inlets

insulation

screened inlet

sloping tubes condensate drain or humidification pan

EARTH TUBES 지중 튜브

지구 상 건조한 지역에서 몇 고대 문명은 산들바람과 기본 열역학을 이용하여 만든 냉각탑을 개발했다.

페르시아와 이집트에서는 바람 통로 탑이 지상의 바람을 잡아 바람 공기를 벽돌 통로 아래로 흐르게 한다.

공기는 냉각 통로 아래로 떨어질 때 다공성 물통을 지나 순환됩니다. 그 물통은 날마다 물로 채워지며 천천히 물방울을 흘리고, 통과하는 공기를 냉각시키며, 열 운반 능력을 증가시킨다.

몇몇 경우는 바닥의 웅덩이가 물의 증발에 의해 통과하는 공기를 훨씬 더 차게 만든다. 숯 층이 있는 열린 매쉬가 때로는 점토 용기 아래의 축에 늘어져 있다. 이 숯 층은 위에서 떨어지는 물을 잡아 흡수한다. 공기가 숯 조직을 통해 지나갈 때 공기는 차가워지고 먼지 알갱이들은 걸러진다. 최종적으로 공기는 건물 반대편 낮은 압력 끝쪽으로 빠져나간다.

이 방법을 사용하면 매우 따뜻한 기후에서 주변 대기 온도보다 건물을 훨씬 낮게 냉각할 수 있다.

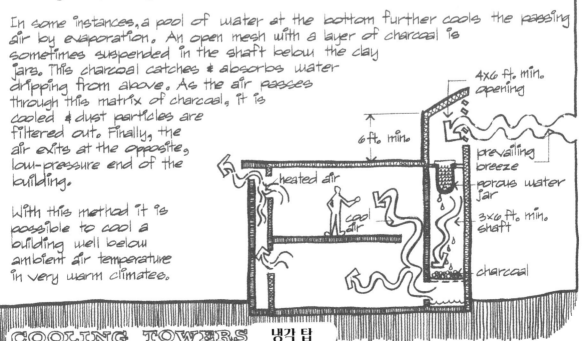

In arid regions of the world, some ancient civilizations developed COOLING TOWERS that made use of the prevailing breeze & basic thermodynamics. In Persia & Egypt wind-scoop towers catch above ground winds & channel the air down masonry shafts. As the air drops through the cool shafts, it circulates past porous clay water vessels. The vessels, which are filled with water daily, gradually sweat moisture, cooling the passing air & increasing its heat-carrying capacity.

In some instances, a pool of water at the bottom further cools the passing air by evaporation. An open mesh with a layer of charcoal is sometimes suspended in the shaft below the clay jars. This charcoal catches & absorbs water dripping from above. As the air passes through this matrix of charcoal, it is cooled & dust particles are filtered out. Finally, the air exits at the opposite, low-pressure end of the building.

With this method it is possible to cool a building well below ambient air temperature in very warm climates.

4x6 ft. min. opening

6 ft. min.

prevailing breeze

porous water jar

3x6 ft. min. shaft

heated air

cool air

charcoal

COOLING TOWERS 냉각 탑

또 다른 패시브 냉방의 고대 방식인 냉각 벽은 금세기 초기까지 중동과 동인도 사막에서 영상 기후 동안 얼음을 만들어 사용되어 왔다. 긴 동쪽 및 서쪽 방향의 흙벽은 그림자가 지는 북쪽에 있는 얕은 수로에 있어 직접적인 태양열을 받지 않게 한다.

밤에 그 수로의 물은 긴 파장의 열에너지를 깊은 공중으로 방출한다. 얼음벽은 바람막으로 찬 공기층이 생기는 것을 허용한다. 흙을 통한 단열은 지열로부터 물을 격리한다. 벽에 직각인 지지대는 항상 공기의 움직임을 도우면서 구조적으로 벽을 보강하고 동서로부터 태양 빛을 막아준다. 두 개 또는 그 이상의 얼음벽은 역시 벽 사이에서 공기의 층상화에 도움이 되어 주위 공기보다 훨씬 낮은 온도가 가능하다.

오늘날 저 에너지 흙벽과 양호한 단열 그리고 개폐식 뚜껑을 조합하여 사용하는 건물들에서 이 영리한 옛날식 냉장시스템의 장점을 취할 수도 있다.

ICE WALLS, another ancient method of passive cooling, had been used in the deserts of the Middle East & in the East Indies up to the early part of this century to make ice during nonfreezing weather. The long east- & west-oriented earth walls prevent direct solar gain on shallow troughs of water located on the shaded north side. At night, the water radiates long-wave heat energy to deep space. The ice wall allows air stratification in the wind shadow. Insulation of the trough from the earth isolates the water from the ground temperature. Buttresses, perpendicular to the wall, structurally reinforce it & prevent solar gain from the east & west, helping to still air movement. Two or more parallel ice walls also aid air stratification between them. Temperatures well below ambient air are possible.

Today, structures using a combination of low energy earth walls, good insulation, & movable covers could take advantage of this ingenious, old-fashioned refrigeration system.

48°F

June 21

110°F

25-30 ft.

wind direction

insulation

32°F

ICE WALLS 냉각 벽

A DEW POND is an ancient device once used in southern England for collecting cool water. These shallow ponds of water, insulated from the earth, radiated heat from their surface to the night sky. The concept of these ponds could be updated, using modern materials instead of the clay, straw, & flint which were traditionally used.

As heat is radiated from the water surface, some evaporation occurs until the temperature drops to the dew point of the night air. Continued cooling causes water to condense out of the immediate atmosphere into the pond. The process continues as long as there is a net radiation heat loss from the pond. Night dew can replace moisture lost by evaporation; this condensing of water into the pond adds some heat to its thermal mass. With an insulated cover, during summer days heat gain & evaporation is reduced.

A dew pond radiating to deep space can lose enough heat energy to drop its temperature to freezing if the moisture content of the surrounding air is low enough. This idea could be adapted to use in structures & provide cooling for buildings in many climates.

이슬 물웅덩이는 한때 남부 잉글랜드에서 시원한 물을 모으기 위해 사용 된 고대의 장치이다. 땅과 절연된 이 얕은 웅덩이의 물은 표면에서 밤하늘에 열을 방출한다. 이 물웅덩이의 개념은 전통적으로 사용된 점토, 짚 및 화석 대신 현대식 재료를 사용하여 업데이트 될 수 있다. 열이 그 물표면에서 방사될 때 약간의 증발이 일어난다.

온도가 밤공기의 이슬점까지 떨어질 때까지 지속되는 약간의 물이 대기 중에서 나와 응축되어 물웅덩이로 들어간다.

밤 이슬점은 증발로 인해 잃어버린 습기로 대체된다.; 이와 같이 물이 응축되어 물웅덩이로 들어간 물은 그 온도 매체에 약간의 열을 보탠다. 단열 뚜껑으로 여름철 동안 열의 습득과 증발은 감소된다.

깊은 우주공간으로 발산하는 이슬점 웅덩이는 많은 열과 온도를 잃어 만일 주위 공기 중 습기량이 충분히 낮다면 빙점까지 온도를 떨어뜨릴 수 있다.

이 아이디어는 건물에 사용될 수 있다. 그리고 여러 기후지역에서 빌딩 냉방에 사용된다.

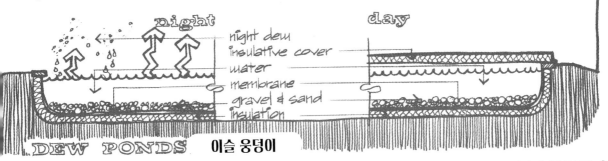

DEW PONDS 이슬 웅덩이

4 APPLYING THE TOOLS . . . .

In order to facilitate the design process for passive solar conditioned structures a checklist for planning is useful. To develop the idea of a solar project from little more than a gleam in one's eye to a well-conceived & -engineered reality is an involved process, requiring an amazing number of decisions. Each step along the way should be made carefully & in proper sequence. This simplifies the process of developing a holistic concept embracing all of the important environmental aspects.

The following checklist is a procedural outline used by architects & designers, which is helpful in the design process. Each person will have their own variation. There are many other considerations that may be important to you, but the basics are here.

"DREAM HOUSE"

CEMENT CEMENT CEMENT

super goop mix

적용할 수 있는 도구들.....

패시브 쏠라 조건하의 구조물을 위한 설계 프로세스를 용이하게 하는 계획 체크리스트는 유용하다.

한눈에 볼 수 있는 이상으로 좀 더 잘 설계되고 잘 다루어진 실체로 쏠라 프로젝트 아이디어를 개발하는 것은 뛰어난 많은 결정이 필요하고 복잡한 과정이다.

그 방법을 적용하는 각 단계는 적절한 순서로 주의 깊게 만들어야 한다. 이것은 모든 중요한 환경 측면을 포괄하는 총체적 개념의 과정을 단순화한다.

다음 체크리스트는 건축가 및 설계자가 사용하는 절차 개요로 설계 프로세스에서 유용하다. 개개인은 그들 자신의 다양성이 있다. 당신에게 중요할지도 모르는 많은 다른 생각이 있겠지만 기본은 여기에 있다.

□**A.** SELECT & ANALYZE THE SITE = Consider all past, present, & future microclimate factors:

landscape

- □ man's influence
- □ land type
- □ soil conditions
- □ vegetation
- □ profile
- □ materials
- □ water supply
- □ latitude
- □ pollution
- □ view
- □ noise
- □
- □

climate

- □ temperatures
- □ weather cycles
- □ sunlight
- □ precipitation
- □ humidity
- □ air motion
- □
- □
- □
- □
- □
- □

other

- □ acts of God
- □ regional "style"
- □ land cost
- □ sewage treatment
- □ utilities
- □ land title
- □ access
- □ zoning
- □ adjacent uses
- □ future neighbors
- □ community facilities
- □
- □

When investigating a particular site cost of land, zoning, neighboring influences, etc. are not usually all in accord with an ideal situation. Certain value judgements are required =
either the problems with the site
can be dealt with effectively
or the site should be rejected
for another choice.

□**A.** 대지 선정과 분석 — 과거, 현재 미래의 모든 미세기후를 검토하라.

- □ 인간의 영향
- □ 대지 타입
- □ 토양 조건
- □ 식 물
- □ 대지 형태
- □ 재 료들
- □ 경 도
- □ 오 염
- □ 전 망
- □ 소 음
- □
- □
- □

- □ 온 도
- □ 날씨 순환
- □ 햇 빛
- □ 강 우
- □ 습 도
- □ 대기 움직임
- □
- □
- □
- □
- □
- □

- □ 하늘의 작용
- □ 종교적 스타일
- □ 땅 값
- □ 하수 처리
- □ 설 비
- □ 대지 명
- □ 출 입
- □ 구획 정리
- □ 인접지 용도
- □ 미래 이웃
- □ 공동체 시설
- □
- □

특정 대지를 조사할 때, 땅 값, 구획 정리, 이웃 영향 등은 이상적인 상태와 항상 일치하지 않는다. 확실한 가치 판단들이 요구된다. — 사이트의 문제점을 효과적으로 처리할 수 있거나 다른 선택을 위해 사이트를 거부해야 한다.

Don't chew your pencil too much!

PLANNING CHECKLIST 계획 체크리스트

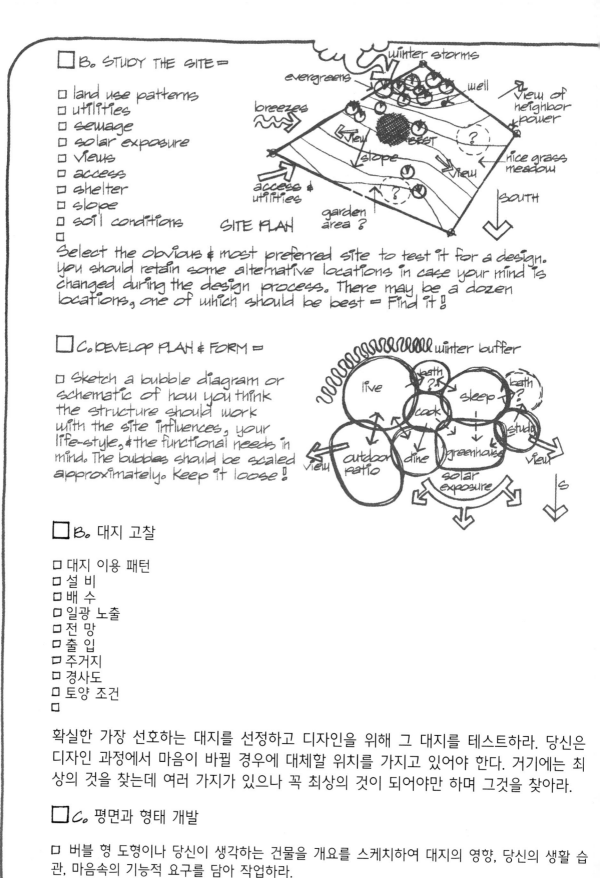

☐ B. STUDY THE SITE ⊨

☐ land use patterns
☐ utilities
☐ sewage
☐ solar exposure
☐ views
☐ access
☐ shelter
☐ slope
☐ soil conditions
☐

Select the obvious & most preferred site to test it for a design. You should retain some alternative locations in case your mind is changed during the design process. There may be a dozen locations, one of which should be best ⊨ Find it !

☐ C. DEVELOP PLAN & FORM ⊨

☐ Sketch a bubble diagram or schematic of how you think the structure should work with the site influences, your life-style, & the functional needs in mind. The bubbles should be scaled approximately. Keep it loose !

☐ B. 대지 고찰

☐ 대지 이용 패턴
☐ 설 비
☐ 배 수
☐ 일광 노출
☐ 전 망
☐ 출 입
☐ 주거지
☐ 경사도
☐ 토양 조건
☐

확실한 가장 선호하는 대지를 선정하고 디자인을 위해 그 대지를 테스트하라. 당신은 디자인 과정에서 마음이 바뀔 경우에 대체할 위치를 가지고 있어야 한다. 거기에는 최상의 것을 찾는데 여러 가지가 있으나 꼭 최상의 것이 되어야만 하며 그것을 찾아라.

☐ C. 평면과 형태 개발

☐ 버블 형 도형이나 당신이 생각하는 건물을 개요를 스케치하여 대지의 영향, 당신의 생활 습관, 마음속의 기능적 요구를 담아 작업하라.
그리는 버블은 개략적 크기가 되어야 한다. 그것을 풀어나가라.

□ Investigate a passive solar system that best suits the microclimate characteristics & schematic floor diagram.

□ Develop an external form or envelope (profile-section) that works with the external influences, solar function, materials, & plan ideas.

□ Overlay sections with schematic floor diagram & see if they are compatible in three dimensions.

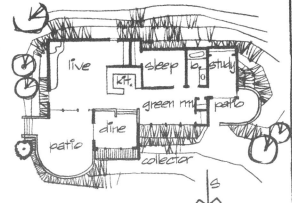

□ Rearrange schematic floor diagram, if necessary, to suit the solar system, structure, & your needs. Refine the plan = show wall thicknesses, hallways, utility rooms, closets, water heater collectors, etc. Do it to scale!!

□ Examine the structure & determine the best marriage of the plan, solar system, beams, walls, foundation, windows, doors, etc, etc.... Keep it simple!!

□ Repeat all the previous steps from a different point of view. This will allow thorough evaluation of all possibilities.

□ 미세기후 특성 및 개략적 바닥 틀도에 가장 적합한 패시브 쏠라 시스템을 조사한다.

□ 외부 영향들과 태양의 기능, 재료들과 평면 구상으로 작업된 외부 형태나 종단면을 개발하라.

□ 개략적 바닥 틀도를 단면에 맞추어 보라 그리고 그것들이 3차원으로 호환될 수 있는지를 살펴보라.

□ 필요하다면 쏠라시스템, 구조, 그리고 당신의 요구를 맞출 수 있도록 개략적인 바닥 틀도를 재정리하라. 평면을 다듬어라. ― 벽의 두께, 복도들, 설비실, 수납고, 온수 수집기 등. 그것을 스케일에 맞게 그려라.

□ 구조를 점검하라. 그리고 최상의 평면 결합, 쏠라 시스템, 보와 벽체들, 기초, 창문과 문들 같은 것들을 결정하라.
그것들을 단순화 시켜라.

□ 다른 관점에서 모든 앞서의 과정들을 반복하라. 이 과정이 모든 가능성을 철저히 평가하도록 허용할 것이다.

keep an open mind.

□ 10. CALCULATE THE THERMAL PERFORMANCE — Now that you have a decent design solution, before developing the drawings completely, try your hand at calculating how it will work.

□ Select all weatherskin materials — windows, doors, roofing, insulation, siding, etc.

□ Determine insulation values for each of the exterior surfaces.

□ Total various areas of weatherskin — windows, doors, walls, roofs, & perimeter floor edges.

□ Find exterior & interior design temperatures for each month of the heating season.

□ Calculate steady-state heat loss through each exterior surface area, room-by-room or by zone. Don't forget the sol-air effect.

□ Total steady-state heat loss for entire structure for the heating period.

□ Size room or zone volumes & determine infiltration heat loss. Then total infiltration heat loss for structure.

□ 10. 열 성능 계산하라. — 이제 당신은 괜찮은 디자인 솔루션을 가지고 있다. 완전히 그림을 그리기 전에 어떻게 작동하는지를 당신 손으로 시험하라.

□ 기후대응 모든 재료를 선정하라. — 창문과 문, 지붕, 단열재, 사이딩(측판) 등등. 각각의 외부 표면의 단열 값을 결정하라.

□ 전체 기후대응 면적 — 창문과 문들, 벽체들, 지붕들, 바닥둘레 모서리들.

□ 난방이 필요한 월별 내 외부 디자인 온도를 정하라.

□ 각부 외부 면적과, 방과 방 사이, 구획된 구간 사이를 통해 나가는 점차적인 열손실을 계산하라.

□ 난방 기간 동안 전 구조체의 계속적인 열손실.

□ 방과 구획 구간 용적과 구조체에 침투되는 열손실을 결정하라.

□

□ Add totals of steady-state, slab-edge, & infiltration heat losses. Now you have an idea of how much heating is required. Don't forget that in a residence internally generated gains are a bonus. What energy rating is your dog?

□ If your total heat loss is greater than 16 BTU/hour/sq. ft. of floor area you should tighten your thermal envelope by adding insulation, reducing window area, etc.

□ Determine the solar energy available & collected for use on a typical day each month based upon your total collection area. Remember to account for all mitigating factors (percent of possible, occlusion, etc.).

□ Calculate the percent of solar heating for a normal season. If you believe this value is too low, you should enlarge the collection area or tighten the weatherskin even more, or live with it.

□ By knowing the probable duration of winter cloud cover in number of days, (overcast periods between clear solar days), you can determine a period of probable need for solar storage.

□ Calculate the volume & heat capacity of the storage mass between the highest & lowest comfort temperatures, (65-85°F)[18-29°C]. If the total storage capacity is less than the total heat loss for the number of days the storage might be relied on, more storage mass should be added or your dependence on auxiliary heating will increase.

heat loss, insulation, sol-air, Qs, infiltration, gain, ...

Kilowatt

□ 정상상태, 바닥 모서리 그리고 침투 열손실 모든 것을 합산하라. 그러면 당신은 이제 얼마나 많은 난방이 요구되는가 하는 개념을 가지게 된다.

□ 만일 당신의 열손실이 바닥 면에서 16BTU/hr/ft² 보다 크다면, 당신은 창문 면적을 줄이고 단열을 보강함으로써 당신의 온도 봉합을 강화시켜야만 한다.

□ 가용 쏠라 에너지와 당신의 수집 면적에 기초한 매달 표준 일조에 사용하기 위해 수집되는 쏠라 에너지를 결정하라. 모든 완화 요인(가능한 경우, 일정 시간 등의 비율)을 고려해야 한다.

□ 정상 계절에 태양열 난방 비율을 계산하라. 만일 당신이 그 비율이 너무 낮다고 생각한다면 당신은 수집 면적을 확장하거나, 좀 더 기후 대응을 강화하거나, 그대로 살아야 한다.

□ 많은 날들 가운데 겨울 구름이 덮일 만한 기간(많은 태양일 사이에 구름 끼는 날)을 앎으로써 당신은 태양열 저장을 위해 필요한 만큼의 기간을 결정할 수 있다.

□ 최고와 최저의 안락한 온도(65~85°F)[18~29°C] 사이에서 저장매체의 용량과 열 능력을 계산하라. 만일 전체 저장용량이 저장소가 보존할 만큼의 일수 동안의 전 열 손실보다 적다면, 더 큰 저장매체가 추가되어야 하거나 보조적 난방에 당신은 더 많이 의존하게 될 것이다.

□E. CHECK IT OVER — When you are happy with the tightness of the weatherskin, comfort range, & solar collection & storage check the natural lighting, ventilation, & air circulation possibilities. Be sure that enough windows, doors, & vents are strategically located, allowing for natural circulation of air, lighting for daytime tasks, & removal of smoke, odors, & excess heat.

□F. REVIEW THE WHOLE PROCESS — See what can be done throughout the year, under all use & weather conditions, to improve on the design. Modify the design accordingly.

□G. NOW BUILD A SCALE MODEL — This process helps to see how the structure will go together & will solve some problems & details prior to construction. Do not make it too detailed, but sufficient enough to understand connections, joints, materials, etc. The model will give you a good idea of what the building will look like in three dimensions.

□E. 검토를 끝내라. — 당신이 완벽한 기후대응으로 만족할 때, 안락한 범위, 태양열 수집과 저장은 자연채광, 환기와 공기 순환 가능성을 검토한다. 충분한 창문과, 문 그리고 환기구들이 전략적으로 위치되었는가를 확실하게 하라. 충분한 창문, 문, 통풍구가 전략적으로 배치되어 낮의 작업을 위한 자연적 공기 순환, 조명을 허용하고, 연기, 냄새 및 과도한 열의 제거 등을 확실하게 하라.

□F. 전 과정을 재검토하라. — 년 중 모든 용도와 기후조건들이 디자인을 잘 만들기 위해 수행될 수 있는 것이 무엇인가를 보라. 그에 따라서 디자인을 수정하라.

□G. 이제 그려진 모델을 만들어라. — 이 과정에서 어떻게 구조물이 함께 지어지며, 건설에 앞서 몇 가지 문제들과 세부사항이 해결되는지를 아는데 도움이 될 것 이다. 그런 것들을 너무 세세하게 만들지 않아도 연결, 접합부, 재료 등을 이해하기에 충분하면 된다. 모델은 당신이 생각한 아이디어가 3차원으로 어떻게 나타날 수 있는가를 알려 준다.

□H. 그것을 그리라. — 구조물을 짓기 위하여 건물 허가를 얻기 위한 필요한 도면을 완성하라. 항상 당신이 세우고자 하는 관점에서 무엇을 그릴 것인가를 이해하고 그것을 살펴보라.

□I. 적극적 계획 — 당신이 행한 모든 성공적인 디자인 후에는 당신은 논리적으로 준비되어 있다. 재료 목록과 비용 산출하고 입찰을 하고 품과 관련된 단계를 산출한다. 당신이 계획하는 것이 재미있다면 진짜 건물에 가까워지고 있는 것이다. 당신의 계획이 깔끔하고 질서 정연하다면 건물도 그렇게 될 기회가 많다.

□J. 그것을 세우라. — 시공은 어려운 일이다. 당신이 그것을 직접 하던지 그것을 도급 주던지 간에 당신이 모든 수행 작업을 완수했다면 그것은 매우 보람이 있을 것이다. 당신은 실수할 것이다. — 어떤 피치 못할 것들이 있다.; 그것들을 최소화하고 이해하라. 시공하는 동안 애쓰며 살지 말라. 시간을 기지고 주의 깊게 세우라. 편안한 태도를 유지하도록 애쓰라. 당신 몸의 긴장과 결단, 재원 등에 대한 부담은 아마도 일시적인 것이다.

□H. DRAW IT UP = Complete the drawings needed to obtain a building permit & to build the structure. Always understand what you draw & look at it from the point of view that, "you might have to build it."

□I. PLAN OF ATTACK = After all the successful designing you've done, you're ready for logistics. Do a materials list & cost estimate, get bids, figure units of time & steps involved. This planning is fun, & you are getting close to the real thing. If your planning is neat & orderly, chances are the building will be also.

□J. BUILD IT! = Building is hard work whether you do it yourself or contract it, but it will be very rewarding if you have accomplished all of the preceding tasks. You will make mistakes = some are unavoidable; minimize & understand them. Don't try & live in the middle of construction. Take your time & build carefully. Try to maintain a relaxed attitude. The strain on your muscles, marriage, & pocketbook is probably temporary.

□K. 활동하고 그것으로 살아가라.

온도를 모니터하고 첫 해 동안 충실하게 작동을 제어하라. 날씨가 정상적인 것으로 생각되면 다양한 방의 온도 기록, 운영 데이터 및 보조 요구 사항을 검토하여 건물 성능을 향상하기 위해 필요한 것이 있다면 무엇이든 결정할 수 있다.

당신이 주의 깊게 계획했다면, 아마도 모든 것이 가능할 것으로 예상된다.

어떤 패시브 쏠라 디자인도 완전하여 실패가 없을 수는 없다. 태양에너지 난방의 실행과 수량은 당신의 디자인 예상들과 연관이 있다. 푸딩(물질적 보수)은 당신의 디자인의 생존 능력이다.

□K. MOVE IN & LIVE WITH IT !— Monitor temperatures & operate controls faithfully for the first year. This is the shakedown period. If the weather is what you consider normal, you can, by reviewing the temperature records in various rooms, operational data, & amount of auxiliary needed, determine what, if anything needs to be done to improve your building's performance.

In all likelihood, if you have planned carefully, the building will perform at least as well as expected.

No passive solar design should fail completely. The performance & amount of solar heating is relative to your design expectations. The proof of the pudding is the livability of your design.

MONTH _January, 78_

| DAY | TEMPERATURE | | | | SKY | WIND | SHUTTER | AUX. | H₂O | NOTES |
	INSIDE AM	INSIDE PM	OUTSIDE AM	OUTSIDE PM						
1	70	74	23	27		C	0	-	100	YES
2	68	68	15	19		M	C	+½	98	
3	69	72	19	27		M	C	-	104	SNO
4	68	74	23	30	B	C	-	106		
5	67	75	21	29			0		110	
6										
7										
8										
9										
10										
11										
12										
13										
14										
15										
16										
17										
18										
19										
20										
21										
22										
23										
24										
25										
26										
27										
28										
29										
30										
31										

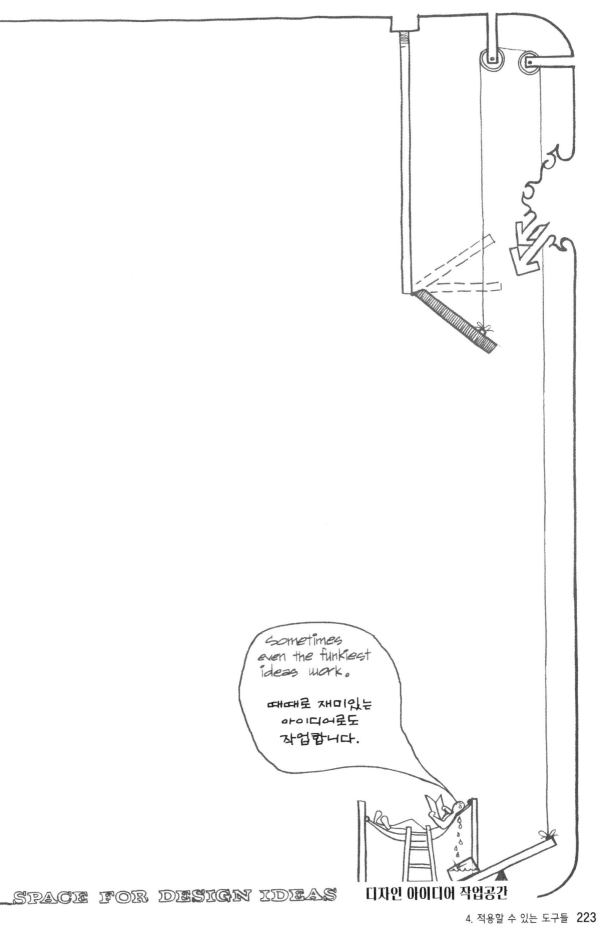

Sometimes even the funkiest ideas work.

때때로 재미있는
아이디어로도
작업합니다.

LOOKING
AHEAD . . .

Things change. Today's dreams & visions may be tomorrow's reality. As our civilization evolves, we should be able to simplify our use of technology. Architecture & space-conditioning systems must change as we modify our concepts of energy use.

The potential for using nature's passive energies to directly power all of our basic life-support systems is immense. If we approach the design, construction, operation, & maintenance of our structures with an eye to low-temperature thermal conversion & life-cycle energy economics, we will become aware of different ways of coping with our physical world & the universe.

미래를 내다보며.....

사물은 변한다. 오늘날의 꿈과 비전은 내일의 현실이 될 수도 있다. 우리 문명이 진화할 때, 우리는 우리가 기술 사용을 단순화할 능력이 있어야 한다. 건축물과 공간-조절 시스템은 반드시 우리가 우리의 에너지 사용 개념을 수정할 때 변화시켜야 한다.

우리의 기본적 생활의 버팀이 되는 모든 시스템에 직접적 활력이 되는 자연의 패시브 에너지들을 사용하기 위한 능력은 무한하다. 만일 우리가 우리의 건물에 그 디자인과 건설, 가동, 그리고 관리에 접근한다면 저온 열 변환 및 생명권 에너지 경제에 대한 시선을 통해 우리는 우리의 물리 세계 및 우주에 대처하는 다양한 방법을 알게 될 것이다.

The following examples—perhaps visionary, maybe illusionary, probably realistic—are extrapolations of many of the principles & ideas discussed, placed into the form of usable, yet unusual, habitats. If the Solar Age is to catch the imagination of architects, bankers, builders, & people of all walks of life, then let's not stop short of the goal either aesthetically or technically. We know that each structure, whether a single family dwelling or a complex megastructure, has more than enough solar, electrostatic, wind, & cosmic energy acting on it to provide all of the basic power needs. Let's learn how to use these!!

다음 사례들은 논의되고 있는 많은 원리와 아이디어를 외부에서 가져온 것으로, 쓸모 있고 특이한 거주 형태로 되어있다. — 공상처럼 환상적일지도 모르며, 아마도 현실적일 수도 있다.

만일 태양의 시대가 건축가와 은행가, 건설인, 그리고 각계각층의 사람들의 상상력을 따라잡는 것이라면 그다음은 그들이 미적으로나 기술적으로 모자라는 목표에 멈추지 않게 해야 한다.

우리는 각각의 구조가 한 가족이 거주하든 복잡한 거대 구조이든지 모든 기본적인 필요를 충족시키기에 충분한 태양, 정전기, 바람 및 우주 에너지 이상을 가지고 있음을 안다.

이제 이와 같은 것들을 어떻게 이용하는지 배우자!.

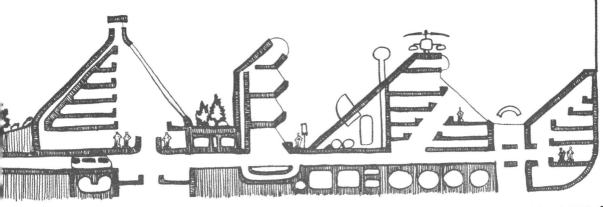

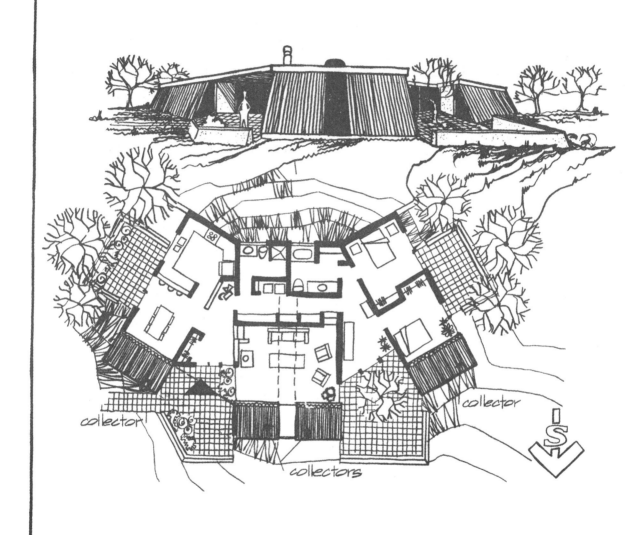

collector

collector

collectors

ROOF STORAGE CONVECTION 지붕 대류 저장

추운 기후에 적합한 이 시스템은 냉방이 필요할 수도 있으며 다음을 포함한다.

- 구조적 철골 지붕과 열 흡수관 화 된 평판 수집기상의 물 튜브-수집기는 동결되는 날씨에는 자동적으로 드레인 된다.
- 상부에 단열 처리된 지붕 창고
- 지붕면의 광전지
- 공간 냉각을 위해 밤에 수집기로 역 펌핑

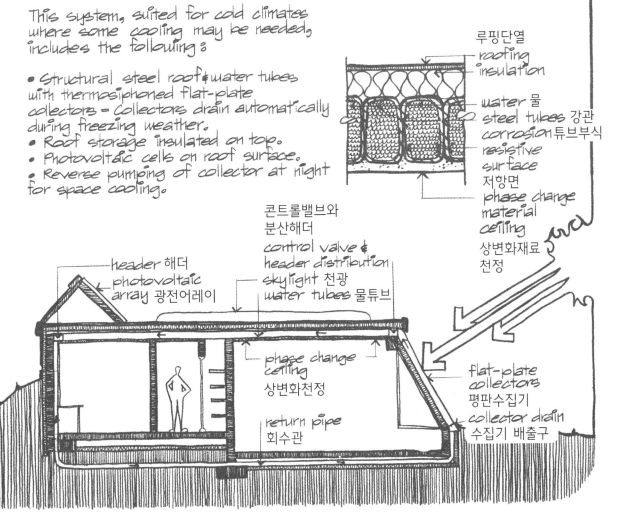

This system, suited for cold climates where some cooling may be needed, includes the following:

- Structural steel roof & water tubes with thermosiphoned flat-plate collectors — Collectors drain automatically during freezing weather.
- Roof storage insulated on top.
- Photovoltaic cells on roof surface.
- Reverse pumping of collector at night for space cooling.

루핑단열
roofing insulation

water 물
steel tubes 강관
corrosion 튜브부식
resistive surface
저항면
phase change material ceiling
상변화재료 천정

콘트롤밸브와 분산해더
control valve & header distribution
skylight 천광
water tubes 물튜브

header 해더
photovoltaic array 광전어레이

phase change ceiling
상변화천정

return pipe
회수관

flat-plate collectors
평판수집기
collector drain
수집기 배출구

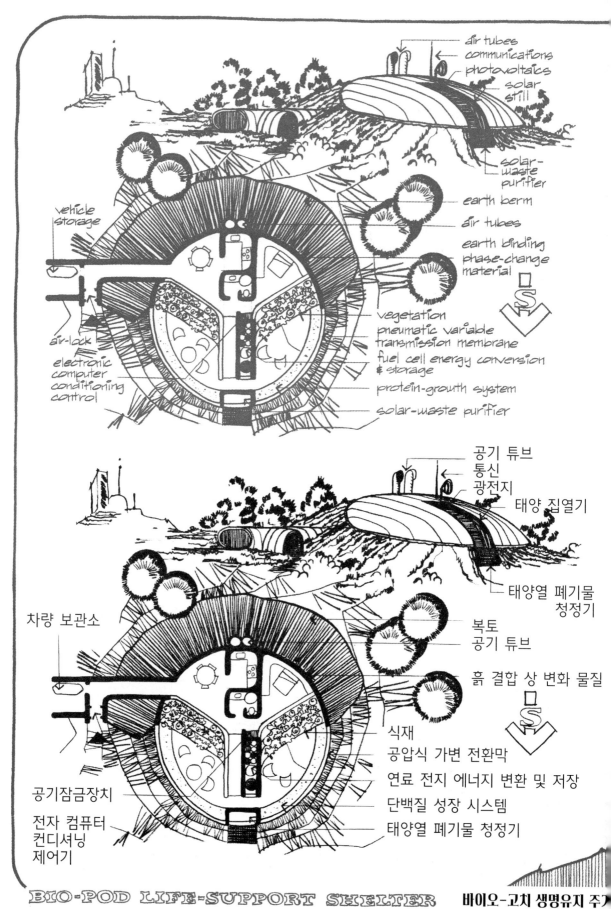

air tubes
communications
photovoltaics
solar still

solar-waste purifier

earth berm

air tubes

earth binding
phase-change material

vehicle storage

air-lock

electronic computer conditioning control

vegetation
pneumatic variable transmission membrane
fuel cell energy conversion & storage
protein-growth system
solar-waste purifier

공기 튜브
통신
광전지
태양 집열기

태양열 폐기물 청정기

복토
공기 튜브

흙 결합 상 변화 물질

차량 보관소

공기잠금장치

전자 컴퓨터 컨디셔닝 제어기

식재
공압식 가변 전환막
연료 전지 에너지 변환 및 저장
단백질 성장 시스템
태양열 폐기물 청정기

BIO-POD LIFE-SUPPORT SHELTER

바이오-고치 생명유지 주거

A life-support pod, suitable for any climate:

- Variable transmission/insulative membrane is electronically activated by computer to control, by zone, all required heat & light functions.
- Photovoltaic cells & atmospheric static precipitator provide electrical energy with fuel cell storage.
- All wastes purified or converted by solar oven.
- All water & moisture recycled via solar still, holding tanks, & humidity control system.
- Flat-plate collector for water heating & cooling.
- Internal growth of vegetable & protein food supply by growth pods & hydroponic tanks.
- All life-sustaining requirements met by integrally generated systems.

모든 기후에 적합한 생명 유지 포드(고치) :

- 가변 전환/단열막은 구간별, 모든 요구되는 열과 빛 기능에 의해 컴퓨터가 조정하도록 전자적으로 활성화되어 있다.
- 광전지 셀과 대기 중 정적 집진기는 연료 전지 저장에 전기 에너지를 제공한다.
- 모든 쓰레기는 태양열 오븐에 의해 정화되거나 변환된다.
- 모든 물과 습기는 태양열 집열기, 저장 탱크, 습도 조절 시스템을 통해 재활용된다.
- 물 가열 및 냉각 용 평판 수집기
- 성장 포드 및 수경 재배 탱크에 의한 식물 및 단백질 식품 공급원의 내부 재배.
- 모든 생명 유지 요구 사항은 통합 생성 시스템에 의해 충족된다.

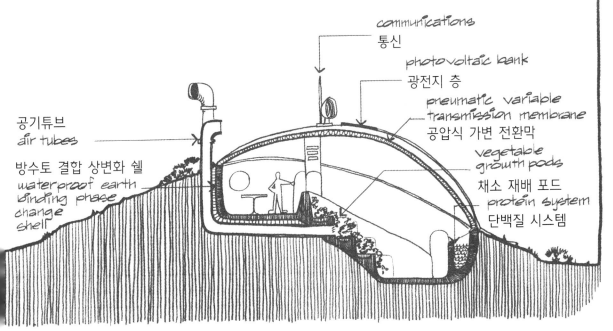

communications
통신

photovoltaic bank
광전지 층

pneumatic variable transmission membrane
공압식 가변 전환막

vegetable growth pods
채소 재배 포드

protein system
단백질 시스템

air tubes
공기튜브

waterproof earth binding phase change shell
방수토 결합 상변화 쉘

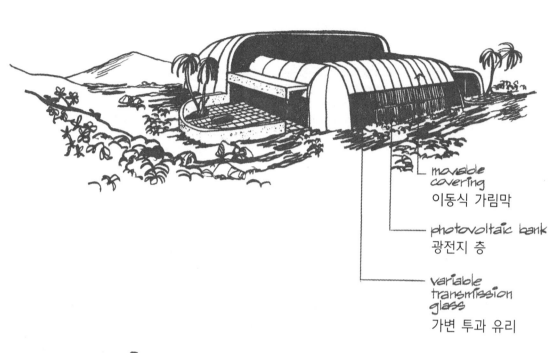

movable
covering
이동식 가림막

photovoltaic bank
광전지 층

variable
transmission
glass
가변 투과 유리

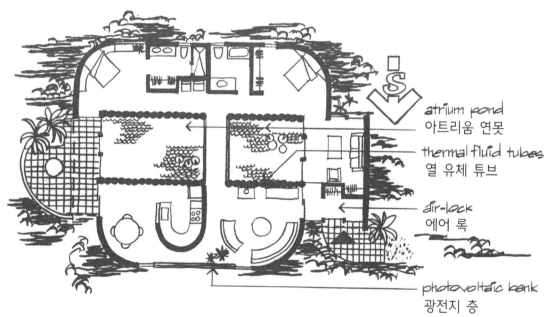

atrium pond
아트리움 연못

thermal fluid tubes
열 유체 튜브

air-lock
에어 록

photovoltaic bank
광전지 층

THERMO-ATRIUM POND   열저장 아트리움 연못

This dwelling type, suitable for prefabrication, is a Thermos* like structure, ideal for hot, dry areas where high cooling & low heating demands predominate. Included are:

- Solar water-heater.
- Insulated, heat-reflecting metallic skin.
- Internal thermal fluid tubes capable of collecting, rejecting, & storing heat.
- Movable insulative & glazing shells automated by internal & external sensors.
- Photovoltaic cell skin with integral electrical storage.
- Water flooding of atrium to increase summer coolth storage by evaporative cooling & deep-space radiation.
- Variable-transmission glazing electronically controlled.
- Lightweight shell structure requiring no foundations.

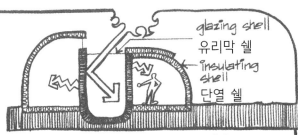

glazing shell
유리막 쉘
insulating shell
단열 쉘

WINTER DAY
겨울 낮

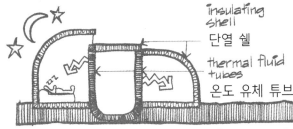

insulating shell
단열 쉘
thermal fluid tubes
온도 유체 튜브

WINTER NIGHT
겨울 밤

조립식 주거에 적합한 이 타입은 보온병 같은 구조로써 센 냉방에 저온 난방이 주로 요구되는, 뜨겁고 건조한 지역에 적합하며 다음과 같은 것을 포함한다.

- 태양열 물 히터
- 단열 처리된 열 반사 금속 표피
- 열을 수집, 반사 및 저장할 수 있는 내부 열 유체 튜브
- 내부 및 외부 센서에 의해 자동으로 움직이는 절연 및 글레이징 쉘
- 일체형 전기 저장 장치를 가진 광전지 쉘
- 증발 식 냉각 및 깊은 공간 방사에 의한 여름철 냉기 저장을 증가시키기 위한 물이 가득 찬 아트리움.
- 전자식 가변 유리끼우기
- 기초가 필요 없는 경량 쉘구조

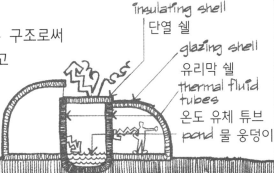

insulating shell
단열 쉘
glazing shell
유리막 쉘
thermal fluid tubes
온도 유체 튜브
pond 물 웅덩이

SUMMER DAY
여름 낮

insulating shell
단열 쉘
thermal fluid tubes
온도 유체 튜브
pond
물 웅덩이

SUMMER NIGHT
여름 밤

지하냉각튜브
earth-cooling
tubes
earth berm
복토

에어락
air-
lock

solar water-
heater
태양온수기

EARTH TUBE-DIRECT GAIN 지중튜브-직접습득

This earth-bermed building is suitable for areas where both solar heating & cooling are desired. Shown are the following features:

- Solar water-heater.
- Earth-cooling tubes.
- Optional humidification or dehumidification.
- Skylid* = winter insulation & summer exhaust.
- Roof turbine exhaust vents.
- Photovoltaic cells with electrical storage.
- Summer shade louvers.
- Winter direct-gain heating.
- Movable winter insulation.
- Structural thermal-storage mass (walls, floor, berm).

이 흙 덮인 건물은 태양열 냉난방이 요구되는 지역에서 적합하다. 표시된 다음과 같은 특성을 나타낸다.

- 태양온수기
- 지중냉각튜브
- 선택적 가습 또는 제습
- 하늘막 — 겨울철 단열재 및 여름철 배출구
- 지붕 터빈 배기구
- 전 저장 광전지셀
- 여름 그늘 루버
- 겨울 직광 히팅
- 겨울용 가변단열
- 구조적 열저장 매체(벽, 바닥, 흙)

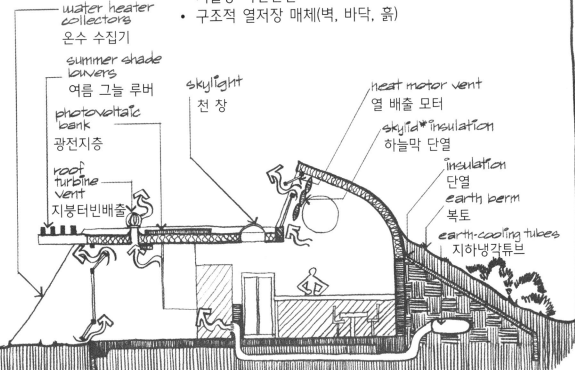

water heater collectors
온수 수집기

summer shade louvers
여름 그늘 루버

photovoltaic bank
광전지층

roof turbine vent
지붕터빈배출

skylight
천 창

heat motor vent
열 배출 모터

skylid* insulation
하늘막 단열

insulation
단열

earth berm
복토

earth-cooling tubes
지하냉각튜브

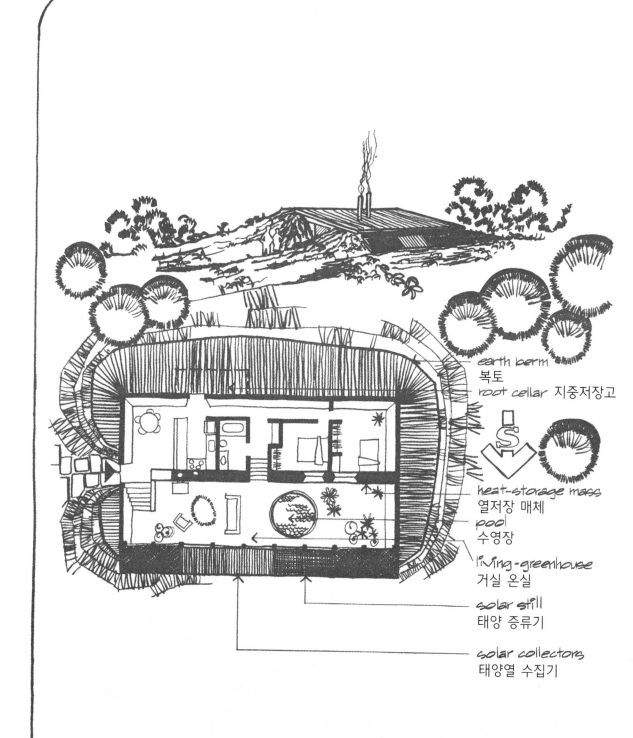

earth berm
복토
root cellar 지중저장고

heat-storage mass
열저장 매체
pool
수영장

living-greenhouse
거실 온실

solar still
태양 증류기

solar collectors
태양열 수집기

구조적 복토 온실
STRUCTURAL EARTH BERM GREENHOUSE

This dwelling, maximizing the use of local materials, is energy efficient in terms of structure & operation. Many variations on this scheme are possible for a variety of climates. Illustrated are:

• Machine-placed & -compacted, thick, earth-bearing walls, which avoid masonry or form work & act as insulation & heat-storage mass.
• Nonconventional structural foundation, walls, & floor.
• Greenhouse-living area heat loss & gain controlled by skylids* or manual-insulative ceiling louvers.
• Natural convection air circulation & venting.
• Interior berm surfaces stabilized by stone riprap, wire mesh gabions, ferrocement plaster, sandbags, stabilized earth plaster, etc.
• Rooftop water collection, cistern, & solar still for grey water.
• Passive (thermosiphoned) solar water-heating.
 (NOTE: Not suitable in locations with subsurface water problems, too much rock, or unstable soil.)

이 거주지는 지역 재료의 사용을 극대화하여 구조 및 운영 측면에서 에너지 효율적이다. 이와 같은 계획에는 다양한 기후에서 많은 변화가 가능하다. 사례를 들면 :

• 조적이나 폼 작업을 피하여 단열재 또는 열저장 매체처럼 작용하는 두꺼운 지지벽으로 다져진 곳에 놓인 기계.
• 비통상적인 구조적 기초, 벽체와 바닥
• 온실화 거실 면적 열 손실과 습득은 하늘 막 또는 수동 단열 천정 루버에 의해 조정된다.
• 자연 대류 공기 순환 및 배출.
• 깬 돌, 와이어 매쉬, 돌망태, 페로시멘트 바름, 모래주머니, 안정화된 흙 바름 등으로 안정화된 내측 땅 표면,
• 지붕 상부 물 수집, 물탱크와 우수 태양 증류기
• 패시브(열 배출) 쏠라 온수기
 (주기 : 너무 많은 바위나 불안정 토양으로 지표수가 문제 되는 지역에는 적합하지 않다.)

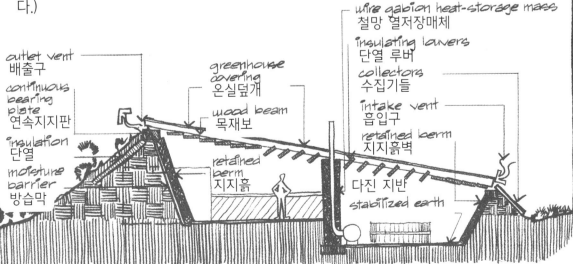

outlet vent 배출구
continuous bearing plate 연속지지판
insulation 단열
moisture barrier 방습막
greenhouse covering 온실덮개
wood beam 목재보
retained berm 지지흙
wire gabion heat-storage mass 철망 열저장매체
insulating louvers 단열 루버
collectors 수집기들
intake vent 흡입구
retained berm 지지흙벽
다진 지반
stabilized earth

APPENDIX 부록

A = area, sq.ft.

Ac = collector area, sq.ft.

ahc = air heat capacity, BTU/ft.³/°F

c = specific heat constant, BTU/lb./°F

d = density, lbs./ft.³

D = days of storage

DD = degree days

e = system efficiency, %

gf = ground reflectance factor, %

h = number of hours

hf = sky haze factor, %

k = thermal conductivity, BTU-in./hr./sq.ft./°F

m = mass, lbs.

mo = number of months

n = number of air changes per hour

%op = percent of possible sunshine, %

q = thermal capacity, BTU/ft.³/°F

Q = heat content, BTU

Qc = conducted heat, BTU/hr.

Qhl = heat loss, BTU

Qhlt = total heat loss, BTU

Qi = infiltration heat loss, BTU

Qin = heat input, BTU

용 어

A = 면적, ft²

Ac = 수집기 면적, ft²

ahc = 공기 열 용량, BTU/ft³/°F

c = 비열 상수, BTU/lb/°F

d = 비중, lbs/ft³

D = 저장 일수

DD = 온도 일

e = 시스템 효율, %

gf = 접지 반사 계수, %

h = 시간 수

hf = 하늘 안개 요소, %

k = 열 전도성, BTU-in./hr./ft²/°F

m = 질량, lbs

mo = 개월 수

n = 시간당 공기 바꿈 횟수

%op = 가능한 일광 %

q = 열용량, BTU/ft³/°F

Q = 열 함량, BTU

Qc = 전도열, BTU

Qhl = 열손실, BTU

Qhlt = 총 열손실, BTU

Qi = 침투열 손실, BTU

Qin = 입력열, BTU

nomenclature

Q_{it} ≡ total infiltration heat loss, BTU

Q_l ≡ latent heat energy, BTU

Q_s ≡ incident solar radiation, BTU/sq.ft.

Q_{ss} ≡ total solar energy collected, BTU

Q_{st} ≡ total heat storage, BTU

r ≡ thermal resistance per inch of thickness, hr.-sq.ft.°F/BTU

R ≡ thermal resistance for thickness given, hr.-sq.ft.°F/BTU

R_{total} ≡ total thermal resistance, hr.-sq.ft.°F/BTU

$\%Sa$ ≡ percent annual solar heated, %

$\%Smo$ ≡ percent solar heated for month, %

Δt ≡ temperature differential, °F

t_i ≡ interior temperature, °F

t_o ≡ outside design temperature, °F

tf ≡ glazing transmission factor, %

T ≡ thickness, inches

U ≡ coefficient of heat transfer, BTU/hr./sq.ft./°F

U_{total} ≡ total coefficient of heat transfer, BTU/hr./sq.ft./°F

V ≡ volume, ft.³

Q_{it} ≡ 총 침투열 손실, BTU

Q_l ≡ 잠열 에너지, BTU

Q_s ≡ 일상적 태양 복사, BTU/ft²

Q_{ss} ≡ 수집된 총 태양에너지, BTU

Q_{st} ≡ 전체 열저장, BTU

r ≡ 열저항/두께in,hr.−ft²°F/BTU

R ≡ 주어진 두께당 열저항, hr.−ft²°F/BTU

R_{total} ≡ 총 열저항, hr.−ft²°F/BTU

$\%Sa$ ≡ 연간 태양 가열, %

$\%Smo$ ≡ 월간 태양 가열, %

Δt ≡ 온도 편차, °F

t_i ≡ 내부 온도, °F

t_o ≡ 외부 디자인 온도, °F

tf ≡ 유약 투과율, %

T ≡ 두께, in

U ≡ 열전달 계수, hr.−ft²°F/BTU

U_{total} ≡ 총 열전달 계수, hr.−ft²°F/BTU

V ≡ 용적, ft³

METER [m]

kilometer	= 1,000m	[km]
hectometer	= 100m	[hm]
dekameter	= 10m	[dkm]
meter	= 1m	[m]
decimeter	= 1/10m	[dm]
centimeter	= 1/100m	[cm]
millimeter	= 1/1,000m	[mm]

SQUARE METER [m²]

sq. kilometer	= 1,000,000m²	[km²]
hectare	= 10,000m²	[ha]
are	= 100m²	[a]
sq. meter	= 1m²	[m²]
sq. centimeter	= 1/10,000m²	[cm²]
sq. millimeter	= 1/1,000,000m²	[mm²]

LITER [L]/CUBIC METER [m³]

kiloliter	= 1,000L	[kL]
hectoliter	= 100L	[hL]
dekaliter	= 10L	[dkL]
liter	= 1L	[L]
deciliter	= 1/10L	[dL]
centiliter	= 1/100L	[cL]
milliliter	= 1/1,000L	[mL]

miles × 1.609 = km
yards × 0.914 = m
feet × 0.305 = m
inches × 0.025 = m
inches × 2.540 = cm
inches × 25.40 = mm

sq. miles × 2.59 = km²
acres × 0.004 = km²
sq. yards × 0.836 = m²
sq. feet × 0.093 = m²
sq. inches × 6.452 = cm²
sq. inches × 645.163 = mm²

cu. feet × 0.028 = m³
cu. inches × 0.0016 = cm³
gallons × 3.785 = L
quarts × 0.946 = L
pints × 0.473 = L
fl. ounces × 29.573 = mL

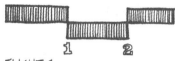

INCHES

CENTIMETERS

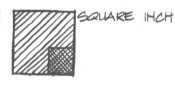

SQUARE INCH

SQUARE CENTIMETER

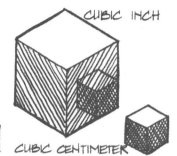

CUBIC INCH

CUBIC CENTIMETER

미터법 변환

길 이 [m]

kilometer	= 1,000m	[km]
hectometer	= 100m	[hm]
dekameter	= 10m	[dkm]
meter	= 1m	[m]
decimeter	= 1/10m	[dm]
centimeter	= 1/100m	[cm]
millimeter	= 1/1,000m	[mm]

면 적 [m²]

sq. kilometer	= 1,000,000m²	[km²]
헥타르	= 10,000m²	[ha]
에이커	= 100m²	[a]
m²	= 1m²	[m²]
cm²	= 1/10,000m²	[cm²]
mm²	= 1/1,000,000m²	[mm²]

부 피 [m³] / 리 터 [L]

kiloliter	= 1,000L	[kL]
hectoliter	= 100L	[hL]
dekaliter	= 10L	[dkL]
liter	= 1L	[L]
deciliter	= 1/10L	[dL]
centiliter	= 1/100L	[cL]
milliliter	= 1/1,000L	[mL]

miles × 1.609 = km
yards × 0.914 = m
feet × 0.305 = m
inches × 0.025 = m
inches × 2.540 = cm
inches × 25.40 = mm

sq. miles × 2.59 = km²
acres × 0.004 = km²
yd² × 0.836 = m²
ft² × 0.093 = m²
in² × 6.452 = cm²
in² × 645.163 = mm²

cu. feet × 0.028 = m³
cu. inches × 0.0016 = cm³
gallons × 3.785 = L
quarts × 0.946 = L
pints × 0.473 = L
fl. ounces × 29.573 = mL

SYSTEM INTERNATIONAL (SI) 국제 SI 체계

메트릭 conversion

MASS/WEIGHT
질량/무게

GRAM [g]

kilogram	=	1,000g	[kg]
hectogram	=	100g	[hg]
dekagram	=	10g	[dkg]
gram	=	1g	[g]
decigram	=	1/10g	[dg]
centigram	=	1/100g	[cg]
milligram	=	1/1000g	[mg]

ounces	×	28.35	= g
ounces	×	0.028	= kg
ounces	×	28,349.53	= mg
pounds	×	453.59	= g
pounds	×	0.454	= kg
tons	×	907180	= kg

 1 POUND

 1 KILOGRAM

TEMPERATURE
온 도

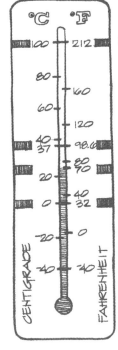

water boils
물 끓는 온도

body temp. 체온

median
interior
comfort 실내평균 쾌적온도

water
freezes 빙점

$°C = 5/9 (°F - 32)$

$°F = 9/5 (°C + 32)$

ENERGY
에너지

CALORIE [cal] / JOULES [J]
칼로리　[cal] / JOULES [J]

BTU × 251.99 = cal
BTU × 1,055.06 = J

POWER
동 력

CALORIES/MINUTE [cal/min.]

BTU/hr.	×	0.238	= cal/ 분
BTU/hr.	×	3.414	= watts
watt	×	1.0	= J/ 초

ENERGY DENSITY
에너지 밀도

CALORIES/SQ.CM. [cal/cm²]

BTU/sq.ft. × 0.271 = cal/cm²
langley × 1.0 = cal/cm²

POWER DENSITY
동력 밀도

CAL/SQ.CM./MIN. [cal/cm²/min]

BTU/sq.ft.hr. ×.00452 = cal/cm²/min.
BTU/sq.ft.hr. ×.000315 = watt/cm²

This selected list of references to read & the reading matrix which follows are considered helpful to supplement the reader's understanding of natural solar architecture.

1. B. Anderson. SOLAR ENERGY: FUNDAMENTALS IN BUILDING DESIGN. New York: McGraw-Hill Book Company, 1977.

2. B. Anderson/M. Riordan. THE SOLAR HOME BOOK. Harrisville: Cheshire Books, 1976.

3. J. Aronin. CLIMATE AND ARCHITECTURE. New York: Reinhold Publishing, Inc., 1953 (out of print)

4. ASHRAE. HANDBOOK OF FUNDAMENTALS. New York: American Society of Heating, Refrigerating & Air-Conditioning Engineers, 1972.

5. S. Baer. SUNSPOTS. Albuquerque: Zomeworks Corporation, 1975.

6. D. Balcomb, et. al. EROA'S PACIFIC REGIONAL SOLAR HEATING HANDBOOK. San Francisco: Government Printing Office, 1975.

7. W. Caudill, et. al. A BUCKET OF OIL. Boston: Cahners Books, A Division of Cahners Publishing Company, Inc., 1974.

8. F. Ching. BUILDING CONSTRUCTION ILLUSTRATED. New York: Van Nostrand Reinhold Company, 1975.

9. College of Architecture, Arizona State University. SOLAR-ORIENTED ARCHITECTURE. Washington D.C.: American Institute of Architects Research Corporation, 1975.

10. College of Architecture, Arizona State University. EARTH INTEGRATED ARCHITECTURE. Tempe: College of Architecture, ASU, 1975.

11. R. Crowther. SUN EARTH. Denver: Crowther/Solar Group, 1976.

12. F. Daniels. DIRECT USE OF THE SUN'S ENERGY. New Haven: Yale University Press, 1964.

13. A. J. Davis/R. P. Schubert. ALTERNATIVE NATURAL ENERGY SOURCES IN BUILDING DESIGN. New York: Van Nostrand Reinhold Company, 1977.

14. J. Dekorne. THE SURVIVAL GREENHOUSE. El Rito: The Walden Foundation, 1975.

15. J. A. Duffie/W. A. Beckman. SOLAR ENERGY THERMAL PROCESSES. New York: John Wiley & Sons, Inc., 1974.

16. J. Eccli, Ed. LOW-COST, ENERGY-EFFICIENT SHELTER. Emmaus: Rodale Press, 1976.

17. D. Egan. CONCEPTS IN THERMAL COMFORT. Englewood Cliffs: Prentice Hall, Inc., 1975.

18. EROA. PASSIVE SOLAR HEATING AND COOLING CONFERENCE AND WORKSHOP PROCEEDINGS. Springfield: NTIS, 1976.

19. H. Fathy. ARCHITECTURE FOR THE POOR. Chicago: University of Chicago Press, 1973.

20. R. Fisher/B. Yanda. SOLAR GREENHOUSE. Santa Fe: John Muir Publications, 1976.

21. J. M. Fitch. AMERICAN BUILDING, THE ENVIRONMENTAL FORCES THAT SHAPE IT. New York: Schocken Books, Inc., 1975.

22. B. Givoni. MAN, CLIMATE, AND ARCHITECTURE. Amsterdam: Applied Science Publishers, Elsevier Publishing, 1969.

23. R. C. Jordan/B. Y. Liu, Ed. APPLICATIONS OF SOLAR ENERGY FOR HEATING AND COOLING OF BUILDINGS. New York: ASHRAE, 1977.

24. K. Kern. THE OWNER BUILT HOME. New York: Charles Scribners Sons, 1972.

references to read

참고자료

25. J.F. Kreider/F. Kreith. SOLAR HEATING AND COOLING. Washington D.C.: Hemisphere Publishing Co., Mc Graw-Hill Book Company, 1975.

26. J. Leckie, et. al. OTHER HOMES AND GARBAGE. San Francisco: Sierra Book Clubs, 1975.

27. Libbey-Owens-Ford. SUN ANGLE CALCULATOR. Toledo: Libbey-Owens-Ford Company, 1974.

28. T. Lucas. HOW TO BUILD A SOLAR WATER HEATER. Pasadena: The Ward Ritchie Press, 1975.

29. W. McGuinness/B. Stein. MECHANICAL AND ELECTRICAL EQUIPMENT FOR BUILDINGS. New York: John Wiley & Sons, Inc., 1971.

30. A. Olgyay/V. Olgyay. SOLAR CONTROL AND SHADING DEVICES. Princeton: Princeton University Press, 1957.

31. V. Olgyay. DESIGN WITH CLIMATE. Princeton: Princeton University Press, 1963.

32. Portola Institute. ENERGY PRIMER. Menlo Park: Portola Institute, 1974.

33. A. Rapoport. HOUSE FORM AND CULTURE. Englewood Cliffs: Prentice-Hall, Inc., 1969.

34. G.O. Robinette. PLANTS/PEOPLE/AND ENVIRONMENTAL QUALITY. Wash. D.C.: U.S. Department of the Interior, National Park Service, 1972.

35. J. Sheldon/A. Shapiro. THE WOODBURNERS ENCYCLOPEDIA. Waitsfield: Vermont Crossroads Press, 1976.

36. W.A. Shurcliff. SOLAR HEATED BUILDINGS: A BRIEF SURVEY. 13th ed., Cambridge: W.A. Shurcliff, 1977.

37. W.A. Shurcliff. THERMAL SHUTTERS AND SHADES. Cambridge: W.A. Shurcliff, 1977.

38. W. Skurka/J. Naar. DESIGN FOR A LIMITED PLANET. New York: Ballentine Books, 1976.

39. P. Steadman. ENERGY, ENVIRONMENT AND BUILDING. Cambridge: Cambridge University Press, 1975.

40. Total Environmental Action. SOLAR ENERGY HOME DESIGN IN FOUR CLIMATES. Harrisville: Total Environmental Action, 1975.

41. P. Van Dresser. HOMEGROWN SUNDWELLINGS. Santa-Fe: The Lightning Tree-Jene Lyon, 1977.

42. M. Villecco, Ed. ENERGY CONSERVATION IN BUILDING DESIGN. Washington D.C.: American Institute of Architects Research Corporation, 1974.

43. A. Wade/H. Ewenstein. 30 ENERGY-EFFICIENT HOUSES ... YOU CAN BUILD. Emmaus: Rodale Press, 1977.

44. D. Watson. DESIGNING AND BUILDING A SOLAR HOUSE. Charlotte: Garden Way Publishing Co., 1977.

PERIODICALS TO CONSULT

ADOBE NEWS. Box 702, Los Lunas, NM 87031. Interesting & well done. Illustrates solar adobe homes.

ALTERNATIVE SOURCES OF ENERGY. Route 2 Box 90A, Milaca, MN 56353. Just what the title says; some funky, some nice.

THE MOTHER EARTH NEWS. P.O. Box 38, Madison, OH 44057. Down home survival magazine. Often covers solar projects.

NEW MEXICO SOLAR ENERGY ASSOCIATION BULLETIN (NMSEA). Box 2004, Santa Fe, NM 87501. More than gossip. Handy tips, articles, & rules of thumb.

POPULAR SCIENCE MONTHLY. Boulder, CO 80302. Always seems to discuss at least one interesting energy-aware project.

RAIN. 2270 N.W. Irving, Portland, OR 97210. A journal of appropriate technology.

SOLAR AGE. SolarVision, Inc., Church Hill, Harrisville, NH 03450. Up-to-date articles on all aspects of solar utilization.

SOLAR AGE CATALOG. Box 305, Dover, NJ 07801. Complete spectrum of solar applications: hardware evaluations, articles, listings. Updated.

SUNSET. Lane Publishing Co., Menlo Park, CA 94025. Western U.S. trend magazine often covering residential scale solar projects with overviews of energy conservation.

SUBJECTS \ BOOK NUMBER	1	2	3	4	5	6	7	8	9	10	11	12	13	14	15	16
AUXILIARY, ACTIVE SOLAR	●	●		●		●						●	●		●	
CONVENTIONAL																●
WIND													●	●		
WOOD																●
BUILDING DESIGN				●					●							●
ENERGY CONSERVATION				●		●					●	●		●		●
GREENHOUSES		●									●	●	●	●		●
HARDWARE & CONTROLS	●	●		●	●						●	●		●		●
HEATING CALCULATIONS	●	●									●	●				
HEAT-LOSS FACTORS	●	●						●			●	●			●	●
HEAT STORAGE	●	●		●	●						●	●				●
ILLUSTRATIONS	●	●	●	●	●			●	●	●	●	●				●
INDEX	●	●	●						●		●					●
MATERIALS SELECTION											●					
MICROCLIMATE/SITE FACTORS			●	●				●	●							●
NATURAL VENTILATION	●	●	●	●												●
PASSIVE COOLING		●	●													
PASSIVE PRINCIPLES	●	●		●	●	●		●	●	●	●	●				●
RULES OF THUMB	●	●			●	●			●				●	●		●
SOLAR PROTOTYPE ANALYSIS	●	●		●		●				●						
SOLAR SHADING	●	●		●					●	●		●		●		
SOLAR WATER-HEATERS	●			●	●										●	●
SOLAR & WEATHER DATA	●										●	●				●
SYSTEM ANALYSIS & FORMULAS	●	●												●		●
TECHNICAL DISCUSSION		●												●		●
THEORY & PRINCIPLES	●	●		●		●	●			●	●	●				●
TRADITIONAL & INDIGENOUS		●								●	●					

SUBJECTS \ BOOK NUMBER	17	18	19	20	21	22	23	24	25	26	27	28	29	30	31	32	33	34	35	36	37	38	39	40	41	42	43	44
AUXILIARY, ACTIVE SOLAR							●		●			●												●			●	●
CONVENTIONAL	●							●	●																		●	●
WIND																●						●	●					●
WOOD																●		●						●				●
BUILDING DESIGN		●		●	●		●									●		●				●						●
ENERGY CONSERVATION		●	●		●			●					●		●				●				●			●		●
GREENHOUSES	●																		●			●				●		●
HARDWARE & CONTROLS	●	●		●	●	●	●		●					●	●	●	●			●		●		●	●	●	●	●
HEATING CALCULATIONS	●			●	●	●	●		●			●		●		●	●			●		●		●	●		●	●
HEAT-LOSS FACTORS	●			●	●	●	●		●					●		●	●							●			●	●
HEAT STORAGE	●	●		●	●	●	●		●							●	●					●			●		●	●
ILLUSTRATIONS	●	●	●	●	●	●	●	●	●	●	●	●	●	●	●	●	●	●	●	●	●	●	●	●	●	●	●	●
INDEX	●	●	●	●	●	●	●	●	●		●	●	●	●		●	●	●	●		●	●		●	●		●	●
MATERIALS SELECTION	●	●		●	●	●	●		●					●	●	●			●					●	●			●
MICROCLIMATE/SITE FACTORS	●	●		●	●		●		●			●	●	●		●					●		●	●	●		●	●
NATURAL VENTILATION	●	●		●	●		●		●					●	●	●						●		●	●			●
PASSIVE COOLING	●	●		●			●		●						●	●					●			●	●		●	●
PASSIVE PRINCIPLES	●	●		●	●		●		●	●		●	●	●	●	●		●		●	●	●	●	●	●	●	●	●
RULES OF THUMB	●						●		●			●		●		●			●		●	●					●	●
SOLAR PROTOTYPE ANALYSIS	●	●			●		●		●							●			●		●			●	●		●	●
SOLAR SHADING					●				●				●		●			●						●	●	●		●
SOLAR WATER-HEATERS			●			●	●		●							●		●							●	●	●	●
SOLAR & WEATHER DATA					●				●	●						●		●					●			●		●
SYSTEM ANALYSIS & FORMULAS				●			●		●				●		●		●		●				●		●	●	●	●
TECHNICAL DISCUSSION					●		●		●	●						●		●		●			●			●		●
THEORY & PRINCIPLES	●	●		●	●	●	●	●	●	●	●	●	●	●	●	●		●		●	●	●	●	●	●	●	●	●
TRADITIONAL & INDIGENOUS		●					●	●	●			●	●	●														●

INDEX 색인

역자 약력

㈜건양기술공사 건축사사무소 기술고문
공학박사. 건축사. 건축구조기술사

연세대학 건축공학과, 공학사
Asian Institute of Technology, M.E.
동국대학 토목공학과 대학원, 청주대학 건축공학과 대학원
한국방송통신대학 영어영문학과, 문학사
Advanced Concrete Technology', PCA Research Center ,USA
'Basic Project management', America Management Association, USA
'Management Development Course', AIT Business School, TH

인하대학교 건축과 강사('81~86')
전 중앙대학교 건설대학 건축공학과, 전 경기대학교 건축과 강사
전 건국대학교 건축대학원 강사

전 대한주택공사 건축처장, 기술개발전산반장, EXPO사업단장/주거환경관 관장
전 ㈜천일건축엔지니어링 사장
전 예창 구조 기술사 건축사 사무소 대표

전 ㈜아지테크 대표이사, web-programing, GPS data이용 단지계획설계
전 ㈜캐너택 기획관리본부장, ESCO/열병합발전사업 참여,
전 ㈜휴다임 건축사사무소 기술연구소장, ESCO/태양광발전사업 기획 사업화

㈔대한건축학회 참여이사
㈔한국 콘크리트학회 명예회원
전국연구소장 협의회 명예회원

2006 대한주택공사 설계 VE경진대회 입상
2013 대한건축학회 기술상 수상

'콘크리트의 응력-변형 및 구조단면 해석' 역. 2007 도서출판 골드(현 노드미디어)

태양 에너지를 이용하는 **패시브 하우스 건축**

발행일 : 2018년 1월 5일
역　자 : 한창평
펴낸이 : 박승합
펴낸곳 : 노드미디어
주　소 : 서울시 용산구 한강대로 320(갈월동)
전　화 : 02-754-1867, 0992
팩　스 : 02-753-1867
홈페이지 : http://www.enodemedia.co.kr
전자우편 : nodemedia@daum.net
출판사 등록번호 : 제 302-2008-000043 호(1998년 1월 21일)

ISBN :**978-89-8458-315-3**

정가 20,000원

■ 잘못된 책은 구입한 곳에서 교환됩니다.

이 저서는 저자 DAVID WRIGHT와 한국의 노드미디어 출판사
간의 협약에 의하여 번역출판 되었음.